こ

連城三紀彦

宝島社
文庫

宝島社

目次

二つの顔

電話のベルが鳴った気がした。

蛇口《じゃぐち》をしめ、水の音をとめて、音を確認した。浴室のドアを閉めきってあるので、音は小さいが、確かに電話の音である。夜半の二時を回ったはずである。——こんな時刻に誰が……

静まり返った深夜の片隅から、その金属音は見知らぬ生き物の苦しげな息づかいのように聞こえてくる。

濡《ぬ》れた手をタオルでぬぐい、浴室を出た。居間のドア越しにベル音は、暗い廊下に響きわたっている。この家には二階の寝室と一階の居間の両方に電話がひいてある。寝室の方の電話は、弟やごく親しい友人達しか番号を知らない完全に私用のためのものだが、居間の電話では誰からか見当もつかない。

電話は執拗《しつよう》にコールを続けている。しばらく躊躇《ためら》ってから受話器をはずした。突然切れたベル音にかわって、低い男の声がとびこんできた。

「真木《まさき》先生のお宅ですか？——画家の真木祐介《ゆうすけ》先生の？……」

聞き慣れない声だった。

「こちら新宿S署の者です。真木先生でしょうね」

「そうですが――」

「実は、夜分突然ですが、奥さんのことで……奥さんの名前はケイ子さんとおっしゃるのではありませんか。契約の契の字ですが」

「そうです。それが何か」

こんな深夜に警察が、契子のことで電話をかけてきているのだ。もっと驚くべきだったが、意外に冷静だった。気持が夜気に浸《おか》されて冷えていた。

「奥さんは、今、お留守《るす》ではないでしょうか」

どう答えたらよいかわからなかったので、

「ええ――」

聞き返したようにもとれる曖昧《あいまい》な答え方をすると、

「出先はわかりませんか」

「ええ、行先は聞きませんでしたから」

刑事の声は、短い間、受話器の底で沈黙していたが、

「実は、新宿三丁目のホテルで殺人事件が起こりまして、今その現場からですが、どうも殺された女性が先生の奥さんらしいのです」

「契子が？――そんな馬鹿な！」

思わず怒声のような烈《はげ》しい声を吐いた。

「殺害された女性が先生にあてた手紙を持っていたものですから――内容を読むと奥さんが書いたものらしいので……奥さんは出かけられる時、濃紺の結城《ゆうき》の着物を着ておられませんでしたか。帯は灰色で、黒い四つ葉のクローバーの模様があります。一つの葉だけがピンクになっている……」

「はっきりと憶《おぼ》えていません。たしかにそんな模様の帯は持っていましたが……しかし」

受話器の底で、男の声は唸《うな》った。

「間違いなく奥さんのようです。すみませんが、至急こちらへ来てもらえませんか」

いつ電話を切ったか憶えていない。気がつくと、受話器に残った男の声の余韻《よいん》を恐れるように、それを震える手で押えつけていた。驚愕《きょうがく》が大きすぎたのか、闇《やみ》に吸いこまれて意識は薄れ、思考が空転した。警察の者だと名乗る男が、最後に慌《あわただ》しく語った言葉のうちで憶えているのは、「新宿御苑《ぎょえん》の門の前から三本目の道を」という言葉と、「パド」という耳慣れない響きのホテルの名だけだった。パドというのがなかなか聞きとれず、何度も聞き返したのだった。

悪戯《いたずら》電話かもしれないとも思ったが、しかし男の声の背後には、たしかにパトカーのサイレンや慌しい人の動きや、殺人現場らしい空気が流れていたようである。

だがありえないことだった、――契子が新宿のホテルで殺害されたなどということは。なにかの間違いだ。ともかくその現場へ行った方がいい。そうすれば、つまらぬ誤解だと簡単にわかるだろう。

しかし、気持はそう思っても体が動かなかった。ソファにぐったり体を沈めたまま、ただぼんやりと壁の絵を見守っていた。一人の女の肖像画である。妻の契子――刑事の声が、死んだと告げた一人の女の顔は、薄闇のなかで幻のように泛《うか》んでいる。それは、顔というより壁を蝕《むしば》むしみのように見えた。全身が慄《ふる》えだした。手の痙攣《けいれん》をしずめるように力いっぱい花瓶《かびん》を握ると、それを肖像画めがけて投げつけた。花瓶はまともに絵の女の顔にぶつかり、床に落ちて砕《くだ》けた。

その音でやっとわれに返った。ガラスの花瓶は粉々に砕けたが、絵の女の顔はびくともしない。ただ水を浴びて、髪などが生きた女のもののようにうねるのだが、それでも顔は、わずかも動じないでいる。

そうなのだ、この女は絶対死んだりはしない――

空っぽだった頭に、突然の衝撃ですべてを思い出した記憶喪失者のように、はっきりと意識が戻っていた。絵の女から顔をそむけ、廊下に出た。

つきあたりに浴室の燈《ひ》が泛んでいる。一瞬その浴室へむかおうか、二階にあがろうか、迷ったが、足は勝手に階段を選んだ。

今夜、この階段をのぼるのはこれで四度目だった。上りつめた最初のドアが寝室である。そのドアをあけるのも四度目だった。

寝室の中は暗かった。ドア横のスイッチが一週間前から壊れたままになっている。ズボンのポケットからマッチをとり出して擦《す》った。指先で夜が白く剝《は》がれた。弱い炎が寝乱れたベッドと箪笥《たんす》にはさまれた絨緞《じゅうたん》に見慣れた幾何学模様を泛びあがらせた。見慣れているのにいつ見ても何角形かわからない不思議な形だった。

「馬鹿な――」

自分とは思えない声が呟《つぶや》く。

絶対にありえないことなのだ、契子が新宿の俺が名も聞いたことのないホテルで殺されたなど――契子なら、まだつい さっきまで、この絨緞の上に横たわっていたのである。私が殺した。この手で、この寝室で私が殺したのだ。そうして電話が鳴ったときは、その死《し》骸《がい》を、裏庭に埋めて、土まみれになった手を浴室で洗っていたところだったのだ。

炎がつき、闇に溶けたこの手には、首を絞めあげる際に触れた妻の――契子の最後の体温がまだ残っている。

1

四時間後――

真冬の夜明けに、白く凍りつくように泛びあがった高速道路を私は走っていた。新宿の現場からもう一つの現場、つまり国立《くにたち》市の自分の家に戻る途上だった。薄明が徐々に、周囲の風景に輪郭を与えていったが、頭の中では逆に、混乱がますます暗い闇へと絡みついていく。

同姓同名か、それとも妻が私にあてた手紙をもっていた女が偶然、殺されただけなのだ、

──そう楽観して、四時間前、私は家を出た。

新宿に着いたのは午前三時を回る時刻だった。パドと赤いアルファベットのネオンが、色彩過剰のために却《かえ》って全体の印象が暗くなったホテルの玄関に、唯《ただ》一つの色として浮かんでいる。一目でその種のホテルとわかった。

パトカーが駐車し、玄関先にはマスコミ記者たちがひしめきあっている。十二年前画壇に登場して以来、戦後の絵画史を独特な色彩で塗りかえたと言われるほどに名を売った画家の妻が、こんな場《ば》末《すえ》のいかがわしい場所で、殺されたとすれば確かに大きな醜聞《スキャンダル》である。次々に私にむけてフラッシュが焚《た》かれ、マイクが殺到した。

電話の声の主らしい刑事が、私をその渦から救い出して、現場へと誘導した。

現場はそのホテルの四階の、四〇二号室であった。

その部屋に一歩、足を踏みいれたときから、私は奇妙な混乱に陥っていた。部屋の印象が、自宅の寝室──私が本当に妻を殺した現場に酷似《こくじ》していたのである。簞笥はないが、ベッドの位置や部屋の広さ、窓の大きさ、カーテンや絨緞の色目まで。細部は異なっても、目にとびこんだ時の印象は、私が妻を殺した寝室をそのまま、新宿の裏通りのホテルの一室に移し変えたと思えるほど似ていた。

もっともそれは、ベッドに真っ白な裸身を投げ出している女の死骸のせいかもしれなかった。首に帯じめが巻きつけられている。ベッドの下には血痕《けっこん》がまだ生々しく附着したス

パナが転がっている。犯人は帯じめで女を絞殺した後、そのスパナで女の顔を打ち砕いたらしい、と刑事が説明した。

死骸の顔から白布が剝がされたとき、私は、思わず吐《は》き気を覚えて、手を口にあてた。土塊《つちくれ》のようになった顔が気味悪かったからではない。そのあまりの類似に、めまいを覚えたのである。何もかもが、その晩の私の行為の痕跡だった。私がまだほんの一時間前、裏庭の土に埋め、隠蔽《いんぺい》したはずの犯罪が、そのまま眼前に再現されていたのだ。私もまた、契子を帯じめで絞殺した後、スパナでその顔を打ち砕いたのである。

「顔はこんなですが……そのう、他《ほか》の部分で判断できませんか」

妻だ、と答える他なかった。体の印象も髪の長さも契子に似ている。ベッドの下に脱《ぬ》ぎ棄《す》てられている着物や、エナメルのバッグにも確かな記憶がある。

「この指環《ゆびわ》は？」

死骸の左手の薬指に翡翠《ひすい》の指環がはまっている。台が十字の珍しい形をしているので、刑事の目を惹《ひ》いたらしかった。

「四年前、結婚の時に私が買い与えたものです。私のデザインで特注でつくらせました」

刑事がぬこうとしたが、指環はしっかり肉に喰いこんでいて、わずかにずれただけである。リングの痕《あと》が鮮明に残っている。死骸の女がもうかなりの歳月その指環をはめ続けていた証拠だった。

とすると、この女はもうまちがいなく契子なのである。

何もわからなかった。家を出て、深夜の高速道路を疾走し、いつのまにかまた自分の犯罪現場に戻ってきたのだ。脳裏に生々しい臭気で染みついている数時間前の犯罪を、不思議な一枚の鏡に照らしだして、私はそのもう一つの現場につっ立っていた。

「この手紙ですが」

刑事が、白い手袋をはめた手で一通の封書を渡してきた。表には国立の住所と私の名が記され、裏には、契子とだけ名があった。筆蹟《ひっせき》には、またしても契子の顔が見えた。

――私にはあなたという人がわからなくなりました。私を愛していないならなぜ半年前新宿で偶然再会したとき、私には気づかなかったふりで目をそらしてくれなかったのでしょう？　同情だったのかしら？　もう二度とお逢《あ》いすることもないでしょう。二年前あなたの口から別居という言葉がでたとき、全部が終っていたことを認めるべきでした。離婚届は二、三日中に送ります。

封筒には、切手が貼《は》ってある。投函《とうかん》するためにバッグに入れ、もち歩いていたようである。

「この文面からすると、奥さんはあなたと別れる意志があったように思えますが……」

刑事が尋《たず》ねた。私は今日までの契子との夫婦関係を簡単に説明した。

私と契子は四年前に結婚した。契子は私より六つ歳下で、当時二十七歳だった。熱烈な恋愛結婚だったが、二年で最初の破局を迎え、別居に踏みきった。冷却期間をおくだけのつもりで、離婚の意志はなかった。一年半後、偶然新宿の繁華街で出逢い、もう一度やり直そうと話し合った。二人共、空白期間のうちに相手への信頼を回復したように思っていたが、再び生活を共にし始めると、やはり上手《うま》くいかなかった。一カ月前から、どちらともなく離婚という言葉が出るようになった。同じ家の中でもたがいにわずかの関心も払えないようになった。

昨日も私は昼から伊豆へ旅行に出かけた。伊豆のホテルに着くと同時に重要な忘れ物をしたことを思い出し、家へ戻った。

「それが午後八時で、この時妻はもう留守でした」

私はそう嘘《うそ》をついた。実際には妻はまだ午後八時に家にいたのだ。そうして私が殺した。私のこの手で——

「奥さんの男性関係については、何かご存知ですか」

「いいえ、何も知りません。私と一年半別居していた際、契子はバーに勤めていました。なんらかの男関係はあったでしょうが……もしかしたら弟の新司《しんじ》が何か知っているかもしれません」

「弟さん？」

「証券会社に勤めています。人のいい性格で、契子も私より弟の方を信頼している所があって、私とのこともいろいろ相談していたようですから」

刑事は、弟の住所を聞いてメモに取った。

犯人と思われる男がこのホテルに来たのはちょうど午前零時頃だったという。ハンチング帽を目深《まぶか》にかぶり、サングラスをかけ、コートの襟《えり》で口もとを隠していたので人相はほとんどわからなかった。「後から女が来るので通してくれ」と言って現場の四〇二号室に入った男は、三十分ぐらいでまた一人だけで出てきた。「女が来そうもないので帰る」と言うと、規定料金だけを払って出ていった。

不審を覚えたフロント係が、四階にあがって部屋を覗《のぞ》くと、既に女は死体となっていたのである。

その女はフロントを通っていない。四階の廊下のつきあたりが非常口になっている。女は非常階段からその部屋に入ったと想像された。わずか三十分の間である。女が部屋に入り、衣類を脱ぎすてると同時に男は行動を起こしたに違いない。

「宿泊カードの住所も氏名も出鱈目《でたらめ》です。それで念のためにお尋ねするのですが、真木先生は零時頃、どこにおられました？」

「自宅で眠っていました。八時に家へ戻ってその時刻からまた伊豆にひき返すのは大変なので翌朝にまた出かけることに決めて――私も容疑者のひとりなのでしょうか」

「いや、念のためにお尋ねしているだけです。自宅におられた証拠でもあればいいのですが」

「出版社から電話がありました。その出版社の主催で来週個展を開くことになっていますが、手違いで会場が変りそうだと報《し》らせてきたのです。それが零時前後でした。出版社の人に確かめてもらえばわかります」

出版社の社員は、「こんな夜分に申し訳ありませんが」と言っていた。まちがいなく電話をかけてきた時刻を憶えているにちがいない。とするとこの新宿での妻殺しには自分は確かにアリバイがあるのだ。

そう考えた瞬間から、私はこの死体の女を契子にしてしまうことに決めた。この犯罪が、自分の本当の犯罪の隠《かく》れ蓑《みの》になってくれるかもしれない――それに、もしこの死骸が妻でないと否定すれば、警察では妻の行方を探したがるだろう。そうすれば、私が裏庭の土に埋めた本当の妻の死体を見つけてしまう危険がある。

「もう一度確認しますが、この女性は奥さんにまちがいありませんね」

「たしかに妻の契子です。顔はこんなですが、そのう――夫婦ですから体の感じなどで」

そう答えた。実際にはよりを戻した半年前から私は一度も妻の体に触れていなかった。最後に契子を抱いたのはもう二年も前になる。二年間の時の経過に、契子の体の細部の記憶など埋没《まいぼつ》してしまっている。

ただ契子と認めても、それが偽証になるはずはなかった。確かにこの女も契子なのである。指環、着物、手紙の筆蹟、それに漠然とした体の印象まで……しかし契子なら、家の裏庭に埋っていなければならない。同じように顔をうち砕かれた死骸として土に埋っているはずである。

「それにしても、犯人はなぜ顔を潰《つぶ》すような残忍なことをしたのでしょうね」

刑事がひとり言のように呟いた。その言葉は私の胸を突いた。自分に言われたような気がしたのだ。

今は何も考えてはいけない、家へ帰ってゆっくり考えよう、何か馬鹿げた誤解があるに違いない――そう思った私は、刑事から解放されると、その奇妙な殺人現場から逃げだし、アクセルをいっぱいに踏んで、夜明けの高速道路を突っ走り、家へ戻ったのだった。

居間のドアを開けると同時に、私はマントルピースの上の契子の肖像画を見つめた。立ったまま、しばらくその絵の顔から目が離せなかった。

「契子――」

私は絵にむけてそう呼びかけた。この絵だけが契子だった。炎の照り返しを浴び真紅の夕陽に染まり、わずかに顔を横にむけて視線を鎖《とざ》している、その一人の女の顔だけが唯一、確かな、本当の契子だった。私と一緒に四年間を暮した現実の契子は、本当の契子ではなかった――だから殺した。

体がソファに崩れた。ウィスキーをとり、グラスに注ごうとして、手を滑《すべ》らせた。床に落ちた罎《びん》から、濁った液が流れだした。出がけに絵にぶつけた花瓶の破片が、朝の陽《ひ》ざしに小さな光をはねかえしている。その光を呑《の》みこみながら茶褐色の液は広がっていく。

この時、ふとその考えが浮んだ。新宿の見知らぬホテルで殺害された女が、ああも契子に似ていた、その理由がたった一つだけある。

あの女が、契子だったのだ。安ホテルの一室で、一人の男のために衣類を脱ぎ棄て、裸身を血まみれのベッドに露《さら》けだしていたあの女こそが契子だったのだ。そう考えれば、あの死体が契子と瓜《うり》二つだった理由は説明できる。
しかし――しかしそれなら、私はいったい誰を殺したのだろう。

2

「あなたの中には、いつも他の女の影があったわ。私が棄てられるのはそのためね」

二年前、私が突然別居の話を切り出したとき、契子は私が初めてその顔を見たときと同じように少し横に視線をそむけてそう言った。気の強い契子が私の「しばらく一人で仕事をしたい」という言葉を自分への愛情が冷めたからだと曲解したのも当然だったかもしれない。私がさし出した札束を、震える手で叩きつけると黙って部屋を出た。

結婚当初から、契子は私の中に、別の女が住みついていると疑《うた》ぐっていた。私が、契子ではない、別の女の影を絶えず追い求めていると――それはある意味で事実だった。私の中には、確かに一人の女の影が巣喰っていた。そのために契子を愛せなかった。ただ契子はそれが、契子自身の影であることに気づかなかっただけである。

私と知り合った当時、契子は小さな画廊で、事務員のような仕事をしていた。大きすぎる、黒すぎる目と、厚い上唇が、むしろ美しいという言葉からはほど遠い不調和な顔の造作であった。だが、夕陽にくすんだ、古道具屋にも似た貧しい画廊で、初めてその顔を見たとき、私は契子の、暗すぎる顔に、自分が長年求め続けてきた一つの美を見出したのだった。ターナーの『奴隷船』に似た赤黒く燃えあがる海の絵を背にして、炎に焼かれるようにあった一人の女の顔は、私がそれまで無意識のうちに求め続けていた心象世界でもあった。私は、ただぼんやりとし、何もわからず、ただこれが感動というものだろうと思っていた。この顔を絵に描きたいという衝動が、義務感となって私を縛りつけ、私は感動の声をもらすことすらできずにいた。

つまり、私は一人の女とではなく、画材と結婚したのだった。そうしてその結婚が失敗だったことには、わずか一カ月後に気づいた。

一緒に住んでみると、契子は私の想像とは、まるきり別の女だった。妻としては、むしろ理想に近い女だった。明朗で、芯《しん》の強いところもあり、家事の切り回し方など文句のつけどころがなかった。——だが、それは私の求めていた契子ではない。私の愛する契子は、荒れ狂う炎の海に呑《の》みこまれた、暗い、投げやりな目つきをした影だけの女でなければならなかった。

キャンバスにむかっても何も描けなかった。描きたいとは思った。しかし、その意欲は現実の顔を前にすると跡形もなく消えてしまう。現実の顔を見慣れてくると、私をああも大きな感動でうちのめしたあの一瞬の顔がどんどん薄れていってしまう。

離れたかったのは、契子の顔が目の前にちらつかなければ、かえって記憶の中で、あの夕闇の画廊での一人の女の暗い眼差《まなざし》は、鮮やかに蘇《よみがえ》るだろう、と考えたからである。それにどのみち、契子の顔への、私の画家としての燃焼は、あの最初の一瞬で尽きてしまっていたのである。

別居の決断は正しかった。妻と離れて半年後、私はその女の肖像画を完成した。私の最高傑作という評価が集まり、買い手が殺到したが、自分のすべてが投入されたその絵を、手放す気にはなれず、しばらくは家の居間に飾っておくことにしたのだった。

肖像画を完成した時点で、私は契子を呼び戻すつもりでいたが、実際に絵が完成すると私は契子にはもう何の興味もなくなっていた。絵が完成すれば、画材は無意味になる。

渡仏時代、私はパリの古物市場で、ロジェ・ガルラスという戦前の名高い画家が、静物画の画材に使ったと称する皿を見た。その皿に、私は背筋の寒くなるのを覚えた。ガルラスの魂が、その皿から、皿自体の存在感まで奪いとったかのように、それは、ひび割れ、古び、無意味な品にかわっていた。皿についた二六五フランという馬鹿げた値段が、ガルラスの絵を冒瀆《ぼうとく》しているようで、私は怒りさえ感じていた。契子の存在も、その皿のように、肖像画を完成した時点で、何の意味もなくなったのだった。

ところが、半年前、私達は偶然の雑踏の中で、再会したのだった。人渦に巻きこまれながらつっ立っていた一瞬の衝撃を今も私は忘れることができない。私が驚いたのは、予期しなかった再会のためではなかった。一年半ぶりに見る妻の顔が、余りに変っていたからである。人波の肩ごしに、その顔は見えた。連れの女と馬鹿笑いしていた契子は、私を認めると、驚いて表情をとめた。その顔にはまだ一瞬前の下卑《げび》た笑みが、しみのように残っていた。

一年半の間に契子は二、三のバーを転々とした。変貌《へんぼう》は夜の世界の濁色に全身を染めぬかれたせいのようである。粋《いき》に和服を着こなし媚《こ》びた化粧で飾られた契子に、他人なら以前にはなかった華やかな美しさを感じたかもしれない。しかし、そこには最早《もはや》、私の肖像画とかかわりあう一片の女もなかった。私はガルラスの画材の皿に覚えた寒さと怒りを、その雑踏の中でも、契子の顔に感じていた。私の絵が、契子の顔から生命をことごとく吸いとってしまった気がした。残ったのは、顔と呼ぶのもけがらわしい、線だけの卑《いや》しい幾何学である。

わずかな執着も覚えない契子に、それでも、「またやり直さないか」と声をかけたのは、自分の絵のために犠牲にした一人の女への、人並みな同情に負けたからである。それが失敗だった。私は、新宿で殺された女——契子としか思えない女がもっていた手紙の中に書かれていたとおり、あの雑踏の中で、すぐにも目をそむけるべきだったのだ。

再会して一週間後、再び私の生活に戻ってきた契子は、居間に飾られた肖像画を一目見た瞬間、すべてを悟ったようであった。私の愛が絵の女にだけ向けられていたこと、私にとっての唯一の契子とは、その肖像画の女だったこと——二カ月が経つ頃から、契子は、ときどき居間のソファに座りこみ、無気味に押し黙って、絵の女を見つめるようになった。私の方から、またやり直そうと言ったのに、以前以上に私が冷淡なので契子は神経でも病みだしたようである。私の方も、契子が、絵を見つめる目に病的な恐怖を抱くようになった。じっと一直線に注がれる視線の烈《はげ》しさは、まるで絵からもう一度自分の生命を吸い戻そうとしているようであった。契子の顔が絵から、私の芸術を一片ずつ奪い戻して、肥《ふと》っていくように見えた。

今夜、私が殺すと同時に、契子はもう一人の女になって、見知らぬ殺人現場に現われた。しかし、あの頃からもう契子は二人の女だったのだ。肖像画の契子と現実の契子──私は二人の女をその頃からもう混同して考えるようになり、契子も、まるで絵の女を実在する女のように眺めるようになった。それは、私の愛を奪った女へのあからさまな嫉妬《しっと》の視線だった。

私と契子、そしてもう一人、絵の女、──この三人の奇妙な同居生活は、それから四カ月、表面上はあくまで何事もない平穏な顔を保って続いたのだった。

ところが一昨日のことである。居間で些細《ささい》なことがもとで、二人は諍《いさか》いを始めたのだが、その最中に、契子がふと傍《そば》にあった果物ナイフを持って立ちあがった。私は自分に切りつけてくるのだと思って、思わず一歩退いたが、契子が見つめたのは絵の中の女だった。

「この絵のためでしょ、あなたが私と結婚したのは。私はモデルにすぎなかったのね。私はあなたがこの絵を完成するための道具だったのね」

絵にむかってナイフをふりおろそうとする契子の背に、私はとびかかった。

「やめろ！　これはお前の絵じゃないか」

「違うわ、これは私じゃないわ。あなたが愛したのはこの女よ。私はいつもこの女の陰におき去りにされてたのよ。あなたは私が生きていることさえ忘れていたわ」

私の制止に抵抗し、ナイフをふりまわす契子の力に、私ははっきりと異常なものを感じとった。私が契子の手首をねじあげ、手からナイフをはらい落とすと、契子はワッと泣き声をあげて、床に崩れた。

昨日の午後、私は伊豆へ旅立った。妻の興奮はしずまっていたし、かねてから計画してあった旅行だったから、出かけたのだが、東京を離れるとすぐ、前夜の妻の行動が気にかかり始めた。留守のあいだに妻はあの絵を始末してしまうのではないか、いや今もう既に、契子は昨夜と同じようにナイフを握って、絵の女に襲いかかっているかもしれない——そう思うと気が気ではなかった。伊豆に着くとすぐまた、東京へ引き返した。

家へ着いたのは八時だった。玄関を入ると二階の寝室で契子が電話をかけている声が、階段からすべり落ちて聞こえてきた。

「もう終わってるのよ。一刻も早く別れた方がいいわ」

たしかそんな事を喋《しゃべ》っていた。電話の相手が誰であるかに構っている余裕などなかった。鞄《かばん》を玄関においたまま、靴も満足に脱がず、居間に駆けこんだ。

絵はまだどうもなっていなかった。私はホッとしてソファに座りこみ、そのとき床の上に落ちているナイフを見つけた。前夜、契子がふり回したのと同じナイフである。契子は私が出かけた後、ナイフを台所にかたづけたはずなのに、またそれが居間に落ちているのだ。契子は私そのナイフを台所にかたづけたはずなのに、

鋭い光に、私は、はっきりと契子の、一人の女への殺意を感じとり、思わずナイフを手か

ら離した。私はゆっくりと寝室へあがった。

その時刻、寝室の闇は深かった。窓からのわずかな明りでなんとか電話機の傍に立った一人の女の輪郭らしいものがわかった。電燈のスイッチは一週間前から壊れたままになっていた。私がわざと壊した。寝室で、すぐ身近に契子の顔を見るのは、もう死ぬほどの苦痛になっていたのだ。契子の方も同じ気持らしかった。二人はこの数日、暗闇の中で背をむけあって眠った。

「誰に電話をかけていた――」

私はそんな無意味なことを聞いた。顔をほとんど闇に隠した女は何も答えなかった。突然戻ってきた私に、驚いているのだろうと思った。影と気配と息づかいだけで、数秒二人は対いあっていた。私はなに気なくベッドに手をさまよわせていたのだが、この時、手が偶然何かの紐《ひも》に触れた。なんの紐だろう、と思って強く握りしめたときである。突然、私に、得体の知れない怒りがこみあげた。私は、何かの力に押されるように、闇の女に襲いかかり、夢中で手に握った紐をその首にまわした。

一瞬ともいえる短い行為だった。やがて闇に響きわたる絶叫が、女のものではなく自分の喉《のど》から絞りだされているのだと気づくと、私は両手を離した。女の体が闇の底へと崩れた。

それから私は、すぐに階下へおりたようだ。裏口からガレージへ行って、スパナをとると、再び寝室へ入ったのだが、そのあたりの記憶はほとんどない。自分でも説明のできない、不思議な力に動かされて行動していたとしかいいようがない。夢の中か、他人の意識の中を動いているようであった。

スパナを、闇にほとんど溶けている一人の女の顔にふりおろしながら、私が考えていたのは、あの一枚の皿を――パリの古物市場で見かけたガルラスのひび割れた一枚の皿を、今度こそ本当に割り砕いてしまわなければならないということだけだった。

気がついたとき、私はスパナを握ったまま、女の体の上に、倒れていた。荒々しい心臓の鼓動が、完全に死んでいるはずの女の胸から伝わってくるようで、私はすぐにも離れたかったのだが、いつまでもその体を抱きしめていた。闇の中から、ツーツーと単調な音が響いてくる。女の首を絞めた際、女の体か私の体が、受話器をはずしたらしかった。

私にあったのは、驚きだけだった。ベッドで紐に触《さわ》るまで、私は、それほどまでに烈《はげ》しく契子を、その顔を憎んでいるとは思ってもいなかったのだ。契子と結婚してから、その顔を目障《めざわ》りに思っていたのは事実だった。だがこの四年間の自分に、こうまで烈しい怒りが、憎悪が、殺意が潜んでいたとは自分でも信じられなかった。気が狂っていたのは私だったのかもしれない。

マッチを擦った。小さい炎は、一瞬、それを照らし出して消えた。それは、もう顔ではなく、砕けた土器のように床の上に小さく盛りあがっていた。ほんの一瞬だったが、首に巻きついているのが帯じめだとわかった。再び闇に包まれたあとも、その顔の、赤と黒が微妙に入り混じった色は、私の頭に残った。私はいつかその色を絵にするだろうと思っていた。

3

それから私は、再びガレージから、古い車のカバーと縄をとってくると、闇《やみ》の中で、女の体を包み、それをひきずりおろして、裏庭へ運ぼうとした。

死体をひきずりながら、居間の前を通りすぎようとしたときである。わずかに開いたドアのすきまから突然、電話が鳴った。私はしばらくためらってから、死体を廊下に置きざりにして、居間に入り、電話をとった。

「兄さん？」

弟の新司だった。

「義姉《ねえ》さんは？」

「契子なら留守だ——何か用か」

「……それならいいです」

弟は自分から電話を切った。これが九時ごろであった。それから三時間後に出版社から電話が入り、さらに二時間後に警察から電話がかかってきた。

つまり、昨夜は、電話が三度かかってきたのだ。出版社からの電話は、私が穴を掘っている最中に、開け放してあった裏戸からかすかに響いてきたものであり、警察からの電話が鳴ったのは、私が、死体を埋め、後始末をすべて終えて、浴室で、土まみれになった体を洗っていたときであった。

最初の、弟からの電話で、いくらか現実をとり戻したようである。それ以後のことは正確に憶《おぼ》えているのだが、問題は、それ以前のことである。

寝室は、闇に包まれていた。私は女の顔を一度も見ていないのだ。いや一度だけ、マッチの炎で確かめたが、その時はもう顔を潰したあとだった。私が、その闇の女を契子だと考えたのは、伊豆から戻り、玄関にとびこんだ際、二階から聞こえてきた電話をかけている声だけである。言葉は憶えているが、しかし、それが本当に契子の声だったのかどうか——あの時は、肖像画のことばかりが気がかりで、すぐに居間に駆けこんだのである。私は、ただ家の中に女がいた、というだけで、無意識のうちにそれを契子だと信じこんでしまったのではないのか——

女がいたというだけでは、契子だとは言い切れない。契子と別居していた一年半のうちに、私はいろいろな女とつきあった。契子を愛していたわけではないが、女が傍にいない空白は淋《さび》しかった。モデルやバーの女給が大半だったが、そのうちの何人かは家に連れこんでいる。再婚してもいいと考えた女もいるし、二、三人には家の鍵《かぎ》も渡してある。勝手に入りこんでシャワーを浴びながら、私の帰りを待っていた女もいた。契子とまた暮すようになって、女達とは手を切ったが、そんな女達の一人が酔いつぶれでもして、私が契子と一緒に暮し始めたことを忘れ、留守宅に勝手にあがっていたのかもしれない——ありえないことだが、私が殺して埋めたはずの契子が、同じ晩に別の犯罪現場に同じ死骸《しがい》となって現われるということの方がもっとありえないことなのだ。

私が殺したのは別の女だったのではないか、契子は、私が伊豆から戻ったとき、すでに外出しており、誰かと落ちあって、あの奇妙な名のホテルへ出かけたのではないか――

だが、そう考えても疑問は残る。なぜ、新宿のホテルで契子を殺した犯人は、その顔を潰したのか、私と同じように帯じめで絞殺したのち、私と同じスパナを使って――スパナ？

私は居間を出ると、寝室にあがった。朝の光が、昨夜私が、一人の女を殺した部屋を照らしだしている。記憶をたぐると、女の体が横たわっていたのは、たしかこの戸口に近い絨緞《じゅうたん》の、不思議な幾何学模様の上だった。しかし昨夜の事件の痕跡《こんせき》はもう何もない。昨夜、警察から電話がかかったあと、私は万一刑事がやって来るのを恐れ、懐中電燈をともして絨緞に残った血痕を丁寧に拭《ぬぐ》ったのである。微細に調べれば、血痕が出てくるだろうが、見ただけではわからなくなっている。昨夜の出来事など嘘のように部屋は静まりかえっている。

スパナはなかった。たしか、血痕のついたスパナを残しておいては危険だと思って、車のカバーで死体を包んだ際、いっしょに包みこんだような気もするが、その辺りの記憶はいくら思い出そうとしても定かな形にはならない。

帯じめもそうだ。新宿の女の死体に巻きついている帯じめを見たとき、自分が絞殺に使ったのと同じだと考えたが、寝室では、ほんの一瞬マッチの火で見ただけである。同じ色だという気がしたが、新宿の犯行現場と寝室のそれとが、あまりに似ていたための錯覚《さっかく》にすぎないのかもしれない。

依然なにもわからなかった。考えれば考えるほどわからなくなる。ただその混乱の中でも、私の頭は、やはり新宿で殺された女が契子だったのだという考え方に傾きかけてきていた。寝室で、私は誰かわからない一人の女を殺した――

電話が鳴った。警察は、この寝室の方にひいてある電話の番号は知らないはずだから、たぶん弟からだろう。

「兄さん?」

思ったとおり弟の声だった。

「なぜもっと早く報《し》らせてくれなかったんですか――今警察から電話があって、僕にも死体を確認してくれ、と言うんです。警察へ行って、それからそちらへ寄ります」

新司は、慌しい声でそれだけを言うと、電話を切った。

弟が来る――いや警察だって来るだろう。

犯罪の痕跡が残っていないか、もう一度確かめておく必要がある。警察はここへ犯罪の痕跡を探しにくるのではない。警察ではこの家がもう一つの犯罪現場であり、もう一人の女が殺されていることには気づかずにいるのだ。しかし、なにかおかしな痕跡を残して、警察に疑惑を与えるのはやはり警戒しなければならない。

寝室を丹念に見回し、階段や廊下に血痕でも落ちていないか細かく目を配りながら、裏庭に出た。

裏庭といっても、ガレージと煉瓦塀《れんがべい》に囲まれた小さな空間にすぎない。ガレージから少し離れたところに陽溜《ひだま》りが落ちている。

ちょうど昨夜、死体を埋めた位置である。埋め終えたあと、何度も土をならしたので、今、冬の朝の透明すぎる光の中でも、よほど目をこらさないと、土を掘り返した跡はわからなかった。

なに一つ痕跡がないことに、私は安心した。だが同時に、私は、なんの痕跡も残っていないことに不安のようなものを覚えた。

朝の光は、昨夜の闇と共に、その闇の中でおこなわれた犯罪までも完全に消し去っていたのである。なにもかもが嘘のように思えた。この土の下に一人の女の死体が埋まっていることも――私が昨夜その女を殺したことも。いや殺したのは本当だろう。だが、それは本当にこの家で起こったのか……この家で、起こったことは全部、私の妄想《もうそう》なのではないか……私が契子を殺したのは新宿のホテルだったのではないか、……あのおかしな名のホテルへ契子を連れこみ、絞殺し、顔を砕いたという、サングラスの男とは、私だったのではないか……

4

十時に弟が来たとき、私は居間のソファに、両手に顔を埋め、泣くような恰好《かっこう》で座りこんでいた。

渋谷のアパートに住んでいる弟は、新宿の警察署で一時間ほど尋問《じんもん》を受け、車をとばしてきたのだった。

「あれは義姉さんです……まちがいなく」

弟は暗い声で言うと、私につき合うように、両手に顔を埋めて、ソファにうずくまった。

弟もこの突然の事件に動転しているのだろうが、服装はいつもと変りなく、わずかの乱れもなかった。大学を出て今の証券会社に勤め、その後十年、自分の人生の地場を着実に踏み固めてきた弟と、画家であり、キャンバスの中で自由奔放《じゆうほんぽう》な生き方をしてきた私とは、いろいろな意味で正反対だった。

三十二で、弟はまだ独身だった。私は、ちょっと気に入った女とはすぐに関係ができてしまうが、弟は女に対しても慎重だった。もちろん過去に、二、三人の女とは交際しているのだが、結婚の相手としてふさわしくない点を見つけるとすぐに交際をやめた。私のように衝動的に女を抱くような真似《まね》は決してしなかった。

夢を広げ、その広げた分に敗れてさらに夢を広げてしまう自滅的な私の生き方に比べ、しっかりと現実に足をふまえて生きている弟を羨《うらや》ましいと思うこともあった。契子も私より弟の方を信頼していた。私と別居していた一年半、契子は私には一度も連絡をよこさなかったが、困ったことがあると弟に相談にいっていたようである。半年前、再び私との生活を始める際も、最終的には弟の意見で決めたのだった。

「右の腿《もも》に痣《あざ》がありました。あれは四日前だったかに僕がこの家を訪れたとき、義姉さんがこのテーブルの角で打ったものです」

「四日前に、お前、ここへ来たのか」

「ええ、突然義姉さんに呼ばれて……兄さんの帰りが遅かった晩ですよ。あまり遅いので、晩御飯だけご馳走《ちそう》になって、兄さんを待たずに帰ってしまったんですが」

「契子が、そのとき打ち明けた話を警察には話さなかっただろうね」

四日前に契子が弟を呼んだのは、私とのことを相談したからに違いないと私は考えたのだった。その時、当然、契子は肖像画について触れただろう。私たちが上手くいっていなかったことは、もう警察も知っているので、それは構わないのだが、肖像画のことは警察には知られたくなかった。

しかし弟は、怪訝《けげん》そうな顔で、

「義姉さんからは何も聞いていません。あの晩は、せっかく食事を二人分つくったのに兄さんの帰りが遅くなるようだから食べに来ないかと言われただけです。義姉さん、機嫌も顔色もよかったので、兄さんとは上手くいっているのだと思って安心していたんです。それが、昨日になって突然、電話がかかってきて……」

「昨日？　契子はお前に電話したのか」

「ええ」

「何時頃だ？」

「八時だったかな、夜の——突然、涙声でもう兄さんとは別れるつもりだと」

「契子はどこから電話をかけてきた」

「この家からだと思ったんですが、違ったようです。電話が中途で突然きれたので、それで僕の方からこの家の寝室の方の電話にかけたんです。でもそっちの電話は、受話器がはずれていたのか、なかなかつながらなくて……それでほら、この居間の方へかけたんですよ。そうしたら兄さんが、留守だというから。義姉さん、きっと出先からかけたんでしょう」

「その電話で——新司、契子はその電話で、こんなことを言わなかったか。俺とはもう終りだ、一刻も早く別れた方がいい……」

弟は、不思議そうに私を見返した。

「ええ、確かにその通りのことを……でも兄さんが何故《なぜ》それを知ってるんです」

「いや、このところ、契子は口癖のようにそう言っていたから……」

私は上《うわ》の空でなんとかそうごまかした。この時、私の頭を占めたのは一つの考えである。

——とすると、あれはやはり契子だったのだ。寝室にいた闇の女は……私が殺したのはやはり契子だったのだ。しかし、それなら……

私の顔色が変ったのを、新司は別の意味にとったようである。

「昨日の電話のことは警察には話しませんでしたよ。実際、僕も警察で、バッグに残っていたという手紙を見せてもらうまで、兄さんたちの本当の事情は何も知らなかったから。しかし、兄さんはなぜ僕が、警察に何か喋るのをそう恐れてるんですか」

弟は、私をじっと見つめていた。灰色の動かない目だった。

「いや、警察は俺のことも疑ぐっているらしいから……事実、俺は、契子を殺してもおかしくない立場だ」

「しかし兄さんにはアリバイがあると警察では言ってました。昨夜の十二時頃、恰度《ちょうど》、新宿で義姉さんが殺された時刻ごろ、出版社からこの家に電話があったそうですね。警察で出版社に確かめたところ、まちがいないと判《わか》ったそうですが……」

「だが、これ以上変に疑惑の目で見られたくないから……警察ではお前に契子の男関係を聞かなかったか」

「ええ――でもそういう相談は受けたことがないと答えました」

新司は、少し目を伏せた。何か知っているのだが、隠している、という気がしたが、弟の無表情からは真意は探れなかった。すぐに感情を顔にだしてしまう私と違って弟は、どんな時にも冷静な顔を保てる男である。

「しかし、犯人はなぜ、あんな残虐《ざんぎゃく》なことをやったんでしょうか」

弟は、ごまかすようにそう呟《つぶや》くと、視線を、ふと契子の肖像画に流した。残虐なことと は、犯人が死骸の顔を砕いたことだろう。それでふと思いだし、肖像画を見ただけなのだろうが、弟の、色のない顕微鏡を覗《のぞ》くような冷徹な目に私は何もかも見ぬかれていそうな不安を感じた。

「少し眠りたい。警察が来たら起こしてくれ」

私は、弟と話をするのが辛《つら》くなったので、そう言い残して、寝室へあがった。

ドアを閉めると、私は床にうずくまった。警察が来る前に、もう一度、絨緞に血痕が残っていないか調べたかった。

絨緞に近づけた目は、しかし血痕ではなく別のものを拾った。先刻気づかなかったのはそれが、洋箪笥《ようだんす》と和箪笥のわずかなすき間に、隠れるように落ちていたからである。

私は、それを手にとった。次の瞬間、背中に悪寒《おかん》のようなものが走り、私はそれを投げ棄てた。絨緞の模様にかき消されるように落ちている、それを、私は一歩退いて見つめ続けた。

指環《ゆびわ》だった。

翡翠《ひすい》を十字のプラチナの台に埋めたそれは、新宿で殺された女の指に喰いこんでいたものと同じだった。

5

私はベッドに倒れ、眠りに落ちた。夢のなかに白いドアがあった。私は二つの鍵をもっており、鍵穴にさしこむのだが、どちらの鍵でもドアは開かない。夢の中でも私は混乱していた。鍵穴をのぞく——何もないただの闇。闇は、私がマッチの火で確かめたあの女の最後の顔のように、赤と黒が不思議な色合に溶けていた。

弟に揺り起こされて、目をさました。一時間ほど眠ったらしかった。短い睡眠のためにかえって赤く腫《は》れあがった目で、階下へ降りると、新宿で会った刑事と数人の係官がいた。

一瞬、逮捕されると思って、私は一歩退いた。

「念のために、この家に残っている奥さんの指紋を調べさせてもらいます。死体の指紋と合うかどうか——」

胸の中で、あっと叫んだ。指紋があった。指紋を調べさえすれば、たしかに新宿で殺された女が契子かどうかは、はっきりするのだ。

私は、何もかもはっきりさせたかった。しかし、また、万一、指紋から新宿の女が契子でないと、わかったら、契子の行方をどう警察に釈明すればいいのか、という不安にも襲われた。弟も新宿の死体を契子だと確認している。だがそれなら、眠る前に寝室で見つけた翡翠の指環はどうなるのだ。あれは闇の中で私と揉《も》みあっていた女の指から、ぬけ落ちたものにちがいないのだ。それに契子が弟の新司に、かけたという電話——

私が何も答えないうちに係官達は家の方々に散ると、白い粉を叩き始めた。

刑事が、肖像画に近寄ったので、私は一瞬目を閉じた。しかし刑事が白い手袋をした手でとったのは、マントルピースに置かれた大きな青磁の壺であった。その時である。

「そう言えば……」

思い出したように、新司が言った。

「その青磁の壺に、義姉さん、触れています。四日前に僕がここへ来たときです。光線のせいでひびが入ってるように見えたらしくて、心配そうにいじりまわしていましたから」

刑事は壺の表面をなめまわすように見て、係官を呼んだ。

その壺からは、かなり鮮明な指紋がとれたようである。指紋だけでなく、契子の男関係を知るために、家中の契子の所持品を調べると、係官達は二時間ほどでひきあげていった。居間を出るときだった。刑事は、私が渡した結婚当時の契子の写真から、ふと目を壁の肖像画にあげて、

「あの絵も奥さんですね――いつ頃の奥さんの顔ですか」

と聞いた。

「その写真と同じころです」

「そうですか。写真とはずいぶん印象が違うように思えますが……」

刑事は何気なく言ったのだが、私の胸にその言葉は針のようにつき刺さった。顔から血の気がひくのを覚えながら、去っていく刑事の姿を見送った。

係官を送り出した弟は、いつの間にか門のところに群がっている記者達に、「兄は倒れかかっているので質問には応じられない」と言って玄関のドアに、固く錠をおろした。それでもチャイムの音は家中に響きわたる。

私は、両耳を押えるように、頭を抱えこんで座った。

る。

「兄さん――」

弟の声が耳もとで聞こえた。驚いてふり返ると、接するほどに弟の顔が、私に迫ってい

「本当のことを言っておきます。これは警察にはまだ黙っていますし、さっきも兄さんに言おうとして言えなかったんですが」

無表情のまま、声だけを暗くして、

「義姉さんには男がいたんです」

「契子に？　いつのことだ」

「兄さんと結婚する前からです。兄さんと結婚して一度は別れたんですが、半年ぐらいしてまたその男とよりを戻したんですね。なんでも男が変な女につかまって金の要《い》り用ができたので、金づるとして、力ずくで義姉さんにまた関係を迫ったと聞きましたが……その女が男を脅迫しているとも聞きました」

「契子にそんな男がいたのか」

意外な事実だった。しかし否定はできない。結婚してから、私は契子をいつも視線の外に置いてきたのだ。その死角で契子が何をしていたか、私は一度だって関心を払ったことはなかった。

「義姉さんが、僕によく相談をもちかけてきたのは、兄さんのことではなく、その男のことだったんです。しかし、僕も詳《くわ》しいことは何も知りません。名前さえも――義姉さんは

自分から相談に来ながら、肝心のことは何一つ話してくれなかったんです。僕が一度会って話をつけると言っても、義姉さん、とても会わせられる人じゃないからと逃げていました」

「その男とは最近まで続いていたのだろうか」

新司は首をふった。

「わかりませんね。兄さんとまた暮し始めた半年前には、もうその男とは完全に手が切れたと言ってましたが……しかし今度のような事件が起こってみると、どうもまだ続いていた気がするのですが……」

「なぜ、警察に言わなかった」

「兄さんの立場を考えると言わない方がいいと思えたんです。義姉さんは、ずっと兄さんを裏切っていたんですからね。その男のことは今後も警察には言わない方がいいでしょう。本当にその男が犯人なら、警察の捜査で自然にうかびあがってくるでしょうし……兄さんに容疑がかかるようなことがあれば言うつもりでしたが、兄さんには確かなアリバイがあるというので……」

私は黙っていた。その男が犯人だという可能性はあった。契子にそんな男がいたとすると、あの新宿の下卑たホテルで殺された女は、ますます契子らしく思えてくる。しかしそれなら……

私の頭は、同じ疑問の輪をぐるぐると空転するだけだった。なにも考えたくなかったし、考えられなかった。もう一度眠るといって、私は寝室にあがった。

警察からの電話は二時間後にかかってきた。

電話に出たのは、新司だった。新司は、刑事の声をまねたような真面目《まじめ》くさった声で、ベッドに寝つかれぬまま横たわっていた私に、この家から採取したいくつかの指紋が、新宿の被害者のものと完全に一致したと告げた。

6

新司は、七時すぎに帰った。私のことが心配なので泊っていくというのを、私は無理に引きとらせた。何より一人になりたかった。

「明日の朝、また来てくれればいい。今夜は、眠りたいだけだから」

と私は言った。新司は、玄関のドアを閉める間際まで、私のことを気遣《きづか》っていた。

「何も心配は要りませんよ。ゆっくり寝て下さい。大丈夫です。兄さんにはアリバイがあるのだから。兄さんは本当に安全なんです」

私は礼を言ってドアを閉めると、寝室にあがり、闇に横たわった。眠れるはずはなかった。一人になった家の静かさが、威圧感となって、閉じた目をすぐに開けた。

考えても頭が空転するだけだとわかっていながら、私は考えようとした。弟が言ったとおり、新宿の死骸が、指紋の点で、契子だとはっきりわかった以上、私は安全だった。私にはアリバイがあるのだ。――だが、しかし、それなら私が昨夜、この寝室で殺害した女は誰だったのだろう。私が殺したのが契子だったこともはっきりしている。私が殺す直前、契子が、この寝室から弟に電話をかけていたこともまちがいないのだ。それに、この部屋で倒れた女がしていた翡翠の指環――

つまり、死んだ瞬間から契子は二人になったことになる。私が殺し、土中に埋めた契子は、この家でこと切れた生命を、再び影に結晶させ、あのホテルの四〇二号室に現われたのだ。

部屋の闇は、昨夜とほぼ同じ状態になっている。時刻も同じころだろう。窓からのわずかな明りを背にして、昨夜と同じ女の影が立っているように思えた。私は起きあがると、窓辺にうかびあがった幻の女の影に近づき、襲いかかる恰好《かっこう》をした。

なにか手懸《てが》りはなかったか――女の匂い、背丈、髪の柔らかさ、着物越しの肌の感触。だが何も記憶には戻ってこない。あのときも女の首に巻きつけた紐を全身の力で引っ張っている自分を、他人のように感じていたのだ。契子がどんな顔だったかも思いだせなかった。どんな髪をしていたかも、どんな肌をしていたかも――闇にうかぶのは、肖像画の女の顔だけだった。それは契子ではなく、あの夕暮れの画廊で、ほんの一瞬、私のために美の神が見せてくれたこの世には存在しない一人の女の影だった。

私には何もわからなかった。それでも私は、何度も闇にうかぶ幻の女を襲い続けた。何とか幻をつかみとり、顔を光の下にひきずりだしてやりたかった。

階下で電話が鳴った。階段をおり、居間のドアを開いたとき、ベルは切れた。

居間に入ると、どうしても目は、壁の絵に吸い寄せられた。絵の女の顔は、今夜も完璧《かんぺき》だった。廊下の光だけの薄暗い闇の中で、女はさらに目を空《うつ》ろにさせ、私をぼんやりと見つめ返している。

——私が契子だわ。

そんな声を、語りかけてくる。

——あなたが殺したのも、新宿で殺されたのも契子じゃないわ。私だけが契子よ。

声は耳の底をつき破って、頭の中で反響した。私は思わず、ソファの上に立ちあがり、額縁を両手で力いっぱい揺《ゆす》った。不意にわきおこった怒りを叩きつけるように——

画額は、壁からはずれ、二度回転して、大きな物音と共に床に崩れた。ガラスがひび割れ、その線が女の顔を砕いた。二六五フランの皿——私はその皿を自分の手で叩き割っておきながら、今頃になって後悔し、粉々に砕けた破片を、必死に集め、もとの形を見ようとしている。

あんなにも嫌っていた契子の顔を——絵の女ではない、本物の契子の顔をもう一度見たかった。その顔をもう一度だけでも見られるなら、肖像画などズタズタに切り裂いてもいい。絵の女など、今の私には何の意味もなかった。それは、たしかに完璧な線であり、色であったが、結局は、ただの線と色だった。今の私を救うこともできなければ、このわけのわからぬ謎《なぞ》にわずかな手懸りすら与えることもできない。むしろ、この絵こそが、すべての始まりであった。

――私が契子だわ。

床に落ちても、絵の女は、ますます傲慢《ごうまん》な声で叫び続ける。私の手は思わず、ガラスの破片をとると、絵の顔にそれを思いきりふりおろしていた。私には、なぜ自分がそんなことをしているのかわからなかった。昨夜、闇に沈んだ一人の女の顔にスパナをふりおろしていた瞬間と同じ、虚《むな》しさしかなかった。

絵の女の顔は、ズタズタに切り裂かれ、やがてその切り口から血が流れだした。それがもちろん、画布から流れだしたものではなく、私の手から流れおちているものだと気づいたとき、私は血まみれになったガラスの破片を捨てた。これが契子の復讐《ふくしゅう》だったのだ。一枚の絵のために殺され、顔を砕かれた契子は、同じ私の手で絵を切り裂かせるために、死後、自分の分身をあのホテルの四〇二号室に送ったのだ。――テーブル掛けを引き裂いて手に巻きつけた。痛みはなかった。私は狂いかけていた。

この時、また電話が鳴った。私は左手で受話器をはずした。

「先生ですね――」

声は、暗く、低く、小さかった。男の声だとしかわからなかった。

「昨夜、新宿でお会いした出版社の者です。あの時、頼まれた通り、今朝刑事が来たとき、零時に先生の家に電話を入れたと答えておきましたよ。あれでよかったんでしょうね」

「だから昨日の晩、八時に新宿で会った出版社の者です……先生にアリバイ工作を頼まれた……」

「君は、誰だ?」

「先生でしょう?」

私は黙っていた。

「何を言っている。君はたしかに電話をかけてきた……」

そうだろうか——本当にそうだろうか。私は受話器をおいた。

これは、なにかの罠《わな》かもしれない——かすかにそんな考えが、脳裏をよぎったが、私は諦《あきら》めたように首を振った。罠? 誰がいったいこんな馬鹿げた罠を私にしかけるというのだ? それにこんな不可解な罠をしかけることができる者など誰もいない。これが誰かの罠なら、その誰かは、昨夜の私の行動を、私よりも、もっとよく知っている人物なのだ。そんな人物は存在しない。

いや、たった一人だけいる。昨夜の私の行動をすべて知っている人物がたった一人だけいる——それは私自身だ。これは、私が私自身にしかけた罠なのだ。そう考えればすべて説明がつく。今の電話の声が告げたことは事実だった。昨夜、私は出版社から電話など受けていない。その証拠に、私は電話をかけてきたのが誰かを思い出せない。零時に電話などかかってこなかった。それは、私があとで産み出した、夢のような妄想だった。なぜなら、私は午前零時には、新宿にいて、契子を殺していたのだから……八時に私はこの家にはいなかったし、もちろんこの家では誰も殺していない。私は、その時刻には、新宿のおそらくは、極彩色の下卑たネオン通りの一画で、今の電話の声の主とおち合い、アリバイ工作を頼んだ。それから、あのホテルへ出かけた。帽子を目深にかぶり、コートの襟をたて、サングラスをかけ……サングラス？

ソファに倒れかかった私は、喉《のど》もとをつきあげてきた叫び声を両手で押えつけた。目の前に、絨緞の上に、砕けた肖像画の額縁の横に、そのサングラスは落ちていた。

サングラスだけではなく、ハンチングも、コートも、血まみれのシャツも……私にはなんとか、それらの品が壁にかけてあった額の裏に隠されていたものであり、額が落ちた際いっしょに床に落ちたのだとわかった。新宿で私がまちがいなく契子を殺した、その証拠を私は、黙って見おろしていた。淋しさが不意に私を襲い、私は笑おうとしていた。新宿で零時に、契子を殺害してから、私は今日一日、現実と妄想をさまよい続けていたのだ。

現実の最後は、午前二時に、警察からかかってきた電話だった。私は新宿で契子を殺害した後、家に戻り、手の血痕《けっこん》を洗い流すために浴室に入ったのだろう。――電話のベルが鳴った気がした。蛇口をしめ、水の音をとめて――こうして、私の妄想のドラマが始まったのである。

自分が新宿で、契子を殺害し、顔をうち砕いたのを認めたくなかったのだろう。新宿でまちがいなく契子を殺害した――その記憶をごまかしたかったのだろう。私はこの家で契子を殺したという架空の物語を、妄想のドラマを産み出し、それを信じこんだのである。

私はこの家で契子を殺した。だから新宿では誰も殺していない――そう思いこもうとしただけだ。私は、自分の妄想を、自分の現実におかした犯罪のアリバイにしたのだ。玄関で聞いた契子の電話をかけている声――それも今日、弟からその話を聞いて、つけ加えた妄想だった。今朝、寝室の隅に見つけた翡翠の指環も――

私は、疲れ果て、混乱し、本当に狂いかけていた。

昨夜、私がこの家で一人の女を殺したのが、現実だったか、妄想だったか――その証拠が一つだけある。

死体だ。私が裏庭に埋めたと思いこんでいる死体だ。すべてが本当に妄想だったのなら、裏庭に、死体など埋められていないだろう。

私は、憑《つ》かれたように、廊下を裏口へと進み、裏庭に出た。

浴室の窓から、燈《ひ》が、その一画に落ちている。妄想の記憶か、現実かはわからないが、私が土を掘り始めたのは、その燈の右端からだった。私は、ガレージからシャベルをもってくると、燈と闇《やみ》の境に、それをつきさした。

疲れきった体から、最後の力をふり絞って私は穴を掘りつづけた。それが自分の力だとは信じられなかった。なぜ自分が、こうも夢中になって、シャベルを土に叩きつけているのかもわからなかった。

そうして、どれだけ時間が流れたか――

穴はもう充分深かった。私の体は、土と闇に埋まっていた。私はシャベルを投げだし、手さぐりで土を握った。土は何の手応えもなくむなしく指の間からすべり落ちた。私はもう何も驚かなかった。

死体はなかった――だが、それは、穴を掘り始めたときからわかっていたことだった。なにもかも妄想だったのだ。私は、この家で誰も殺していない。誰の死体も、この裏庭の土に埋めてはいない――

不思議に、私は、ほっとしていた。昨夜、新宿の現場に一歩踏みこんだ時から、私を苦しめていた混乱が、消えはて、この穴のように体中が、空《から》っぽの闇になっていた。深い疲労をおぼえ、目をとじた。

その時、足音が聞こえた。それはゆっくりと穴へ近づいてくると、穴の端に立った。人影である。底から見上げているので、影は妙に背が高く見えた。男のようであった。私は何もわからなかった。これも妄想なのかもしれない、と思った。

人影の手のあたりがわずかに動き、小さな物音が聞こえた。マッチを擦ったのだ。火が影の手だけを浮きあがらせた。その火で、男は穴の中にいる私の顔を確かめているようだった。火がついたまま、男はマッチの軸を穴の底に落とした。

男は何度も同じことをした。小さな火の雨は、闇と土にまみれた私の体に降り続けた。最後の炎を投げると、男はその場にしゃがみこみ不意に腕を私の方へとのばした。穴の中から、私を救い出そうとするような恰好だった。

「兄さん――」

聞き慣れた声が、闇に響いた。

7

初めて、義姉《ねえ》さんが自分から電話をかけてきて「二人だけで話をしたい」と言ったとき、義姉さんは泣いていた。「今からそちらへ行く」と言いながら、義姉さんはなかなか電話を切らなかった。一瞬でも一人になるのを恐れているようだった。受話器には、ガードの上でも通過するような電車の轟音《ごうおん》が響いていた。「僕の方から出向こうか」と言うと、義姉さんは、今どこにいるかわからないから、自分の方から行くしかない、と答えた。

三十分後、義姉さんは車で、僕のアパートへ来た。もう泣いてはいなかったが、目が赤くはれ、びっくりするほど頰《ほお》の肉が落ちていた。白いヴェールに幸福そうな微笑がよく似合った、あの花嫁姿の面影は片鱗《へんりん》も残っていなかった。兄さんと結婚してまだ三カ月が経っていなかった。義姉さんは、結婚式が済んで半月後には、兄さんのことがわからなくなっていたと言った。それだけを言うと、疲れているから少し眠らせて、と言って、蒲団《ふとん》もしかずに横になった。

「新司さんみたいな人と結婚すればよかった」と言いながら目をとじた。目をとじたままで、「寒いわ」ひとり言のように呟いたとき、僕は、その、影に深く彫られた頰に、手をのばした。

それからも、兄さんの目を盗んで、何度も逢《あ》った。二年目に、義姉さんは、不意にまた電話をかけてきて、兄さんが別居を望んでいると告げた。義姉さんは、兄さんときっぱり別れて、僕と一緒になってもいいと考えていたようだが、僕にはできなかった。ちょうどそのころ、僕は、自分の不始末からつまらぬ女にひっかかり、義姉さんより辛《つら》い立場に追いこまれていたのだ。会社の経理にいる女で、僕より二つ年上だった。一度結婚に失敗していた。その一カ月ほど前だった。僕は顧客の金を勝手に借用して、ある化粧品の株に投資してあった。絶対に安全だと思われたその化粧品会社の株が急に下落し、僕は三百万近い穴をあけてしまった。すぐにも埋め合わせなければならない金だった。追いつめられた僕は、以前から僕に気のある素振りをみせていたその経理の女をホテルに誘って、会社の帳簿をいじってくれないかと頼んだ。女は、僕の体を離れてから、「できないこともないわ」と少し暗い声で言った。醜《みにく》い女で、会社でも誰一人相手にする男はなかったが、体は悪くなかった。腰から脚にかけての線が、どこか義姉さんに似ていた。

金のことは、それで片がついたが、そのために僕は、すこしも愛情を感じてない一人の女にたいへんな弱味を握られたことになった。女は、その弱味がある以上、もう僕の体も心も全部自分のものだと考えていた。「今、会社の者に二人の関係が知れるとまずい。結婚は二、三年待ってくれ」と言うと、そのことは納得《なっとく》したが、毎晩のように自分のアパートへ来てくれと言った。僕は口先では愛しているふりを装いながら、心底では殺したいほど女を憎むようになっていた。

義姉さんから、兄さんとの別居のことで相談したい、と電話がかかってきたのは、そんな頃だった。あの時、むしろ力を貸してほしいと頼んだのは僕の方だった。僕は義姉さんに全部の事情を話した。義姉さんは「今はまだ愛しているふりをしていた方がいいわ。しばらく時間を待った方がいい――」と言うと、左手の薬指から兄さんとの結婚指環をはずし、「もう用がなくなったから、その女《ひと》にあげて」と言った。薬指にかすかに残った指環の跡を、――二年間の結婚生活の跡を、自分でも馬鹿馬鹿しいというように淋しそうにほほ笑んで見ていた。

その指環を贈り物だと言って渡すと、あの女も、微笑をうかべた。だが、その微笑は義姉さんの微笑とはまったく違っていた。女は僕の気持をこれで完全につかんだと思ったのだ。女は、その翡翠の色に、僕の気持がどれだけこめられているかを調べるように目を近づけて、見つめた。翡翠の光が、青味を帯びて女の目にあたっていた。このとき、僕は、近いうちにこの女を殺さなければならないと思った。

それでも一年半が、なに事もなく過ぎた。その一年半のあいだにも、女の目を盗みながら、僕と義姉さんは何度も逢った。半年ぐらいで、義姉さんは、一人でやっていく自信がついたわと言ったが、どこか淋しさを無理に隠しているように見えた。一年半が経ち、ある日、義姉さんと会ったとき、その薬指に、女がはめているのと同じ翡翠の指環がはまっていた。僕が驚くと、四日前に兄さんと偶然街で出会い、また一緒に暮すことになったから、急いでイミテーションの石で造らせたのだと言った。義姉さんは、何かがふっきれたような幸福そうな顔をしていた。兄さん——義姉さんは、ほんとうに兄さんのことを愛していたのだ。

口では、今度こそ兄さんと幸せになってほしいと言ったが、内心では、やり直しても上手《うま》くいかないのではないかと心配していた。

思ったとおりだった。義姉さんと兄さんが再び暮し始めて三週間後、義姉さんから電話がかかってきた。今度はもう義姉さんは泣かなかったが、そのかわりに諦めたような吐息をついて「なにもわからないわ」と言った。

兄さん——

これが、僕と義姉さんと、それからあの女との四年間の関係だった。兄さんはキャンバスだけの小さな世界に閉じこもって、外の世界にわずかの関心もはらわずにいたが、兄さんの周囲ではこれだけのことが起こっていたのだ。いや——兄さんは関心をはらわなかったのじゃない、兄さんは臆病者だった。自分の自由になる小さなキャンバスの中にいるときだけしか安心できず、いつも外の世界に目をむけるのを恐《こわ》がっていた。

今日の午後、僕はこの話を、他人の男の話として兄さんの耳にいれた。兄さんはまさかその男が、目の前にいる僕のことだとはわずかも考えなかったようだね。兄さんは他人の言葉をなんでも簡単に信じこんでしまう。外の世界のできごとを、自分が見たままに受け入れてしまう。兄さんは子供と同じだ。素直で、純粋で、なに一つ疑うことを知らないかわりに、世間知らずで、他人が陰で何を考え何をしているかにわずかの気もまわらない愚か者だ。たぶん、キャンバスに色を塗ることばかりに夢中になって、自分自身に人生の色を塗るのを忘れてしまったのだろう。そんな兄さんを騙《だま》すのは、子供を相手にするより簡単だった。

昨日の晩だってそうだ。昨日の晩、九時に僕はこの居間へ電話を入れたね。——「兄さん、義姉さんは？」それだけ言っただけで、兄さんは僕が、この家の外から電話していると思いこんでしまった。僕がこの真上の寝室でもう一つの電話からかけていることなどわずかも疑おうとはしなかった。本当に兄さんは、子供のように単純にすべてを信じこんでしまう。

あの義姉さんの声にしたってそうだ。兄さんは、伊豆から戻って玄関にとびこんだときにでも義姉さんの声を聞いたのだろう？　本当に、兄さんは、なぜああも簡単に、留守宅には妻がひとりでいると信じこめるのだろう。そして義姉さんの声しか聞こえなかったので、義姉さんが電話をかけているにちがいないと兄さんは信じた。——ちょっと考えればわかることだった。この家にはもう一つこの居間にも電話があるのに、わざわざ真っ暗な寝室で電話をかける理由などないじゃないか。

それからまた、兄さんはなぜああも単純に、義姉さんの言葉を、自分たちの話だと信じこんだんだろう。実際にはあの時、義姉さんは、こう言いたかったのだ。

——新司さん、あの女とはもう終りだわ。あんな女とは一刻も早く別れた方がいい……

僕と義姉さんとは、兄さんの足音が階段を上り始める少し前まで、ベッドの上で、僕とあの女とが手を切る方法を相談していたのだ。半月前、とうとう僕が忍耐の限界にきて、「別れてくれ」と女に頼むと、女はうす笑いをうかべて、「あんたと義姉さんのことは知ってるのよ。別れるなら、使いこんだ金のことだけじゃなく、あんたたちのこともお兄さんに話すわ」と言ったのだ。四日前、僕と女と義姉さんと三人で、兄さんの留守中にこの家で会い、話のカタをつけようとした。女はまったく話に応じず、むしろ義姉さんから金でも強請《ゆす》りとろうというように、青磁の壺を撫《な》でまわしながら「高そうな壺ね」と言ったのだった。

義姉さんは、そんな女とは一刻も早く別れるべきだと言ったのだった。兄さんが寝室に踏みこんだとき、僕は、ドア陰の、闇のいちばん濃くなったところに、息を殺して潜んでいた。あの時、もし電気のスイッチが壊れていなかったら、僕は下着一つつけずにいた自分の姿を、兄さんにどう弁解すればよかっただろう。義姉さんはちょうど着物を着終えかかったときだったからよかったが、僕の体にはまだ口紅のあとが生々しく残っていたのだ。僕は息を押し殺し、どうしたら兄さんに見つからずにすむか、そのことばかりを考えていた。そして、そんな僕の眼前で、突然、闇の気配だけで、兄さんはあの惨劇を演じたのだったった。

一瞬のことで止める余裕はなかった。それに僕には闇の中で何が起こったのか、正確にはなにもわからなかった。兄さんが階下におり、何をもって寝室へ戻ってきたかも――ただ重い物が空《くう》を切り続ける音と、兄さんの叫び声が闇に響いていただけだった。兄さんがマッチをすった。火にうかびあがったものを見たとき、僕は思わず口を手で覆った。叫び声と、思わず喉をついた吐き気を何とか僕は、唇の中に押しこんでいた。僕はわけがわからず、何とかわかったのは、兄さんが義姉さんを殺し、その顔を砕いたことと、義姉さんが、この一カ月さかんに言っていた肖像画のことと何らかの関係があることだけだった。

しかし、兄さん——兄さんと僕とは違う。僕はどんな混乱の中でも、最後の冷静さは保てる男だ。僕は義姉さんを愛していたが、こんな風に事が起こってしまった以上、どうしようもないのだとまず認めることにした。闇の中で裸のままつっ立ちながら、義姉さんとあの女の体が似ていることを思い出していた。この突然の惨劇を利用して、一人の女を殺すことができるかもしれないと考えた。

計画は、兄さんが死骸《しがい》の傍《そば》にぼんやりつっ立ち、やがて階下から車のカバーをもってきてそれで死骸を包みこむまでの四十分ほどの時間で細部まで決まった。兄さんが死体をひきずりおろしたとき、僕はマッチの火で寝室の電話からこの居間に電話を入れた。それから、兄さんが裏庭を掘り始めるのを待って、居間から女に電話を入れた。面白いホテルがあるからいってみようと言うと、女は単純に、嬉《うれ》しそうな声をあげた。この家を出て、近くに駐《と》めてあった車で、新宿へむかった。新宿の街角で落ちあったとき、僕は、寝室の簞《たん》笥《す》からもってきた義姉さんの着物一式と、自分の車の中に置いてあったスパナとを入れた紙袋をもっていたが、女は別に不審を感じなかったようだ。僕は、これも寝室からとって

きた兄さんのコートと帽子をつけ、胸には兄さんのサングラスを隠していた。ホテルの近くまで来ると、

「今夜あたり、このホテルのことを教えてくれた会社の同僚がきているかもしれない。顔を合せたらまずいから」と言い訳して、女だけを非常階段から導き入れるよう仕組んだ。女が部屋に入ると同時に、僕は行動に出た。兄さんが使った帯じめと似た色のを使った。裸にし、スパナでその顔を打ちながら、兄さんも、こんな風に何も考えずに空っぽの頭で行動していたのだろうかと思った。現場にホテルを選んだのは、女に義姉さんの着物を着せる適当な口実が見つからなかったからだった。裸にし、着物は傍に投げだすにとどめる他《ほか》なかった。

ホテルを出るとすぐこの家に戻った。兄さんはまだ裏庭で作業を続けていた。警察から電話が入り、兄さんがこの家を出ていくまで、僕は家の中の様子を、そこの窓から、真冬の真夜中の冷気に全身が凍りつくような寒さをおぼえながら、見守っていた。兄さんが、花瓶を肖像画の顔にぶつけたとき、僕の頭の中で、砕いた女の顔が血の色で流れ落ちた。

兄さんが新宿へ出かけると、僕は家に入り、自分の着ていたものを肖像画の裏に隠し、裏庭の死体を掘り起こすと、車に積んで、ここから一時間ほど離れた、誰も踏みこんだことのないような林の中に埋めた。それだけのことを終えて、僕は、夜が明けきる前に、渋谷のアパートに戻った。疲れきっていたので、少し眠ることにした。何の後悔も不安もなかった。自分がこれほどまでに大胆な犯罪者の性格をもっていることが、自分でも信じら

れないくらいだった。

兄さん——

兄さんには、これでもう、僕がなぜそんなことをしたかわかったろうね。僕は、兄さんの偶然の犯罪を利用して、僕があの女を殺した一つの事件を永久に闇に葬ってしまうつもりだったのだ。あの女の死骸を、義姉さんと思わせ、あの女の存在を抹殺《まっさつ》するつもりだった。彼女が消えても、会社の帳簿を調べて不正が発覚すれば、皆、そのために逃走したとでも考えてくれるだろう。新宿の死骸が、義姉さんだと思われている限り、僕は完全に安全だった。

今朝、警察から電話がかかり、兄さんが予想どおり、新宿の死骸を義姉さんだと認めたと知ったときは、ホッとしたが、同時に兄さんにはアリバイがあると聞き、僕の計略が一点で失敗したことに落胆もおぼえた。僕が裏庭の死体を埋めかえたり、血痕のついた衣類を肖像画の裏に隠したりしたのは、新宿の死骸が義姉さんだと決まったうえで、兄さんをその犯人として警察に逮捕させる考えだったからだ。兄さんは、義姉さんを殺害した事実を認めざるをえないし、それが新宿ではなく、自分の家での犯行だったといくら主張したところで、この家に死体が残っていなければ、警察は兄さんが狂ったとしか考えないだろうから——しかし、新宿の事件に、兄さんが確固たるアリバイがあるとわかった時から、僕は、考えを変え、兄さんと手を組むことにした。

兄さん——

これで話は終わりだ。今の僕と兄さんは、共犯者です。兄さんと僕の利害関係は完全に一致している。兄さんは、アリバイがある以上、あの新宿の死体を義姉さんだと認めておいた方がいいし、そうすれば僕の犯罪も発覚することはない。二つの死骸の身元をすりかえておけば、僕達は、共に安全圏にいるわけだ。

さっき、兄さんにアリバイ工作を頼まれたという男から電話がかかってきたね。あれは、僕のほんのいたずらだった。少し度が過ぎたようだが……もう何の心配もいらない、兄さんのアリバイは確かなものだ。兄さんは安全だ。僕が安全なのと同じように……兄さんは疲れすぎている……少し眠って下さい……もうなにも考えずに……ゆっくり……

過去からの声

1

岩《がん》さん――

あれから、もう一年が経《た》ちます。岩さんはその後も署の方で、頑張っておられるでしょうね。こちらの新聞にもよく東京の事件が載ります。この間もM町で起こった銀行強盗事件が、かなり大きく載りました。もちろん岩さんの名も――課長の名も、吉《よし》さんの名も、シゲさんの名も活字にはなっていませんでした。しかし活字にはならない裏で、皆が力を合せ、意見をぶつけあい、寝不足の真っ赤な目をこすりながら、事件解決に躍起になっているのだと思うと、その姿がまざまざと思いうかんで、しばらくは新聞を手から離せずにいました。

岩さんは、相変らず、苦虫を口ではなく目で噛《か》むように目尻に皺《しわ》をいっぱい寄せて、「刑事なんてなるもんじゃないな」そう呟《つぶや》きながら、事件と聞くとまっ先に椅子《いす》を蹴《け》って、立ちあがってるのでしょうね。

岩さん――

手紙の文字ででもこう呼びかけるだけで、署に点《とも》されていた深夜の燈《ひ》や、岩さんと二人でよく呑《の》んだ路地の屋台や、二人で張りこんだ街角の夜気の冷たさや、あの二年間の何もかもが、まだ昨日のことのようなしっかりした手応《てごた》えで思い出されてきます。

懐かしさだけでなく、ほんの少し後悔をまじえて。

結局、僕は刑事にはむかない人間だったのです。

岩さんがよく言っていました。

「刑事なんて仕事はな、一生かかって山を登るだけの話だ。しばらく登って、一休みしてまた新しい道を登る。一生かかったって、てっぺんに辿《たど》りつける山道じゃない。ただ道があり、歩き続けるだけだ。残るのは、年齢とグタグタになった体だけかもしれん……」

酔い潰《つぶ》れて、愚痴《ぐち》のような言葉を吐きながら、しかし目だけは酒を寄せつけず、自分が登らなければならない道をしっかりと見すえている。そんな岩さんを眺めながら、皆が気づくずっと以前から、僕は、自分は刑事にはなりきれない人間だ、そう思っていたのです。

岩さん、つまり岩本道夫《いわもとみちお》という僕より十五歳年上の一人の男を、僕はいつも尊敬の目で眺めていました。ヨレヨレの背広を着て、何の野心もなく、署のために、都民のために、家族のために、いや誰より自分のために、山道にすぎない刑事の道を歩き続けている岩さんは、僕が一番愛し、信じた男でした。しかし、岩さんが立派な分だけ、僕は、自分はこうはなれないんだ、岩さんのようにはなれない、そんな後ろめたさに苦しめられていたのです。

そう、岩さんのような人間にはなれない――それが去年の春、僕がわずか二年の刑事生活に耐えられなくなって署を辞《や》めた理由の一つでした。

僕が辞職願をさし出したとき、課長は白い目をむけました。吉さんは「お前は所詮《しょせん》坊ちゃんなんだ。故郷に戻れば、一億の山林と田畑が待っている男に、刑事などという仕事が勤まるものか」と怒鳴りました。

その通りでした。

刑事になる決意で、家も故郷も棄《す》てたも同然にとびだしながら、わずか二年でその意志を挫《くじ》いた僕は、莫大な財産に守られながら育った子供の頃の目でしか、世間を眺められなかったのです。世間を、人間を、現実を、僕はあまりに知らなすぎたのです。それがわかったとき、岩さん——あなたという人が、本当に遠い、自分には近づけない人だと思えました。

僕が刑事をやめると言ったら、真っ先に岩さんが怒るだろう、実はそう思っていました。岩さんは、新米だった僕を、いつも弟か息子のように可愛がってくれましたから。

しかし、結局、岩さんは、怒らなかった。

郷里へ帰る僕を、岩さんが唯一《ただ》人見送りに来てくれたあの東京駅のホームでのことを、今も僕は、はっきりと憶《おぼ》えています。

「逃げるのもいいだろう——」

岩さんは、たったそれだけを言うと、ちょっと淋《さび》しそうに笑って、励《はげ》ますように僕の肩を二度叩いてくれましたね。

僕は何も言わず、黙っていました。あのとき、二人の沈黙にきりかかってきた発車のベル音を、今も夢の中で聞くことがあります。

岩さんは、

「じゃあ、俺は帰るからな」

そう言って、僕が列車に乗りこむのも見届けず、背をむけました。

「岩さん――」

思わず、僕が掛けた声を、岩さんは聞いたかどうか。ベル音にかき消されたのか、それとも岩さんは、聞こえたのにわざとふり返らなかったのか。

僕が、岩さんを呼びとめたのは、あのホームで、最後のドタン場になって、岩さんにだけは真実を語っておきたくなったからです。

僕が署を辞めた本当の理由を――署の誰も知らない本当の理由を、岩さんだけには告白しておきたいという衝動に駆られたのです。

衝動、というよりそれは義務感でした。たとえ二年でも刑事として暮した男の義務でした。岩さんにだけは、あのことを話しておかなければならない――

しかし、いつものように左肩を少し斜めに落として去っていく岩さんの背を見送りながら、もしかしたら岩さんは何もかも知っているのかも知れない、と思いました。岩さんは何もかも知っていて、それなのに黙って僕から背をむけたのだと。

それなら、僕も無言のまま、あの一つの真実を郷里へ運べばいいのだと。

しかし、岩さんの背が消えた深夜の空《から》っぽのホームが、車窓を滑りだし、やがて東京の夜に、最後のネオンの色が滲《にじ》みだし、これで、この街も見納《みおさ》めだろう、二度と東京へ戻ることもあるまい、そんな感傷に耽《ふけ》ったとき、ふと気が変りました。

一年だけ待とう――

一年だけ待って、あのことを岩さんに話そう。たとえ岩さんが何もかも知っていて、「逃げるのもいいだろう」それだけの言葉で黙って背をむけたのだとしても、僕は、僕の口で、やはり岩さんにだけは事実を語っておくべきだったのだと考えたのです。岩さんもきっといつか僕が自分からあのことを告白する日が来るだろうと、考えているに違いないと思えたのです。

そして今日

岩さん

やっとその一年が経ちました。

2

あれは一見、単純な、ありふれた誘拐《ゆうかい》事件でした。

被害者は、全日航空という日本中の誰ひとりとして知らない者のない大きな航空会社の副社長である山藤武彦《やまふじたけひこ》で、誘拐されたのは、その山藤夫妻の一人息子である三歳になったばかりの一彦《かずひこ》でした。山藤武彦は、全日航空社長山藤昭一郎《しょういちろう》の長男で、三十五歳という若さで副社長の座につき、将来には次期社長の椅子が待っているという、黄金の盾《たて》に守られての幸福な人生を送っている男でした。

六歳年下の妻の桂子《けいこ》との夫婦仲も円満で、家庭生活もなに一つ不足のないものでした。

岩さん――

もちろん岩さんはあの事件のことを細部にいたるまで知っているはずです。僕が署を辞める直前に手がけた、つまり、僕と岩さんが最後に組んだ事件ですから。

しかし、僕の目で見たあの事件の経過を、改めてもう一度、ふり返ってみたいのです。しばらく辛抱《しんぼう》してください。

事件が起こったのは四月十日、桜前線が東京に辿《たど》りつき、春らしい好天気が続いた一日でした。たしか木曜日のことです。


その日の午後、山藤の妻桂子が、子供の一彦といつものように庭に出て、芝生の上で遊んでいるところへ、宝石の電話セールスをしているという男から電話がかかってきた。

電話に出たのは、山藤家に住みこんでいる若いお手伝いさんの木原住代《きはらすみよ》で、すぐに庭の桂子を呼び、桂子は一彦をひとり庭に残して応接室に入った。

電話の声は初めての男のものだったが、知り合いの牧村《まきむら》夫人の紹介だと言うし、来月の結婚記念日には夫がダイヤを買ってくれると言っていたので、一応話を聞いてみようということになったが、男の声は一分ほど喋《しゃべ》ると、

「ちょっと資料を持って来ますので、そのままお待ち下さい」

と言って消えてしまった。言われるまま待っていたが、三分ほど経っても相手の声が戻らない。不審に思って一旦電話をきり、庭に出ると、一彦の姿がない。さっきまで遊んでいたアヒルの玩具《おもちゃ》が、芝生の上に横倒しになって投げだされていた。

これが二時十五分のことです。

桂子は、誘拐だと直感し、住代と二人表にとび出し、路上を捜索したが、昼下りの森閑《しんかん》とした高級住宅地にそれらしい人影はない。

ただお手伝いさんの住代が、家から十メートルほど離れた電話ボックスの受話器が外れたままであるのに気づき、桂子に報告した。電話を取ったとき、住代は確かに公衆電話からつながるサインを聞いたとも言った。

急いで家に戻り、まず牧村夫人に電話を入れると、そんな宝石セールスを紹介した憶《おぼ》えはないと言う。誘拐は、ほぼ確定的である。

桂子は、すぐに会社の夫に電話を入れ、夫の帰宅を待った。三十分後に夫の武彦が顔色を変えて戻り、二人で警察へ連絡すべきかどうか相談しているところへ、犯人からの第一回目の電話が掛ってきた。

妻の桂子が出たが、声は宝石セールスを偽った先刻の男のものと同じだった。

「息子さんを誘拐した。五百万円を用意してほしい。五百万を受け取り、警察に報《し》らせなければ、子供の命は保証する」

事務的な簡潔な口調で、誘拐犯の常套句《じょうとうく》を伝えた。桂子は、子供の声を聞かせてほしいと頼んだが、「子供は今まだ麻酔薬で眠っている。警察に連絡しないで、自分の指示通りに動いてくれれば危害を加えたりはしないし、必ず今のままで帰すから、心配しないように」と慰《なぐさ》めるような言葉さえかけて、電話を切った。

夫の武彦は、わずか五百万のことなら犯人の意志に従い、警察には連絡したくないという意見だったが、妻の桂子は、犯人の言葉など信用できない、警察に報らせた方が安全だと主張し、結局、犯人から第一回目の連絡が入った三時五分より二十分後に警察は事件の通報を受けることになった。

M署では、ただちに警視庁との協力のもとに特捜本部が設けられ、今後の対策が検討された。

状況からみて、犯人は山藤家の事情に多少でも通じているように思えたが、山藤夫妻の言葉はそれを否定した。前の月、某婦人雑誌の有名人の家庭訪問という記事で、山藤家の家庭生活が詳《くわ》しく公表されたという。運輸業界の若き御曹司《おんぞうし》山藤武彦のことは以前から時々マスコミの話題にもなっていたし、五百坪を超す近代建築の意匠をこらした邸宅は、雑誌のグラビアを飾るにふさわしいものだった。

その記事に、桂子がよく子供と午後を、庭で遊んですごすという事実も、桂子の友人として、実業界の若き賢夫人として名高い牧村夫人の名も出ている。

この点から、犯人は別に山藤夫妻と面識があるというわけではなく、たまたまその記事を読んで今度の犯行に及んだ、という可能性が強くなった。

二時すぎに犯人は、近くの電話ボックスから宝石販売を偽って山藤家に電話を入れると、受話器を外したままにして、山藤家の低い垣根をのりこえて一彦を連れ去り、おそらくは近くに駐《と》めてあった車でも使って逃走したと考えられた。

捜査員が直《ただ》ちに付近一帯の訊《き》きこみを始めたが、あの事件では結局、そう言った訊きこみからは何一つ得るものがなかった。幾つかの情報は手に入ったが、それらの情報は結果として事件解決には何の役にもたたずに終った。

一つには、警察が介入したことが犯人に知れると、一彦ちゃんの命が危険に陥るので、訊きこみが極秘の限られたものに終ったためもある。

あの事件で、警察はその点、慎重には慎重を期していた。二カ月前に、真冬の札幌で、やはり営利目的の誘拐事件が起こり、その事件で、犯人が子供を絞殺したことが、まだ生々しく捜査員全員の頭にあったからである。犯人は逮捕された後、「警察に報らせなければ子供を殺すつもりはなかった」と語り、被害者の両親も警察が無理に介入してこなければ、三百万の金で子供の命を救えたはずだとマスコミを通して訴え、警察という機関の、市民の安全擁護目的と犯罪追及目的との矛盾《むじゅん》が、日本中で騒がれていたのだ。山藤武彦が、警察介入後も、事件全体を通して、警察に反抗的な態度を見せ、警察に手をひいてくれと主張し続けたのは、やはり彼の頭にも、その騒ぎが大きな位置を占めて残っていたからと思えた。

しかし警察としても黙って成行《なりゆき》を見守っているわけにはいかない。ともかく万全の準備をして、犯人からの次の連絡を待つことになった。

3

犯人から二回目の連絡が入ったのはその夜の午前二時をわずかにまわる時刻だった。これは、しかし、山藤家に直接電話が入ったのではなく、山藤の部下にあたるKという社員が、

「今、副社長の息子を誘拐したという男から電話が入ったのです」と慌《あわ》てて連絡を寄越《よこ》したのである。

おそらく、警察が介入し、逆探知される場合を恐れたのだろう、犯人は、そのKに今から指示する通りに副社長の家へ電話を入れ自分の言葉を伝えるよう頼んだ。

「警察に連絡しなければ、子供の命は絶対に保証する。五百万を用意して、明日の連絡を待つように」

犯人はKに、そう伝えてくれ、と頼んだ。

この時、Kは、

「明日というのは、今日金曜日のことか」

犯人に尋《たず》ねた。午前二時にかかってきた電話だから、明日という言葉が曖昧《あいまい》だったためである。

犯人は、少し困ったように沈黙したが、

「そうだ」

と答え、

「今、子供は眠っているから電話に出すわけにはいかないが、まちがいなく生きているから何も心配しないよう副社長に伝えてくれ」

と言って電話を切った。

犯人が「そうだ」と言った金曜日に、しかし連絡は何も入らず、犯人から三度目の連絡があったのは、翌土曜日の午後三時五分前だった。

今度も犯人は、直接山藤家に連絡を入れたわけではなく、全日航空本社の秘書室に電話を入れ、その秘書に副社長宅へ指示を伝えるという迂回《うかい》方法をとった。

「今からすぐ、山藤夫人一人で新宿駅へむかい三番ホームのベンチに座るように。金は黄色いナップ・サックに入れ、前に抱えること。それを目印にする。三時から三時半まで待って誰も声をかけるものがなければ、今日の取引きは中止ということだから、その金を家に持ち帰り、次の連絡を待つように」

というのが犯人の指示だった。この電話で、犯人は初めて、子供の声を聞かせた。

「パーパ、パーパ」

と子供は四度くり返したという。秘書は一彦の声を知らなかったが、パを長く伸ばすのはまちがいなく、一彦の癖《くせ》だと、山藤夫妻は語った。

子供が生きていることがわかると、山藤武彦は、今すぐ警察に手を引いてくれと懇願《こんがん》した。しかしもめている時間はなかった。ただちに黄色いナップ・サックが用意され、その中に五百万を入れ、山藤桂子は指定場所にむかった。

桂子が、新宿駅三番ホームに到着したのは、既に三時二十分という時刻だった。桂子は、犯人が指定してきた三時半を、さらに三十分延長して四時までそのベンチで待ったが、結局誰も接触してくる者がなく、四時半に無為に帰宅、次の連絡を待つことになった。

新宿駅三番ホームには、十人近い捜査員が、それぞれの扮装《ふんそう》で配置され、うちの一人は肩から吊《つる》したバッグからこっそり八ミリカメラのレンズを覗《のぞ》かせて、三番ホームや隣ホームの人の動きを撮影していた。三時から三時半までと指定しながら、犯人は三時にわずか数分前に連絡をとってきたのである。最初から、今日の取引きは諦《あきら》め、ただ動静をうかがうために、山藤夫人をホームへ呼んだと考えられる。すると犯人自身もホームへ来る可能性は、大きいのだ。

撮影はそのためだったが、しかし、八ミリに写された三百人近い通行人、乗車客、降車客のうちのどれが犯人かは見当もつかず、山藤夫妻の知っている顔もなかった。

犯人から次の連絡が入ったのは、その夜の午後十一時だった。今度も山藤家の隣に住む商事会社の重役夫人を迂回するという連絡方法だった。

犯人は、その隣の夫人を通して、新しい、身代金の受け渡し方法を指定してきた。

「明日午後零時にA街道の代替橋の手前にある電話ボックスの横に五百万円を今日と同じ

黄色いナップ・サックに入れて置くように」

　まさか隣宅で誘拐事件が起こっているとは、想像もしていなかったその夫人は、半信半疑のまま、山藤家の門のブザーを押した。

「警察が動いている気配がわずかでも認められたら、即刻取引きは中止する。その場合は子供の命はないと思うように。私が一時間以内に子供を隠してある場所に戻らないと、時限爆弾装置が働いて子供の命もろともふっとぶ仕掛が施してある。これはただの冗談や脅《おど》しではない。ただし警察さえ動かなければ、子供はその日のうちに、何一つ傷のない体で帰す。それは約束する」

　この犯人の脅迫の言葉を隣宅の夫人から聞かされて、また山藤武彦と警察の間で一問着《ひともんちゃく》がおこった。警察側は、万全の準備を整えて、尾行するだけで、どんなことがあっても犯人には近づかないことを条件に、なんとか山藤を説得《せっとく》したが、翌日午前十一時に、山藤桂子が五百万をもって出かける寸前まで武彦は不服を唱え続けていた。

「札幌と同じことになったら……」

　頭を両手に抱えこんで取り乱す山藤に比べ、桂子の方は、あくまで表面は冷静さを保ち、外出着に着がえ、愛用のシトロエンに乗った。

　この時刻までに、警察では、代替橋を中心にA街道の要所要所に十台の車を配置し、一台に二名ずつ捜査員が乗りこんで、問題の午後零時を待った。

　午後零時三分前。

山藤桂子は指定場所に到着、電話ボックスの横に、無造作とも思えるほどの落ち着いた物腰でナップ・サックを置くと、車にもどり、そのまま橋を渡ってしばらく北上した所で、Uターンし、都内へ戻った。家では、山藤と係官三名が待機し、秒針を睨《にら》みながら、自分達が参加しないドラマの結末を、ただ黙って待ち続けていた。

午後零時九分。

電話ボックスの前に一台の車がとまった。国産のジェットという小型車で、色は白。運転席から一人の男が現われ、素早く電話ボックスに駆け寄ると、ナップ・サックをとって戻り、すぐに車を出した。

この間《かん》、十二秒。

男は三十前後。サングラスをかけていたが、色が白く、顎《あご》の線がとがった細面《ほそおもて》。背は一メートル七十センチ近く。痩《や》せ型で、髪は七分刈り。黄土色のサファリをはおり、紺無地のズボンをはいていた。

十二秒間の男の姿は、近くに駐車していたクリーニング店の軽トラックの窓から、捜査員の手で隠し撮りされていた。その車からただちに配置された全車に無線連絡がとられ、その後二十分にわたる追跡作戦が開始された。

白のジェットは、甲府方面へとそのまま北上し、十台の捜査官の車は、クリーニング店の車の中に設けられた本部とたえず無線で連絡をとりあい、その指令のもとに、およそ二分間隔で次の車に交替しながら、尾行を続けた。

春らしい生温かな靄《もや》に包まれ、白く浮びあがった道路を、犯人の車は、尾行に気づいたようすもなく、ゆっくり進んでいく。

そのままいけば、この追跡作戦は成功したかもしれないが、尾行を開始して二十分後、予想もしなかった小事故が起こったのである。

二十分後――午後零時三十分。

A街道が北上を拒むようにT字形に分かれる地点へと、犯人の車がさしかかったときである。この時、後方十メートルほどについていた車を運転していた若い捜査官が、とんでもないミスをおかした。分岐点にさしかかりながら犯人の車は、左右どちらへ曲るか、なかなかウインカーの指示を出さない。それに気をとられすぎた若い刑事は、T字の一本手前の細道からとび出してきた車を避けようと、思わずハンドルを大きく右に切り、対向車と衝突事故を起こしてしまったのである。

事故自体は軽いもので、相手の車も、二名の刑事もかすり傷一つ負わずに済んだが、この時、動転した刑事は、慌てて本部に、犯人の車がT字路を右折したと連絡してしまったのである。助手席に座っていた刑事の方は、この突然の事故で、犯人の車がどちらへ曲ったかを見落としたのだが、運転していた刑事は、ハンドルを右に切った際、確かに白のジェットが右折するのを見たと言った。

この刑事の言葉をもとに、T字路を右折した国道上に、新たな配置がなされた。しかしその道路では、犯人の車はキャッチできなかった。白のジェットは数台見つかったが、皆ナンバーが違う。おそらくそのジェットの一台を、若い刑事が見間違えたらしいとわかったが、既に手遅れだった。

実際にはT字路を犯人は左に曲り、すぐにまた小道に外れたところで、空《から》のナップ・サックと共に車を乗り捨て逃走したのだった。

乗り捨てられた車は、盗難車だと判明し、犯人の手懸《てがか》りはなかった。

ミスを犯した刑事は、本部で責任を追及され、叱責《しっせき》を受けたが、しかし、この刑事のミスがある意味で幸いしたのである。

午後六時十二分、犯人からの最後の連絡が、今度は山藤家から四軒先の会社員夫婦を通じて届けられた。

「金は無事受けとった。約束どおり子供は帰す。今M区の桜木公園のベンチの上で眠っているから至急ひきとりにいくように」

ただちに桜木公園近くの派出所に連絡がとられ、犯人の言葉どおり、春の宵闇《よいやみ》が落ちた中に麻酔をかがされて眠っていた一彦ちゃんは保護され、十分後派出所に駆けつけた山藤夫妻の腕に三日ぶりに抱かれたのだった。一彦ちゃんにほとんど衰弱は見られず、麻酔がきれると、しばらくぼんやりしていたが、やがて「パーパ、マーマ」を連発して明るい笑顔を見せた。

三歳になったばかりの幼児では、何を尋ねても証言らしいものは返ってこなかったが、一彦ちゃんが無事に保護された直後、警察は犯人の公開捜査に踏みきり、犯人が代替橋手前で、車を降りて再び乗りこむまでの十二秒間のフィルムがブラウン管を通して全国に流されると、早速に反応が出た。

M区と隣接するK区の「広栄荘」というアパートの管理人からの通報であった。

「うちの三号室に、岡田《おかだ》啓介《けいすけ》という男が住んでいます。それがテレビで見た犯人と非常に似ているので……髪型や背《せ》恰好《かっこう》や服装など全部。独り者ですけど、この二、三日男の子の泣き声が時々聞こえてましたし……さあ何の仕事をしているのか、一日中ぶらぶらしていて……そういえば先月頃から、ギャンブルの借金を返せと暴力団が入りこんできて、こちらも迷惑していたんですが……」

間髪《かんはつ》いれず刑事達は、広栄荘に駆けつけた。だが管理人が言うには、岡田は一足違いで車で出ていったという。隠し撮りされたフィルムが流されたので、警察の手が伸びるのも時間の問題と考え、逃走したらしい。

岡田の部屋は、二、三の調度が乱雑に投げ出されただけでうすら寒い印象だった。すぐ窓辺に工場のトタン塀がせまり、昼中でも日光が当りそうもない。部屋からは麻酔の注射器が発見され、ドアの把手《とって》や冷蔵庫から採取された指紋は、A街道のT字路近くに乗り捨てられたジェットから採取されたものと合致した。

管理人は、その日の岡田の行動について次のように証言した。

「今日は午前十一時半ごろに一度出掛け、一時少し前に戻ってきました。それからまたすぐに今度は毛布に包んだものを抱えて――ええ子供じゃないかと思ったんですけど――車で出掛け、四時ごろ戻ってきて、そのままずっと部屋にいて、さっきまたとび出していったんですよ」

「四時に戻ってきたとき、子供は連れていなかったんですね」

「ええ――そう思いましたけど」

この点に刑事達は引っ掛るものを覚えた。管理人の証言では、四時以前に岡田は、一彦を、桜木公園のベンチに放置し、六時に電話をかけてきたことになる。日曜日だったから桜木公園には夕方近くまで人の目があったはずである。子供が眠っていたのは木陰のちょっと目立たない位置だったが、それでも二時間以上も誰もその子供を不審に思わなかったというのは不自然に思えた。

しかし、刑事の一人が、

「最近の都会人は他人事《ひとごと》には無関心ですからね。気づいても知らんふりだったんじゃないですか」

と言い、管理人もつっこんで尋ねると、戻ってきたのは五時か五時半だったかも知れない、と記憶が曖昧であった。

確かなことは刑事達が広栄荘に到着する十分ほど前に、岡田が逃げるようにとび出していったことだけである。

即座に岡田啓介は、一彦ちゃん誘拐事件の犯人として指名手配され、その夜一晩は、東京のあちこちで検問がおこなわれた。

二日後の火曜日、午前八時、その岡田啓介は事故死体という意外な形で発見された。

奥多摩に、ガードレールもなく危険な崖《がけ》を蛇行する道がある。その曲り角から三十メートル近く下の谷底へと、岡田は運転していた車ごと転落死したのだった。全身に打撲傷を負った無惨な死体だった。

車の中にあった鞄《かばん》からは、五百万円から三万だけがぬかれて発見された。その紙幣番号は、警察が控えてあったものと一致した。

逃亡中自暴自棄に陥った犯人が自殺したという可能性もあったが、近辺では以前にも二、三度転落事故が起こっている。

結局、岡田の死は単なる事故死と断定され、いわばこの天罰ともいえる犯人の死によって、事件発生から一週間も待たず、あの誘拐事件は無事終止符を打った。


そう、岩さん――

これがあの事件の全貌《ぜんぼう》でした。事件は確かにこの通りに起こったのだし、岡田啓介という、その昔ちょっとした窃盗がもとで鑑別所に送られ、そのために人生を台無しにした男が、五百万の金に困って子供の誘拐を企《たくら》んだ――それに間違いはありません。

しかし、これは、新聞に報道された事件です。当然のことながら、あの事件でも新聞は、事件に携わった刑事達の名を、その気持を活字にはしませんでした。

とりわけ、一人の、まだ青臭いともいえる若い刑事の気持を、その刑事が最初から事件にたいして特別な感情を抱いていたことを、無視してしまったのです。

4

事件の起こった木曜日、僕は恰度《ちょうど》非番で、昼前に起きると、昼食のついでに映画でも見ようと下宿を出ました。退屈な映画だったので途中で席を立ち、駅前から岩さんの家に電話をいれました。前夜、岩さんが「真一《しんいち》が四十度近い熱を出して寝こんでいる」と言ったのを思い出したので、その真一君の見舞がてら、お邪魔しようと思ったのです。

電話には奥さんが出ました。

「十分ほど前に署から電話が入って、うちの人とびだしていったんですよ。誘拐事件が起こったって……村川《むらかわ》さんの下宿の方にも電話がいってるはずだけれど」

僕は驚いて電話を切ろうとしたのですが、その間際に、

「真一の熱がまた上がったんです。村川さん、お願いだから岩本に電話ぐらいかけさせて……人の子の命も大事でしょうけど、真一だって命の境界をさまよっているんですから」

悲しいというより恨《うら》むような声で奥さんは言いました。

僕は電話を切ると、下宿に戻らず、そのままタクシーを拾って署へ駆けつけ、ただちに特別捜査本部の一員として、岩さんと組んで捜査活動を開始しました。山藤家付近一帯を訊きこみに回りながら、思いだしたように僕が奥さんの言葉を伝えると、

「大丈夫だろう。いざとなれば医者を呼べばいいんだし」

素《そ》っ気《け》ないほどの答えでしたが、やはり心配だったのか、電話だけはかけにいき、

「今、医者が来ているそうだ。夜までには少し熱が下がるってことだが……」

さすがに安堵《あんど》したように言い、それからふと弁解でもするように、僕から目をそらしました。たぶん、思わず僕の前で父親らしい顔を覗《のぞ》かせたのが恥ずかしかったのでしょう。

「どうしてですか」

「なにがだ」

「刑事だって人間ですよ。岩さんも刑事である前に、何より真一君の父親じゃありませんか。僕にまでごまかすことはないでしょう。真一君のことが心配だと、父親らしい顔を堂々と見せたらいいじゃないですか。誰も文句を言うものはありませんよ」

「いや、これは俺だけの問題だから――真一の場合は犯罪ではないから……」

そう呟《つぶや》くと、立ちどまった僕を残して岩さんは一人署にむかって歩きだしましたね。路地裏の酒場のネオンに、いつもより肩の落ちた後ろ姿を滲《にじ》ませながら事件にむかって歩いていく岩さんを見守っていると、口ではあんなことを言いながら、岩さんは誰より真一君のことを心配しているのだ、と思えました。

「あくまで子供の命が優先です」

課長が強硬策を提案したとき、岩さんは珍しく強い反対意見を吐きましたね。岩さんは、山藤一彦という他人の子供の命を刑事として守ることで、高熱を発しながら傍《そば》にいてやる

こともできない真一君に必死に謝罪しているのだと思いました。

真一君は知恵遅れの子供でした。五歳になったのに父親という言葉もわからず、通っている特殊な養育園の先生を〝母さん〟と呼び、時々訪ねていく僕を〝父さん〟それも正確には発音できず〝どうさん〟と呼ぶような子でした。奥さんは、そんな子供にうちの人は冷たすぎるとよくこぼしていましたが、たとえ口には出さずとも、岩さんが胸の中では、そんな、普通ではない子供だからこそ普通の親ではわからない愛情を注いでいるのがよくわかりました。

そんな、岩さんの父親としての姿とは、およそ対照的なもう一つの親の姿が、あの事件にはありました。

山藤夫妻――一彦ちゃんの両親です。

木曜の晩、初めて山藤家の応接間に入ったときから、水晶のシャンデリアやペルシャ織りの絨緞《じゅうたん》、皮張りのソファ、贅《ぜい》を尽したあの部屋に氷のような冷えきったものを感じていました。山藤家の空気は、金に埋めつくされ、そこには人間らしい物が入りこめるどんな隙間《すきま》もないように思えました。父親の武彦は「子供の命のためだ。警察は介入してもらいたくない」とさかんに訴え、母親の桂子は涙ぐんでいました。

しかし僕には、二人が本当に子供の生命だけを心配してそうしているのだとはどうしても思えませんでした。こんな事件に巻きこまれて世間体をどう繕えばいいのだ、いったい新聞にでも発表されて大騒ぎされたら、世間の連中は何というだろう――金持ち特有の虚栄高さからそんなことばかり気にしながら、必死に子供の生命を心配するふりで、警察を、自分の気持をもごまかそうとしているようにさえ見えました。

「親の気持は、親でない者にはわからん」

僕がそのことを語ると、岩さんはそう答えましたね。しかし親ではない僕に岩さんの気持がわからないように、岩さんにもあの時の僕の気持はわかってもらえなかったはずです。

山藤家の豪華な調度に埋った部屋は、そのまま、僕が育った郷里の家の部屋でした。金があるだけ、人間らしさの欠けた家――いつも紙幣ごしにしか子供を見ようとしなかった父親の目、母親の目。

「お前のような金持ちの坊ちゃんが、何故《なぜ》刑事になんかなったんだ」

岩さんにはよくそう聞かれましたね。僕は、その都度、適当な言い訳で逃げていましたが、今初めて、誰にも語ったことのないその理由をここに書きます。

実は岩さん――

二十年前、五歳の頃、僕は――僕自身、誘拐された体験をもっているのです。

一昔前に九州の佐賀で起こった小さな誘拐事件のことなど、岩さんは話に聞いていても、もう忘れているでしょうね。僕自身も、なにしろ五歳の頃のことだから、断片的に、それも暗い、おぼろげな陰画としてしか思い出せない出来事です。その後申し合わせたように両親も、誰もが事件については口を噤《つぐ》んでしまったし、自分で当時の新聞を探してみることもなかったので、僕はその犯人の名も、どんな風に誘拐されたかも、正確には何日拉致《らち》されていたのかも知りません。おそらく金に困った労務者かなにかで、後先《あとさき》の考えもなく金持ちの子供らしい身装《みなり》をした僕を誘ったのでしょう。

数日間その男の人と過した暗い場所が、納屋《なや》だったのか、何かの倉庫だったのか——憶《おぼ》えているのはただ、その犯人が、僕にいろいろと優しくしてくれたことだけです。最後の金も尽きかけていたのか、与えられる食べ物は味のないパンばかりでしたが、僕がすぐ食べてしまうと、まだ食べていない自分の分をくれたり、夜は僕が暗闇《くらやみ》を恐れると両腕に抱きかかえて眠ってくれました。今もはっきり憶えているのはその時初めて触れた大人の体の温かさ、血の通《かよ》った温かさ、人間の温かさです。

それからあの誘拐犯が最後に見せた目。

誘拐犯は、警察に踏みこまれると窓からとび出し、小高い丘のようなところを駆けあがって逃げました。

「逃げて、おじさん、逃げて」声に出したかどうか、しかしそんな叫び声が、体の中にどうしようもなく渦巻いて息苦しかったのを憶えています。満足に物を食べていなかったせいか、ふらつく足取りのおじさんはすぐに刑事に逮《つか》まり、手錠をかけられましたが、パトカーに押しこまれる直前、ほんの二、三秒ふり返って、僕を見つめました。

二十年経《た》った今も、僕はその目を忘れることができません。

それは、犯罪者の目ではなく、人間の目でした。悪人どころか悪のすべてを否定した目でした。僕が二十年の間に出あった最も人間らしい人間の目でした。

十八の年に家を出て、刑事になろうと決心したのは、犯罪者たちの目のなかに、もう一度あの誘拐犯の目を探りあてたかったからです。

幼い頃異常な事件に巻きこまれたために、自分の考え方が歪《ゆが》んだのではないかと思うこともあります。しかし歪んでいるにしろ、僕が生きてきた二十年の間に、ただ一つでも真実があるとすれば、それはあの誘拐犯の目なのでした。

「どうした、元気がないじゃないか」

捜査が始まってすぐ、岩さんは、僕の沈んだ顔色に気づいてそう尋ねましたね。どう答えたらいいかわかりませんでした。誘拐事件と聞いたときから、僕の胸には、二十年前の自分自身の体験が暗く重くのしかかってきたのです。二十年前の事件が、僕の目の前で再現されようとしていました。人間らしさの欠けた家庭、涙を浮べながらその奥で子供の生命を紙幣の枚数で冷やかに値ぶみしている親たちの目、わずかな金に困って犯罪に手をつけた男——まだ逮捕されていない犯人の顔が、どうしても二十年前のあの誘拐犯の顔となって頭に浮んできました。記憶の中の事件が目の前で進行していく事件と入りまざり、重なりあい、交錯し、僕を苛《さいな》むのです。

いっそ岩さんに何もかも話してしまおうと何度思ったことか。

あれは、土曜日の晩でした。

翌日零時の身代金の受け渡しまで、動静がなさそうなので、岩さんは家へ帰って少し寝《やす》むことになりましたね。真一君のことが心配だったので、僕もちょっと立ち寄りましたが、本当はあのとき何もかも岩さんに話すつもりだったのです。二十年前のあの誘拐事件のために、僕が今度の事件を歪んだ目でしか眺められないこと——そんな男には、捜査官として事件にたずさわる権利がないこと。

しかし、真一君の容態を心底から心配している岩さんを見ていると、何も言うことができませんでした。

「三時間前に薬を飲んでから、身動き一つせず眠りこんでるんですよ。お医者さんは明日の朝、熱がさがっていればもう大丈夫だと言ってくれてるんですが」

襖《ふすま》をそっと開けながら、奥さんはそう言いました。薄暗がりの中に、真一君は小さな顔を蒲団《ふとん》から半分覗かせるように眠っていましたね。

「三時間もずっとこのまま——」

静かすぎるのが死んでいるように見えるので思わずそう尋ねると、

「ええ——」

「息はしてるんだろうな」

岩さんも同じ気持だったのか、飛びかかるように真一君にかがみこんで呼吸を確かめましたね。あのとき、不意に針で突かれたように、胸に痛みを覚えました。子供にかがみこんでいる岩さんの姿は、偶然二十年前の誘拐犯のおじさんと同じだったのです。おじさんの腕にぶら垂《さが》って遊んでいたときでした。おじさんの土焼けた腕をつかみ損ねて、地面に倒れると、「坊主、大丈夫か」おじさんは吃驚《びっくり》して、岩さんと同じように僕の小さな体に飛びかかってきたのです。あの時、おじさんを心配させてやろうと息をとめて死んだふりをしている僕の唇《くちびる》や心臓におじさんが必死にあてていた耳の感触が、生々しく僕に蘇《よみがえ》ってきました。

二十年経って、今もあの誘拐犯の耳は、僕の心臓に触れているのです。

優しい、人間の耳――

「起きていたら喜んだでしょうに。眠るまでずっとあのボールを離さずに、〝どうさん〟〝どうさん〟って言ってましたから。真一はお父さんより村川さんになついていましたからね」

枕もとに転《ころが》っていたサッカーボールを手にして奥さんはそう言いましたね。僕が真一君の誕生日に贈ったボールでした。

奥さんの言ったとおり、確かに真一君は僕になついていたし、僕も真一君を可愛がっていました。よく僕の下宿に遊びにきて、奥さんが迎えにきても僕の体から離れようとせず、下宿に泊っていったことも幾晩かあります。

「本当に村川さんには可愛がってもらいましたもの」

奥さんはそう言いましたが、僕が休日を犠牲にして真一君と遊んだり、世話をしたのは、ただ可愛かったからではありません。一緒の蒲団にもぐりこむと、真一君は僕の体中をその小さな手で嘗《な》めまわし、眠りに落ちるまで僕の体にしがみついて離れないのです。まだ目も開かない生まれたばかりの小さな動物が、本能的に親の体を感じとってすり寄っていくように――

その真一君の手は、二十年前の僕の手でした。誘拐犯の体を撫《な》でまわし、しがみついていた僕の手でした。生きた、人間らしい血に飢え、その血を本能的に自分より大きな体に探り求めようとする手。

「どうかしたのか」

棒立ちになり、暑くもないのに汗をかいている僕に岩さんはそう尋ねました。僕は適当な弁解で、逃げるように岩さんの家を出たのですが、署に戻ってからも寝つくことができませんでした。睡《ねむ》ろうとすると、あの誘拐犯の最後の目が浮んできて、薄い研《と》ぎすまされた刃物のように意識を刻むのです。夜が明けるまで、コンクリートの天井《てんじょう》をただじっと見あげて、横たわっていました。

「本当にどうかしたんじゃないか」

翌日の朝、A街道のT字路から二キロほど手前の曲り角に配置された車に乗りこんだとき、岩さんはやはりそう尋ねましたね。岩さんに気取《けど》られないよう、僕は精いっぱい快活にふるまっていましたが、あの時僕の気持はもうどうしようもない限界に達していたのです。

午後零時九分、無線で、犯人が現われたという連絡が入り、二十分後北上してくるその車を、運転席の僕と助手席の岩さんは、同時にみとめました。

「あの車だ」

岩さんの低い声を合図に僕はアクセルを踏み、この時、それまで必死に堪《こら》えていたものが一挙に爆発しました。あの誘拐犯の手、パンの味、最後に僕を見た目――思い出してはいけないと必死に記憶の陰画に押しこめておいたものが、いっぺんに体中へと流れだし、僕の運転する車は、突如二十年前のあの事件へと走り出したのです。

犯人を乗せた白いジェットは、春の穏《おだ》やかな陽《ひ》ざしに暗い犯罪の匂いを包み隠して、のんびりと進んでいきます。手の慄《ふる》えを、ハンドルにしがみついて堪えながら、この時、機会《チヤンス》という言葉を思いうかべました。

今がチャンスだ。道路はやがて、三叉路《さんさろ》に行きつく。右に曲るか左に曲るか、僕の連絡一つで、その後の追跡作戦が変わる――

あの誘拐犯の耳が、僕の胸に喰いこむように押しつけられてくる。山藤家の豪華な絨緞、シャンデリア、氷のように冷えた空気、二十年前、刑事の手から僕の小さな体をもぎとるようにして自分の腕に抱きかかえると、ほんの一瞬、他人の子供を見つめるように冷たく僕を見つめた母の目、心配そうに子供の寝顔に屈《かが》みこんでいた岩さんの背、僕の体を撫でまわす真一君の手、パトカーに押しこまれる前にふり返ったあの犯人の最後の目。

〝逃げて。おじさん、逃げて〟

僕は叫び声のようなものをあげ、次の瞬間、意志より先に、ハンドルを右に大きく切っていたのです。

〝逃げろ、逃げるんだ〟

岩さんは車からおりると、衝突した対向車の安否を確かめてから、とぶように戻ってく

ると、

「どっちへ曲った」

　そう尋ねました。

「右です」

　僕がはっきりとそう答えた時、岩さんは無線マイクに伸ばした手をつと止めると、驚いたように僕の顔をふり返りました。僕の目を短い間憐《あわ》れむように見つめ、何か言おうとして結局、僕にはなにも言わず、マイクにむけて僕の言ったとおりを告げたのでした。

　なぜ――

　岩さんはそう尋ねたかったのでしょう。なぜ僕がハンドルをあのとき故意に右に切り、対向車と接触事故をおこすようしむけたのか。なぜ、僕がジェットは右に曲ったと嘘《うそ》をついたのか。つまりなぜ僕が犯人を逃がそうとしたのか。

　岩さんはおそらく犯人が左に曲ったのを自分の目で見たのでしょう。そして僕が故意に右だと偽り、ジェットの犯人を逃がそうとしたことに気づいたはずです。

　しかし、結局、岩さんは何も尋ねなかった。

　尋ねる必要はなかった。

　岩さんは僕の無言の目に、あの一瞬すべてを読みとったのです。

　僕がなにもかも気づいていること、あの事件の真相を知っていること――あの事件にはもう一人の犯人がいること。

そう、岩さん――

僕は事件が発生してまもない頃に、あの誘拐事件のとんでもないからくりに気づいていたのです。

岡田啓介はたしかに誘拐犯でした。しかし、岡田は山藤一彦を誘拐した犯人ではなかった。一彦ちゃんを誘拐したのは、岡田ではない、別の犯人だった。

岩さんはあの一瞬、僕の目にすべてを読みとったはずです。

僕がもう一人の犯人がいると気づいていること、嘘をついて逃がそうとしたのが、ジェットに乗っていた岡田ではなく、そのもう一人の誘拐犯だったこと。

岩さん――

そしてそのもう一人の犯人、――一彦ちゃんを誘拐した犯人とは、もちろんあなたでした。

5

一彦ちゃんを誘拐した犯人が、あの事件で犯したミスは二つありました。

一つは、犯人がKという山藤の部下に連絡を頼んできた二回目の電話です。その電話で犯人は「明日」という言葉を使い、Kは午前二時という曖昧《あいまい》な時刻だったから「明日というのは、今日金曜日のことか」と尋ね返したのですが、この時犯人の声は、ちょっと困ったように沈黙し、それから「そうだ」とはっきり肯定《こうてい》した、と言います。そう肯定しながら、しかしその金曜日に犯人は連絡をとってきませんでした。犯人に都合ができたのだろう、と皆は簡単に見過してしまいましたが、この小さな出来事が、僕に大きな疑惑を与えたのです。

Kに尋ね返されたとき、犯人にも明日というのが金曜か土曜かどちらかはっきりしなかったのだとしたら――つまり電話をかけてきた犯人にも次の連絡をいつすればいいのかわからないのだとしたら――

こう考えたときから、僕はおぼろげに今度の事件には、もう一人の人物が絡《から》んでいると思うようになったのです。

今度の誘拐事件のスケジュールを握っているのはそのもう一人の人物で、電話をかけてくる男は、その人物の指令どおりに動いているのではないか――

仮にそのもう一人の人物をA、電話をかけてくる男をBとしましょう。

このAとBの関係をまず共犯者と考えてみました。しかし普通の意味での共犯者なら、Bにも次の連絡の「明日」というのが、金曜か土曜かぐらいはわかっていなければならないはずです。Bはただ Aの指令どおりに動いているように思えました。もう一歩つきつめて考えると、Bの方もAの次の連絡を待っているしかないのではないか。Bの側からはAに連絡をとりたくてもとれないのではないか。BはAが誰かもわからずにいるのではないか。

しかし、いったいそんな状況にあてはまる共犯関係というのがありうるのか――そんなことを考えながら、山藤家の客間で山藤夫妻が、こちらからは犯人に連絡をとれず、ただ犯人からの電話を待って苛立《いらだ》っている姿を見ているうちに、ハッと思いあたったのです。Bもまた山藤夫妻と同じ立場にいるのではないか。Bもまた自分が子供を誘拐された被害者なのではないか。その犯人がAなのではないか。つまり、一彦ちゃん誘拐事件に隠れて実はもう一つの誘拐事件が発生しているのではないか。

サッカーのパスに、直接パスしたい相手にボールを送らず、間に立った味方にまずパスし、その男から本当の相手にパスしてもらう方法があります。あの事件はそれに似ていました。

ここに自分の子供を誘拐された男がいます。その男Bは、犯人Aが要求してきた五百万の金を用意することができず、また警察に報《し》らせることもできないという困った立場にいました。犯人は五百万の金さえ受けとれば無事に子供を返すと言っている。何とか警察の手を借りず、五百万をつくりたいと思った彼は、とんでもない方法に踏みきりました。途方もないが、しかし一刻を争う窮地《きゅうち》に追いこまれていた彼には、それが最も手っ取り早い方法だったのです。

つまり、自分自身も別の誘拐事件を起こすのです。簡単なことでした。身代金は身代金で埋め合わせればいいのです。一つの誘拐事件から逃れるには、自分もまた誘拐事件を起こせばいいのです。

彼は、ただ犯人からの指示をそのまま、自分が起こした事件の被害者に伝えていればよかった。

誘拐事件には一つの大きな特質があります。それが通りすがりの犯行であれば、犯人も被害者の家の事情を詳しくは知らず、被害者も犯人の正体がわからないのです。互いが誰か正確には摑《つか》めぬまま、犯人と被害者は身代金の受け渡しという唯一の接点をもつことになります。

彼はそこに目をつけ、山藤夫妻の子供を誘拐し、その身代金を自分の子供を誘拐している犯人に渡そうとしたのです。この計画は成功しました。犯人岡田啓介は、それがまさか別の子供の身代金とは知らず、山藤夫妻はそれが別の犯人とは知らず、代替橋の手前の指定場所で五百万の金を授受したのです。つまり岡田も山藤夫妻も、まさかたがいの間に、被害者であり犯人であるBという男が介在しているとはすこしも疑うことなく——

実は、この段階で僕にはその介在者Bの正体がわかりかけていました。彼の次のミスを待たずとも想像はついていたのです。

僕が引っ掛りを覚えたのは、僕の推測が正しいとすれば、なぜ自分の子供を誘拐されたBは、それを警察に報らせなかったのか、その点でした。五百万のお金をつくれなかったなら、たとえどんなに犯人から警察に報らせるなと威《おど》されていたとしても警察に介入を頼んだでしょう。少なくとも自分自身がもう一つの誘拐事件を起こすという大胆な賭《か》けに踏みきるよりはその方が安全でした。僕はそのBには余程《よほど》深い警察不信があるのではないかと考えました。そしてそこまで警察に不信を抱ける人物がいるとすれば、それは警察内部の人間ではないかと思ったのです。刑事を最も信用していない人間は刑事だと思ったのです。

偶然、僕の身近にそれに適合する男がいました。犯人Bである人物は警察内部にいながら、たえず電話機にむかう機会をもった人物でなければなりません。この条件をもった男が一人だけいました。自分の子供が熱を出して危篤《きとく》状態にあることを理由に、いつでも僕から離れ、家に電話を入れることができた人物です。

岩さん――

そう、あなたはそんな嘘でたえず家に電話を入れ、犯人Aからの連絡がなかったか奥さんに問い合せ、連絡があった際はそのままを、山藤夫妻に連絡したのです。直接山藤家に電話を入れられなかったのは逆探知を恐れるというより自分の声を聞かれたくなかったためだし、土曜日の新宿駅での受け渡しの際、既に間に合うはずのない三時という時刻を指定してきたのも、あの時に限って岩さんはこっそり電話をかける機会をつくれなかったからでしょう。岡田が子供を返しにいき四時には広栄荘に戻っていたというのも、その子供が一彦ちゃんではなく真一君だったと考えれば説明できます。真一君をなんらかの方法で受けとったあと、岩さんは、奥さんに、一彦ちゃんを、桜木公園へ置きにいかせたのでしょう。

あの事件を通して僕が暗い気持を抱いていたのは、前にも書いたとおり、あの事件の犯人に僕が二十年前の誘拐犯をだぶらせていたためですが、なによりその犯人が、たえず僕とくっついていて、その目にどうしても二十年前の犯人の目を思い浮べてしまうからでした。

岩さん、僕がこの推理を確信したのはあなた（正確にいえばあなたがた夫婦）のもう一つのミスのためでした。岩さん、あなたにとって僕は危険な証人でした。岩さんが僕を離れて電話をかけにいった時刻と、山藤家に犯人から連絡が来る時刻とが一致することに気づく可能性のある不都合な人物だったのです。そのために岩さんは、僕に疑いをおこさせぬよう、眠っている真一君の姿を僕に見せようとしたのです。

土曜の晩、僕ははっきり真一君の顔を確かめたわけではありません。薄闇の中だったし子供は顔半分を蒲団から出しただけだったし、岩さんはすぐに、その子供の顔に屈みこみ奥さんは子供の顔よりすぐに僕の注意をサッカーボールにむけてしまったから。しかし岩さんがまさかそこまで大胆な手を打ってきたとは思えなかったので、もう少しのところで僕はそれが真一君だと信じてしまう所でした。ただ一つ、奥さんの「三時間ずっとこのままの姿勢で眠っている」という言葉さえなければ――

岩さんも奥さんも愚かにも僕が真一君と幾夜か一緒に眠ったことがあることを忘れていたのです。そして真一君には敷蒲団にしがみついてうつ伏せになって寝る癖があることに当然、僕が気づいているだろうことを――

それなのにその子供は三時間もあお向けになった姿勢で眠っているというのです。これは真一君ではない、麻酔で眠らされている一彦ちゃんなのだ――そう確信した瞬間、僕は居たたまれなくなってあの家を逃げだしました。あの晩、本当の意味で僕の眼前で、二十年前の事件が再現されたのです。岩さんという犯人、一彦ちゃんという被害者、子供の口もとに耳をあてていた岩さん――あの土曜の晩、岩さんの家は、二十年前の僕とあのおじさんとの誘拐事件の現場だったのです。

署に戻ると、僕は真一君の通っている養育園に電話を入れ、その先生から、真一君が病気で木曜から休んでいること、一度見舞にいったが熱がひどいという理由で玄関先で追い返されたことを聞き出しました。これで僕は最終的に自分の推理を確信し、その時からただ岩さんを逃がすこと、何も知らぬふりで岩さんを見逃がすことだけを考えるようになったのです。

岩さんの策略は巧妙なものでしたが、しかしたった一つ大きな弱点をふくんでいました。犯人の岡田と山藤夫妻のあいだで、真一君の身代金の受け渡しが成立し、真一君が戻ってきたとしても、その後岡田が逮捕されたら、岡田の誘拐した子供が一彦ちゃんではないことがばれてしまい、自分の存在に皆が気づいてしまう恐れがあったのです。真一君を誘拐した犯人が、無事に逃げおおすか、この世から消えてくれるか方法は二つに一つでした。

日曜日の午後、A街道のT字路に車をむけながら、ジェットの犯人を逃がしたいと願っている助手席の岩さんの気持が、焦《あせ》りが僕には痛いほど伝わってきました。岩さんの犯罪を見逃がすには、まず岡田を逃がさなければならないと思いました。A街道のT字路は、そのまま岩さんの分岐点にも、僕の分岐点にもなったのです。

〝逃げろ。岩さん、逃げろ〟

僕は、すぐ隣に座っているもう一人の誘拐犯に胸の中で必死に声をかけながら、あの時ハンドルを右に切ったのでした。

なぜ――

岩さんは僕を見つめ、そう尋ねようとして、次の瞬間、僕がなにもかも知っていることに気づいたのでしょう。僕が岩さんを逃がすために、ジェットの犯人を逃がそうとしたことに――岩さんは、口を閉じ、僕もまた黙っていました。あのA街道で、センターラインを断つように方向を歪めて停止した車によりかかり、二人は、一瞬見つめ合い、沈黙のまま共犯者としての密約を交わしあったのです。恰度《ちょうど》、岩さんと岡田が、たがいに相手の顔も知らぬまま、利害の点では共犯者だったように。

あの後、岡田は死にました。あれが事故ではなかったと疑うこともできます。岡田が広栄荘から逃げだしたのは、僕達が踏みこむ直前でした。警察内部の誰かが岡田に急いで連絡をとり、岡田も知らずにいた事件のからくりを説明して、岡田に自分が協力して逃がしてやるといい、落ち合う場所を決め、そして岡田を殺害し事故に見せかけたのだと――しかし僕はそこまで考えたくありません。

あれはやはり岡田が天罰を受けた事故だった、それでいいのです。

「逃げるのもいいだろう」

僕を見送りにきてくれた新幹線のホームで、岩さんはそう言いましたね。あれは僕にむけた言葉ではなく、自分自身に言い聞かせた言葉だったのか。それとも沈黙を守り続けた犯人の唯一の告白の言葉だったのか。

僕の方は、ただ黙って岩さんを見あげていました。二十年前の五歳の子供の目で——岩さんの目は、あの誘拐犯の目と同じでした。

岩さんが真一君を岡田に誘拐されたとき、それを警察に報らせなかったのは、ただ警察を信じていなかったせいではないでしょう。知恵遅れの真一君は自分の父親が刑事だと犯人に告げる心配はなかったでしょうが、岩さんは万一犯人が刑事の子供を偶然にも誘拐してしまったと気づくのを恐れたのですね。札幌での誘拐事件で子供が殺されたばかりの時でした。子供の父親が刑事だと知ったとき犯人が混乱を起こし、どんな兇暴《きょうぼう》な行動にでるか。それを恐れた岩さんは、自分の気持の中からまず刑事であるという意識を追い払おうとしたのでしょう。窮地にたたされて、岩さんは、刑事であることより父親であることを選んだのです。家庭を犠牲にして刑事という職業を貫《つらぬ》きとおした岩さんは、ドタン場で、ただの父親の顔を後先《あとさき》構わずむき出しにしたのです。

あれは、そんな子供の命にただ盲目になった一人の父親がひき起こした、途方もない、愚かな、愚かすぎる事件でした。

その愚かすぎる父親の目に、僕は二十年前のあのおじさんを見たのです。

「逃げるのもいいでしょう」

最後に岩さん、あのときの岩さんの言葉を、今、僕の言葉として岩さんに贈ります。

そして岩さん、僕が一年前新幹線ホームで岩さんに言いたかったのは、結局この言葉だけだったのかもしれません。

さようなら、岩さん――

これで、僕は、あの事件に関して、永久に口を鎖《とざ》します。

化石の鍵

蝶《ちょう》が飛んでいる――

少女は、そうつぶやこうとした。しかし声が出ない。紺と黄色の縞《しま》ネクタイが少女の細い小さな首に喰いこみ、喉《のど》を絞めあげている。少女に覆いかぶさっている顔は、電燈を逆光に浴び、暗い影になっている。影の顔は苦痛に歪《ゆが》み、涙のせいか、目だけが光って見えた。少女はなぜ、影になった顔が泣いているのか、恐ろしい表情を浮べているのか、わからなかった。唇《くちびる》からは喘《あえ》ぐような烈《はげ》しい息が少女の頰《ほお》に吹きかけられてくる。その唇は、まださっき、「怖《こわ》くはない。とても気持いいことだから……なにも心配はいらない」少女の耳に優しくそう囁《ささや》きかけたばかりだった。

本当に少女はなにも怖くなかった。ネクタイが巻きつけられたとき、痛いかもしれない、ちょっとだけ心配したが、痛かったのは最初の一瞬だけで、それはゆっくり少しずつ、優しい温かい人間の腕のように首に絡《から》んできた。パパとママがまだ仲良かった頃、二人で力を合せて抱きあげてくれたことがある。パパとママの腕が優しく首に絡んでいたあの時のように……あたたかい快い闇《やみ》に軀《からだ》がとけこんでいく。そして闇に、突然、一羽の蝶が舞いあがった。

蝶々が飛んでいる——

少女は、なぜ自分の声が出ないかもわからないまま、もう一度、影の顔にむけてそう語りかけようとした。——なぜ泣いてるの。こんなにきれいな蝶々が飛んでいるのに。

少女はまだ一度も蝶が空に舞うのを見たことがなかった。少女が知っている蝶々といえば、宝物として大事にしている化石の蝶だけである。ずっと昔、遠い遠い昔、死んで石になってしまった蝶々だけだった。少女はその宝物をいつもこっそり枕の下に忍ばせて眠った。死んでしまった蝶々が夢のなかでは命を蘇《よみがえ》らせ、両方の羽を思いきり広げ、自由に飛び続けるだろう、そんな気がしたのだ。だが夢の中で蝶は飛んだのか、飛ばなかったのか——朝目ざめると少女はいつも自分の見た夢を忘れてしまっていた。

その蝶々が、今やっと飛んでいる。

二千年、二万年……少女にはとても数えられない長い長い年月、灰色の石の中に閉じこめられた命は、今やっと蘇ったのだ。

蝶は、ただ音もなく美しく舞い続けている。

ゆるやかな羽ばたきのたびに、光の粉がまき散らされ、闇に流れた。

闇はどんどん濃くなり、光の羽はますます鮮《あざ》やかに浮びあがり、漂い続ける。

少女はふと自分の軀が軽くなるのを感じた。

いつの間にか、自分の軀にも光の羽が生え闇の空を舞っている。蝶と同じように、去年の四月交通事故にあってから化石になっていた軀が、自由に空を泳いでいるのだ。

なぜ泣いているの。あたしのからだはとても気持よく空を飛んでいるのに——

自分も一羽の蝶になり、化石の蝶とともに楽しそうに闇を飛び交いながら、少女は、自分の首にぽたぽたと涙を落とす影の顔にむけて声にはならぬ声を呟《つぶや》き続けた。

叫び声をあげたのは、影の方だった。

少女の唇から、声が、細い息のようにこぼれだしたのである。

「蝶々——」

たしかにそう聞こえた。

影は、思わずネクタイから手を離すと、その手で自分の叫び声を押えつけ、逃げだすことも、少女の生死を確かめることも忘れ、しばらくの間、ただ呆然《ぼうぜん》と、幸福な夢でも見ているような少女の小さな顔を見守り続けていた。

1

新宿区×町にある藤代荘《ふじしろそう》というアパートの管理人室のドアがノックされたのは、午後八時を十分まわる時刻だった。管理人の藤代《ふじしろ》サワが用から戻り、テレビの音量が大きすぎると、高校生の一人息子に注意していた時である。息子の昌也《まさや》がぶつぶつ言いながらテレビの音量をしぼると同時に、待っていたように、ドアに小さなノックの音があった。

藤代サワは二年前に夫を癌《がん》でなくしている。夫は郷里に持っている田畑を売り、その金でこのアパートを建て、竣工《しゅんこう》と同時に倒れると半年後に死んだのである。五十前の若さだった。

一時期はアパートの建物が夫の命を吸いとったような気がして、低い家並の広がるこの付近では光っている三階建の建物を恨《うら》んでいたのだが、各階四室計十一室から入ってくる家賃は銀行の負債分を返しながらも、日々母子二人が充分暮していけるだけの金を提供してくれる。恨む筋合いはなく、夫の形見と思って大事にした。下町育ちで、愛敬《あいきょう》のいいサワは、アパートの住人からも「管理人さん」ではなく「おばさん」と呼ばれ、親しまれていた。

働き者で丸く太ったからだをいつも忙しげに動かしながら、自分の部屋だけでなく、アパート中を、磨《みが》くようにきれいに掃除している。その上、世話好きな、面倒見のいい性格で、新婚夫婦の赤ン坊を預ったり、惣菜《そうざい》を余分にこしらえて独身男性の部屋にもっていってやったりした。

とりわけ隣の一号室の父娘《おやこ》の面倒は、三カ月前から家政婦同然にみていた。

隣に住んでいるのは、白井準太郎《しらいじゅんたろう》という三十七になる会社員だが、その一人娘の十歳になる千鶴《ちず》は下半身麻痺《まひ》で車椅子《くるまいす》の生活をしている。昨年の春交通事故で、腰椎《ようつい》を骨折したのが原因だった。障害児童のための設備が整ったこの近くの小学校に転入するため、昨年秋、世田谷区からサワのアパートへと引っ越してきたのである。引っ越してきた当時、白井準太郎と妻の次子は、車椅子の娘を庇《かば》いながら仲睦《なかむつ》まじそうに見えた。しかし白井の妻の次子《つぎこ》が外出する際など、サワが車椅子の千鶴の面倒をみてやっていたりするうちに、サワにも白井夫婦の内情が判《わか》ってきた。娘の千鶴を障害者にした事故は母親の次子が車を運転していた際、不注意なミスをおかしたのが原因だった。半ドアのままの助手席に乗った千鶴が、ドアに寄りかかった際、路上に零《こぼ》れだし、背後から突進してきた車に轢《ひ》かれたのだった。夫はこの妻の不注意を許さず、千鶴が退院し、このアパートに移り住んできた頃にはもう夫婦関係は完全に冷却していた。妻を憎んでいた白井は他《ほか》に女をつくり、それが直接の原因となって二人はこの秋、離婚したのだった。次子は千鶴を夫のもとに残し、一人アパートを出ていった。

その後三カ月にわたり、出ていった母親のかわりに千鶴の面倒をみてきたのがサワである。もともと千鶴はサワになついていたし、サワも子供好きである。息子の昌也は高校に入ってから母親の世話を嫌《いと》うようになり、恰度《ちょうど》サワも暇をもてあまし、口や手にやっと淋《さび》しさを覚え始めた時期であった。家政婦をやとう三分の一ほどの礼金で、千鶴の世話を引き受けたのである。

毎朝、千鶴を半キロほど先の小学校まで送っていき、下校時間に迎えにいって、その後は父親が戻ってくるまで、晩御飯の用意をしたりしながら、千鶴の面倒をみる。いつもはその時刻まで銀座にある貿易会社に勤めている父親は毎夜帰りが八時をすぎる。いつもはその時刻までほとんどつききりでいるのだが、今日は六時になると、千鶴が、

「おばさん、あたしパパが戻るまで少し眠る。今日はあたしの誕生日でしょ。パパがケーキを買ってきてお祝いしてくれるから、夜遅くまで起きているの。そのかわり六時から八時まで眠るってパパと約束したの」

と言った。今夜は六時半から八時までサワは町内会に出なければならない。昨夜、そのことを白井に言ってあったから、白井が千鶴にそう言い聞かせておいてくれたのだろう。

千鶴を車椅子からおろし、ベッドに寝かせつけ、町内会から戻ったところに、ドアのノックがあったのである。

千鶴ちゃんのお父さんが戻ってきたのだろう――サワはそう思ってテーブルの上に置いてあった新しい鍵《かぎ》をつかむと、ドアを開いた。今日の夕方五時ごろ、錠前屋が来て隣の一号室のドアのノブを新しくつけ替えていったのである。新しい鍵はサワが預っていた。

ドアを開いたサワは、「あ」と小さく叫んだ。ドア陰に立っているのは、千鶴の父親ではなく、母親の次子である。

「あのう……どういうわけか隣のドア、私の鍵では開かないんですけど……」

「今日の夕方に新しいノブに替えたんですよ」

「壊れたんですか」

「いえ」サワは口ごもったが、思いきって、「実は奥さんがこっそり千鶴ちゃんに会いに来てること、ご主人に知れちゃったんですよ。いえ私は黙ってたんですけど、千鶴ちゃんが喋《しゃべ》ったらしくて……」

「いつ？」

「二、三日前。それで今朝になったら急にご主人、夕方に錠前屋が来て、ノブをとり替えるから、新しい鍵を受けとって預っておいてくれって……別に壊れちゃいなかったんですけど」

「私を部屋に入れさせないためね」

次子は目を伏せるとひとり言のように呟いた。色濃いアイシャドウが睫《まつげ》まで蒼《あお》く濡らしている。この三カ月間、次子は夫の留守《るす》中に、五、六回千鶴に会いに来ていた。赤坂のキャバレーに勤め始めたというが、来る度《たび》に服装が派手になり、化粧《けしよう》が濃くなっている。黒地に金の刺繍《ししゆう》を施したスカーフに包まれた白い顔は、しばらく唇を噛《か》んでいたが、やがて、サワのもった鍵に目を移すと、

「その鍵、少しだけ貸して下さい」

「でも、もうご主人が帰ってくる時間だし……それに千鶴ちゃん今眠ってるんですよ」

「一分だけでいいんです。一分だけ寝顔でも見られたら……どのみち私、今夜で千鶴に会うのも最後にする決心で来たんです。私にも再婚の話があって……すみません、一分だけ」

サワはため息をついた。そこまで言われて断るのは薄情だという気がした。サワの手から新しい鍵を受けとって隣の部屋にむかった次子を、サワはドアから首だけ覗《のぞ》かせて見守った。次子の手がノブの鍵穴に鍵をさしこんで回した。鍵のひらく音がサワの耳にも聞こえた。だが、次子はドアを開こうとせず、スカーフから零れだした赤茶けた髪に横顔を埋

めてじっとしている。

「奥さん――」

サワが近寄って声をかけると、次子は顔をあげた。片方の目から涙が頬を伝っている。

「やっぱり会わないでこのまま……会ったらかえって辛《つら》くなりそうだから」

次子は、ドアに鍵をかけ直し、その鍵と一緒に抱えていた紙包みをサワに渡した。

「これ、私からじゃなくておばさんからのプレゼントだと言ってあの子に……今日、あの子の誕生日だから。あの子蝶々のついたセーター欲しがってたので」

次子は包みを押しつけるようにして、逃げるように出口へと駆けていった。その後ろ姿を見送ってから、サワは次子から返された鍵でドアを開き直し、部屋に入った。管理人室と同じ構造で入ってすぐが台所兼食堂、奥が三部屋に分れ、千鶴の眠っているのは入口にいちばん近い六畳の洋間である。

最初、サワはすぐには異変に気づかなかった。窓際のベッドに横たわって、顔半分を蒲団《ふとん》にもぐりこませた千鶴は、まだ静かに眠っているように見えたのである。母親からのプレゼントを枕元に置こうとして、蒲団からはみだしているネクタイの端に気づいた。おや、と思って蒲団をめくると同時に、サワは大きな叫び声を挙げた。千鶴の細い首に紺と黄色の縞模様が蛇《へび》のように絡《から》みついている。思わず千鶴の両肩をつかみ、揺り動かしたが、小さな軀はぐったりとして水をつかむように手応《てごた》えがなかった。頭に血が逆流してどうやって枕元のボタンを押したか覚えていない。枕元のボタンは、管理人室につながっており、押せばサワの部屋のベルが鳴る仕組みになっている。その音を聞いて、昌也が駆けこんできた。柔道をやっている昌也は十六歳にしては体が大きく頑丈である。図体ばかりデカくて――日頃は文句を言っている昌也の軀をこの時ほど頼もしく思ったことはない。

その昌也の、自分より一回りも大きい体にすっぽりと包まれて、サワは気を失った。

2

その夜サワはなかなか寝つかれなかった。

千鶴は死んでいたわけではなく、ただ失神していただけである。サワが気を失っている間に昌也が千鶴の横隔膜《おうかくまく》に力を加えて、意識をとり戻させたのである。柔道で時々首を緊《し》めあげ過ぎて似た事故が起こるという。サワも昌也にピシャピシャと頰を叩かれてやっと我にかえった。すぐに千鶴の首からネクタイをはずし、「どうしたの、千鶴ちゃん、なにがあったの」と尋ねたが、千鶴は苦しそうな咳《せき》にむせながら烈《はげ》しく首をふり続けるだけである。

サワが伸ばした手を思いきりふり払うと「出てって。あたしのことなんか放《ほ》っといて」掠《かす》れ声で叫んだ。しかし放っておくことはできない。首にはネクタイの跡が首輪のように赤く残っている。誰かが千鶴の眠っている間にこの部屋に入ってきて、その首をネクタイで絞めあげ、殺害しようとしたのである。「誰なの、いったい誰がこんなことしたの」しかしいくら尋《たず》ねても千鶴は烈しく首をふるだけだった。

　弱っているところへ白井が帰ってきた。サワから事情を聞くと、驚いて千鶴を抱きおこし、サワと同じ質問をぶつけた。だが千鶴は、父親の腕の中で泣きじゃくりながら、何も答えたくないというように長い髪を振るだけである。「少し二人だけにして下さい」という白井の言葉に従って、サワは昌也と共に一号室を出た。

　三十分もして、白井がやってきた。千鶴はやっと落ち着いて、買ってきてやったケーキを食べているという。喉に痛みは残っているらしいが別に軀に異常はない。しかし何を尋ねても答えないので詳しい事情をサワに聞きにきたのだという。だが、サワにも何が起こったのか皆目《かいもく》見当がつかない。

　六時にサワが部屋を出てから、八時十五分に再び開くまでの二時間十五分の間には誰も部屋の中に入ることはできなかったはずである。

　今日は午後二時半に学校へ千鶴を迎えにいき、それから五時まではいつもと変りなく千鶴の相手をつとめた。五時になると、朝、白井が電話で注文したという錠前屋の若い男がやってきて、ドアのノブを新しいものにとり替え始めた。田舎出らしい朴訥《ぼくとつ》な若者だったので、サワは、ちょっと千鶴を見ていてくれ、と頼んで買い物に出た。三十分ほどで戻ってくると、恰度《ちょうど》若者が、ドアのノブをつけ替え終ったところで、千鶴が新しい鍵をノブの穴にさしこんで遊んでいた。サワは若者に費用をたて替えて払い、その若者が帰ったあと、これもいつも通り晩御飯の支度《したく》を始めた。六時に支度が整《ととの》ったところで、千鶴が父親が戻るまで眠ると言いだしたのだった。この時サワは、千鶴の口から初めて、今日が千鶴の誕生日であることを教えられた。

「そう、誕生日だったの。だったらもっと御馳走《ごちそう》にすればよかったね」

「いいの。パパがケーキを買ってきてくれるから」

そんな会話をして、サワは千鶴をパジャマに着替えさせベッドにあげた。寝つくのを待って部屋を出たのだが、この時サワは確かにドアのノブの内側のボタンを押して外に出ている。新しいノブも、アパート全部の部屋に使われている自動施錠式で、ノブ自体にくっついている内側のボタンを押して外に出て閉めれば、自動的に錠がおりる仕組みになっている。よくホテルなどで使われているノブである。

外に出てからも回してみて錠がかかっているか確かめてみたから、それは間違いなかった。

錠前屋が置いていった新しい鍵は二つだったが、一つは千鶴の部屋の箪笥《たんす》の上に置き、もう一つは自分が持って部屋を出て管理人室に戻ると台所のテーブルの上に置いた。それから、昌也の食事の用意をすると、六時半ごろ、近くの喫茶店で開かれる町内会に顔を出し、戻ってきたのが八時を少しまわる時刻だった。そして——

問われるままに、説明をしていたサワはそこであることを思いだし、不意に言葉を切った。

「なにか——」

白井に尋ねられ、サワは慌てて首を振ってごまかすと、白井の持っている紙包みに目を移した。先刻、白井の妻、いや以前の妻から預った千鶴へのプレゼントである。

「これは？」

サワの視線に気づいて、白井が尋ねた。サワは、ちょっとためらった後、正直に次子が訪ねてきたことを話した。

「でも奥さんじゃありませんよ、あんなことしたの。奥さん部屋には入らなかったんです。私、ちゃんと見てましたから」

白井は、男にしては細い眉《まゆ》をしかめて考えこんでいたが、

「今日のことはあまり大袈裟《おおげさ》に考えないで下さい――大したことではないと思いますから」

頭をさげて出ていった。廊下の足音が隣室に吸いこまれると、

「昌也」

サワは思わず大声で呼んだ。居間のテレビを見ていた昌也はふり返ると、母親の目を逃れるように、

「俺、今日の試合で疲れたから寝るよ」

立ちあがって自分の部屋へいこうとするのを、サワは腕を引っ張るようにして、台所の椅子に座らせた。

「誰も隣の部屋に入れなかったわけじゃないのよ。私が町内会に行ってる間、新しい鍵はずっとここに置いてあったんだから」

サワはテーブルの隅《すみ》を叩いた。

「それにさっき思いだしたんだけど、町内会から帰ってきたとき鍵の位置がちょっとずれてたわ」

「俺、疑《うたぐ》ってんのか。俺は母さん疑ってたけど……母さんなら隣の部屋出る前にできただろう?」

「なぜよ。私がどうして千鶴ちゃんを……」

サワは顔を真っ赤にし、唇を震わせた。

「その声、その顔。亭主に先だたれた中年女の欲求不満の見本じゃないか。親父《おやじ》死んでから母さん包丁の音うるさくなったよ。ムキになったみたいにキャベツ切ってるの見てると、俺、時々背筋寒くなる。そういう女、よく三面記事に登場するだろ」

「欲求不満はどっちよ。私、あんたが机の中に隠してる女のいやらしい写真知ってんのよ」

「人のプライバシー覗《のぞ》こうという方がよほどいやらしいね。そういう覗き心理って犯罪につながるんだよな」

「昌也!」

吐きだそうとした怒声をサワは唾《つば》と共に飲みこんだ。確かに夫に死なれてから、何事にもカッとしやすくなっている。

「信用ないのね」

「おたがいにね」

昌也はおどけて唇をつきだすと、

「鍵の位置がずれてたのは、六時半だったかな、母さんが町内会に出てったすぐ後に、千鶴ちゃんの父さんが一度戻ってきたからだよ」

「え？　白井さんその時間にも一度、帰ってきたの」

昌也はうなずいた。白井はその時、この管理人室の土間で、今日は珍しく仕事が早く終ったからと言って、昌也から一旦鍵を受けとったのだが、「あ、しまった。千鶴のケーキを買い忘れた」と言って、その鍵をすぐに昌也にまた預けて出ていったという。

「次に戻ったのが、八時過ぎてたでしょう。ケーキ買うのにそんなに時間がかかるのかしら」

「いや、他にも用を思いだしたから、そちらの方も済ませてくるって言ってた。一、二時間かかりそうだから、それまでまた鍵を預っておいてくれって……」

「じゃあ、白井さんも絶対に部屋には入れなかったわけね」

昌也は、しばらく真面目《まじめ》くさった顔で考えこんでいたが、

「千鶴ちゃん、自分でやったんじゃないかな」

「どうして、そんなこと」

「だって両親があぁだろ。友達もあまりいないし……そういう子供って周囲の気持、特に両親の気持、自分に引き寄せたくてとんでもないことしでかすものだから」

「でもネクタイは？　私が出る時、千鶴ちゃんの周りになかったわよ。千鶴ちゃんああい

う軀だからベッドから降りて箪笥までネクタイとりに行くなんてできないから」

「前々から計画してたら、母さんの目盗んで、ネクタイを枕の下かどっかに隠しておくことできたはずだろ。あれ、お父さんのネクタイ?」

「ええ。二、三度しめてるの見たことあるわ」

「つまりこういうことだろ。千鶴ちゃんがもし本当に殺されかかったのだとしたらだよ。犯人は千鶴ちゃんが死んだものと思いこんで逃げだしたのか、途中で思いとどまったのかわからないけれど……窓は全部内側から閉まっていて、出入口はドアしかなかったんだろう? 針金一つで錠をあけられるような専門家でもないかぎり、鍵を使えた俺か、部屋を最後に出た母さんかしかないことになるよね。けど俺も母さんも共に欲求不満とはいえ、罪のない少女を理由なく襲うほど抑圧されてはいなかったとしとこうよ。動機という点じゃ千鶴ちゃんのお父さんや別れたお母さんの方がずっと怪しいな。千鶴ちゃんがあんな軀だし、いろいろありそうだからね、隣。だけど二人共部屋に入ることはできなかったわけだろう? そうすると犯人は千鶴ちゃん自身しかいないってことになるじゃないか」

昌也の言葉にも一理ある、とサワは思った。

千鶴は時々とんでもないことを言いだして、サワを驚かす。冷蔵庫の中に爆弾がしまってあるとか、テレビの人気スターから電話がかかってきたとかおよそあり得ない嘘《うそ》をついたり、「三号室のおばさん、うちのパパに気があるのよ」とか「おばさん男の人なしでずっと暮して いくの」とか、大人びた言葉でサワの胸を突き刺すことがある。最近の子供は早熟だし、ことに千鶴のような子は、車椅子だけの世界の小ささを、空想の翼を広げることで埋め合わせようとしても当然なのだが、そんな言葉を呟いて千鶴は、ふっとサワの反応を探るように小さな目の光を絞る。その大人びた眼差《まなざし》にサワは薄気味悪さを覚えることがある。

確かに、千鶴なら、父親たちの気をひくために誰かに襲われた芝居ぐらいしかねない。そんなことを思いながら、十一時すぎにサワは蒲団に入ったのだが、千鶴の首に巻きついたネクタイを見たときの衝撃がいつまでも尾をひいて、なかなか寝つかれなかった。

真冬の凍りついた闇に、いろいろな顔が浮んだ。マスカラの黒い涙を流していた千鶴の母親の顔、端正《たんせい》だが、眉も唇も鼻すじも細く時に冷たく見える白井の顔、長い髪をいじりながら、目の奥底の方から大人の気持を観察しているような千鶴の顔――そして高校に入ってから急に無表情になり、息子というより一人の男になりかけた昌也の顔。

いくつかの顔がぐるぐる回っているうちに、それでもサワは眠りに落ちていった。眠りが浅かったのか、おかしな夢を見た。

誰もいない、小学校の校庭のような所に奇妙な形の石が落ちている。拾いあげてみると、それは化石である。ああ、千鶴ちゃんが大事にしている蝶の化石だわ――そう思ったのだが化石に染みついているのは蝶ではなく、人の唇である。

口紅に赤く濡れた女の唇である。

サワは薄気味悪くて離そうとするのだが、化石は手に貼《は》りついて、いくらふり払おうとしても離れない。

なにもかもが無彩の灰色に閉《とざ》された夢の世界で、その唇だけが、鮮《あざ》やかな赤に染まっていた。

3

その夜、隣の一号室でも白井が偶然、同じような夢を見ていた。白井は駄々《だだ》っ広い海に一人でボートに乗っている。波の間に石のようなものが浮んでいるので、すくいあげてみると、それが化石であった。化石には蝶の片羽だけが薄い筋で命を染みつかせている。いや蝶の羽ではない。よく見ると、それは鍵の形をしている。銀色のふちがギザギザに切りとられているのが蝶の羽のように見えたのである。

その鍵の化石はみるみる大きくなり、重さで舟が沈み始めた。白井の体は首まで波に浸《つか》った。首がだんだん苦しくなる。息ができなくなる。いつの間にか首に絡んでくるのが波ではなくネクタイになっている。俺じゃない、ドアを開いたのは俺じゃない、千鶴を殺そうとしたのは俺じゃない――。

目が覚めたのは自分の叫び声だったのか、電話のベルだったのか。

汗で濡《ぬ》れた手で受話器をはずし、掛時計を見た。朝の五時十五分である。

受話器の底は、沈黙している。

「次子か？」

声は少し慄《ふる》えて、ええ、と呟いた。

「どうしたんだ、この時間に――」

「千鶴はどうしてるの」

「今、静かに眠っている、別に異常はないよ」

「私――あなたに話があって……」

「俺の方も話したいことがある。今日午後五時に駅前のクラウンという喫茶店へ来てくれ」

受話器を置くと白井は、千鶴の部屋の扉を開いた。台所の燈《ひ》が流れこみ、無心に眠っているいる千鶴の顔を照らしだした。

冬の夜明けは寒かったが、白井は寒さも忘れ、石のようにじっと立ち尽してその寝顔を見下していた。

4

朝目をさましても、夢の中の唇の赤が神経に粘《ねば》っていた。あんな夢を見るなんてやっぱり昌也が言うように欲求不満なのかしら、そんなことを考えながら、いつもより丁寧《ていねい》に顔を洗い、朝御飯の支度を始めた。

時間ぎりぎりに起きた昌也は、朝食をかきこみながら、

「容疑者、もう一人いたよ」と言った。

「錠をとり替えに若い男が来てたろ。そいつなら、もう一つ新しい鍵《かぎ》もってても変じゃないよ」

早口で言うと、サワの返事も待たず、ドアに体当りしてとび出していった。

サワの頭に昨夕《ゆうべ》の錠前屋の若者の顔が浮んだ。二十一、二の妙に背がぼんやりと高い田舎臭い若者だった。純朴そうな気の弱そうな目をしていた。あんな若者が少女を襲ったなど考えられないが、確かに鍵が自由になったという点では彼も重要容疑者の一人なのだ。本当は鍵を三つもっていて、二つだけをサワに渡したのかもしれない。それに現代は、どんな人間だって、犯罪者になりうる時代ではないか。

ドアにノックがあり、開くと白井が立っていた。今日一日は、千鶴に学校を休ませ、自分も会社を休んで面倒をみるという。

「ただ夕方の五時から二時間ほど用があって出かけたいので、その間だけお願いします」

白井は素っ気なく言うとドアを閉めた。

昼すぎに駅前へ出たついでに、サワは石川金物店と看板のある店に寄ってみた。昨夕の若者はこの店から来たのである。主人らしい男に、

「背の高い、ちょっと鼻が悪いような声をした――」

と尋ねると、宮田《みやた》一郎《いちろう》という三年前からこの店に勤めている男だと教えてくれた。山梨の出身で、今どき珍しい純情で生真面目《きまじめ》な若者だという。宮田は仕事に出ているらしい。

「あのう宮田が何か——」

適当な微笑でごまかし、店を出るとサワはアパートに足を向けた。冬の暖かさそうな陽ざしが、周囲の家並を圧するように立ったアパートを白く浮びあがらせている。いかにも平穏な平和な城といった印象だが、その白さにサワは初めて一点の黒いしみのようなものを感じとった。

何でもないのならいい、父親の気をひくために少女が冗談で首を絞められる真似《まね》をしただけならいい、冗談が度を過ぎて気を失ってしまっただけのことならいい——だが……。

夕方までサワは何も手につかなかった。五時少し前に隣へ行こうとして部屋を出たサワは、すぐに足を停めた。昨夕、一号室の前で男がうろうろしている。ドアをノックしようか迷っている気配だった。錠をとり替えに来た宮田一郎である。宮田はサワと目が合うと、帽子をとってひょいと頭をさげた。

「なんの用？」

宮田はおどおどと大きな板になったチョコレートをさし出すと、

「これ、昨日の女の子にやって下さい」

「なぜ？」

「あのう、昨日ここへ来てたとき、あの子にチョコレート買ってきてくれと言われて、この菓子屋まで行ったんだけど、運悪くシャッターが閉ってて……駅前まで買いにいけばよかったんだけど、時間がなかったんで……素手で戻ってきたらあの子すごくガッカリした顔して……あとでその顔が気になって昨日の夜よく眠れなかったのです……だから、これ」

サワに押しつけると、探るようなサワの目を逃れて走り去った。言葉通りとすれば確かに最近珍しい純朴な青年である。千鶴の軀《からだ》のことを考え、もっと親切にしておけばよかったと後悔したのだろう。だが本当に信用していいのか——犯罪者は現場にまい戻るものだという。お菓子は口実で娘の容態や様子を探りにきたのだとしたら……。

サワがドアをノックしたのと、白井が部屋を出ようとしたのが同時だった。白井は、昨日のことには何も触れないでやってほしいと、小声で囁《ささや》いて出かけていった。

千鶴は車椅子に乗り、昨日の母親の贈り物らしい胸に真っ赤な蝶を織りこんだ黄色いセーターを着ていた。別にいつもと変りない様子だったが、サワが、

「これ昨日のお兄さんの贈り物。千鶴ちゃんがチョコレート食べたがってたのに、ごめんなさいって」

言ってさし出したチョコレートを千鶴は恐ろしい顔で睨《にら》みつけ、

「要《い》らない、こんなもの」

土間へ力いっぱい投げつけた。やっぱり自分が目を離していたすきにあの宮田という青年との間に何かあったのではないか、チョコレートを拾いながらそう思ったが、しかし父親に言われたように、昨日のことには触れるわけにはいかなかった。

「ねえ、千鶴ちゃん、宝物の蝶々の化石見せてくれない」

話題をかえると、千鶴はまた無邪気な顔に戻り大きく肯《うなず》いて、自分の部屋からそれを持ってきた。

掌《てのひら》ぐらいの大きさだが、蝶が化石になったというより、光を透《す》かしてとんでいた蝶の影が石に落ち、その一瞬の影が永遠に石から消えずに残ってしまったように見える。じっと見ていると、その何千年も昔の光すらも見えてくるようである。しかし夢の中でなぜ、この化石に女の真紅の唇が浮んでいたのか——

「その蝶々白かったわ。雪のように真っ白」

千鶴がそう呟《つぶや》いた。そういえばいつか、千鶴が「この蝶々、青かったのかしら、黄色かしら、黒だったのかしら」と尋ねたことがある。幾千年という時の流れは、石になって残った蝶の生命から色を奪っていた。

「どうして白だとわかったの？」

尋ねると、千鶴はごまかすようにフフと含み笑いをした。

壁に父親のワイシャツが掛けてある。襟《えり》もとがもう汚れているので洗濯機の方へ持っていこうとして、サワは、ああと思った。昨日の夢の女の唇にやっと思いだすことがあった。

一カ月ほど前である。小学校へ千鶴を迎えにいったサワは、担任の教師に職員室へ呼ばれた。まだ若い色の白い一見好青年といった印象の教師は、「どういうことかわからないんですが」と前置いて、突然口紅をとり出した。

「昨日は僕の誕生日だったんですが、千鶴ちゃんがプレゼントだと言ってこれをくれたんです」

「どうして男の先生に口紅なんか……」

恰度その少し前であった。こっそりアパートへ来た母親に千鶴が真っ赤の口紅を頂戴《ちょうだい》とねだっていたことを思いだし、聞き返すと、

「僕にもわからなかったので尋ねてみたら、パパがよくシャツの襟に口紅をつけて帰ってくる。そういうの好きだから、先生もシャツの襟にその口紅を塗って教室へ来てと——一体、どういう意味かわからないんですが」

サワにもわからなかった。白井には離婚以前から陰で交際している女がいる。時々帰宅時間が遅くなるし、それらしい女から電話がかかってきたこともある。シャツの口紅の跡というのはその女のものだろう。同じことを教師に勧める子供の心理はわからなかったが、しかしわからないまま、その口紅の色を父親のいない所でじっと見つめている千鶴の目に、普通の子供ではない成熟した女の目のようなものを感じて背筋を寒くした覚えがある。昨日の事件で、意識せぬままその口紅のことが気持のどこかで引っ掛っていたのだろう。それで夢を見たのである。

千鶴は、蝶の化石を静かに見守っている。その首筋に昨夜のネクタイの跡がまだ青紫色になって残っている。昨夜の衝撃が生々しくサワに蘇《よみがえ》った。この部屋で昨日の晩、たしかに何かが——誰にも口にはできないような何かが起こった……。

「あたしの化石もう一つふえるのよ」

少女の声に、サワは慌てて笑顔をつくった。

「今朝パパの服のポケットこっそり調べて見つけたの。あとで帰ってきたらもらうの」

「そういいわね。なんの化石？」

「化石の鍵……」

鍵？――たしかにそう聞こえた。問い返そうとしたとき、ドアが開いた。

「母さん、夕御飯どうするの？」

学校から戻った昌也である。

「台所の鍋《なべ》に鱈《たら》が煮てあるから……」

「また魚？　弁当も鮭《さけ》だったろ」

「あんた魚、好物じゃないの」

「好きでもそう続けて食べたくないよ。少しは息子の軀心配しろよ」

「そんな栄養のゆき届いた軀で心配することないでしょ」

怒鳴ってから、サワは、ハッとした。しばらくテーブルの上に置いてあったチョコレートを睨みつけていたが、それをひったくるように摑《つか》んで、

「ちょっと昌也、千鶴ちゃん見てて」

そう声をかけると、昌也の返事も待たず部屋をとび出した。駅前まで走り通し、石川金物店に駆けこむと、恰度《ちょうど》店の掃除をしていた宮田の腕をつかみ、引きずるようにして路地裏へ連れ出した。わけがわからず、もさっとしている若者の、自分より首二つ高い顔に、

サワは荒い息を吐きあげながら、チョコレートをつきつけた。

「千鶴ちゃんが、あの子がチョコレート欲しがったなんて嘘でしょ。あんた嘘言ったんでしょ。あの子、昨日誕生日だったのよ。パパがケーキ買ってくるってすごく楽しみにしてたのよ。そんな子が、あと一、二時間もすればケーキをお腹《なか》一杯食べられるというのにチョコレートなんか欲しがるわけないじゃないの」

「ほ、本当です。あの子本当に欲しがったんです。仕事終るまで待ってくれと言ったけど、今すぐ欲しいって聞かなかったんです。だから俺……」

「——本当なの？」

小さな臆病そうな鈍感《どんかん》そうな目である。嘘を言っているとは思えなかった。

「でもそれなら、なぜ千鶴ちゃん、チョコレートなんか欲しがったのかしら」

「わからんです。俺が恰度古いノブはずし終えて新しいノブを、こう、ドアの内側と外側からつっこんで嚙《か》み合せたとき、急に、『このままもっててあげるから、お菓子屋さん行ってきて』と言い出して……言い出したら今すぐじゃなくちゃ嫌《いや》だと言って聞かないから……俺」

サワの顔が変った。

「ちょっと待って。それであんたが戻ってきたとき千鶴ちゃん、やっぱりそのままノブをもってたの」

宮田は大きく肯いた。

「それでその時古いノブの方は?」

「あの子の足許《あしもと》の工具箱の中に……」

サワはその言葉につられて、宮田の足許を見た。すり切れたジーパンは膝《ひざ》のところに穴があいている。

サワは顔をあげると、

「それ五時半ごろのことでしょ。だったらもう薄暗かったわね、今ぐらいに?……それから確かあんた、昨日は時間があまりなくて急いでたようなこと言ってたわね、さっき」

一言一言《ひとことひとこと》嚙《か》みしめるようにゆっくりと言った。

5

ラヴホテルの窓には、冬の早い暮色が降り、街並のあちこちにさまざまな色でネオンが点滅して見えた。喫茶店では話せない話題だからと思って、仕方なくこのホテルに入ったのだが、三カ月前別れた夫婦には最も不釣合な場所だったのかもしれない。

白井は窓辺に立ってぎごちなく煙草《タバコ》を吸い、次子は下卑《げび》た色のベッドの端の方を選んで座っていた。暖房が入っているが、次子は少し寒そうに両腕で軀をかばっていた。次子は化粧のない素顔だった。別れた夫には昔のままの顔で会いたかったのだろう。白井は別れてから一度だけ次子の店を覗《のぞ》いたことがある。次子は派手な化粧で客に笑いかけていたが、化粧にも笑顔にも無理があった。ああいう世界で生きていける女ではないのだ。そしてそれを一番よく知っているのは十年間、この女の夫だった自分なのだ、と白井は思った。

「千鶴から聞いたのね、全部――」

次子がため息のような声で呟いた。

「いや千鶴は何も言わない。利口な子だから、それを言えば俺と君が完全に終ってしまうことに気づいているんだ――だが俺にはすぐわかった」

白井は、ゆっくりと次子をふり返った。

「君だろ。千鶴を殺そうとしたのは……」

6

サワは一号室のドアを開くと、千鶴と並んでテレビを見ている昌也を手招きし、

「千鶴ちゃん、待っててね、すぐ来るから」

と声をかけ、管理人室に戻った。管理人室のドアのノブをじっと見つめ、

「今日また昨日の錠前屋が来たから、ついでにうちのノブも新しいのにとり替えてもらったんだけど、あんた気づかなかった?」

「ふーん、どうしてとり替えたの。別に壊れてなかったろう?」

ノブを見守っている昌也の目に、サワは小さな笑い声をぶつけた。

「嘘よ。騙《だま》されたでしょ？　でも無理ないわ。ステンレスだもの。毎日丁寧《ていねい》に磨《みが》いてるから、まだ新品同然に見えるわ」

「どうしたんだよ。突然人を担《かつ》いだりして、四月一日はまだ大分先だぜ」

「担いだのは私じゃなく、千鶴ちゃんよ」

台所の椅子《いす》に座り、サワは真顔になった。

「あんたの疑い、やっと晴れたわ」

「なんだ、まだ疑ってたのか？」

昌也は呆《あき》れた顔で、

「けど、なぜ？」

「昨日このテーブルにあった新しい鍵。あれでは、隣の部屋のドアを開けることができなかったのよ」

「どういうことだよ」

「少しは頭を使いなさいよ。新しい鍵で隣のドアを開けなかったと言ったのよ。つまり昨日の晩、いいえ今もだけど、隣のドアのノブは古いままだってことだわ」

サワはため息をついた。

「千鶴ちゃん、みなを騙すつもりだったのよ。まず最初に、錠をとり替えに来たあの宮田という若者を——次に私を、それからお父さんを……」

7

次子は慄《ふる》える指で煙草を口にくわえた。白井は隣に座ると、その煙草にライターの火を寄せた。

「ドアの錠が古いままだったから、君しかいないと思った。千鶴が何も答えなかったのは、君をかばっていたからだ。君は千鶴が本当に死んだかどうか確かめずに部屋を出てしまった――千鶴がどうなったか心配で、今朝早くに電話を寄越《よこ》したんだね」

次子は煙草を指にはさんだままの手で、顔を覆《おお》った。

「私は何も知らなかったのよ。あなたが昨日の朝、錠をとり替えることにしたのも錠前屋が夕方に来たのも何も……昨日の午後、千鶴が学校から電話を掛けてきたの。『今夜は六時から八時まで部屋に誰もいないの。誕生日だから会いに来て』って。だから七時にプレゼントのセーター持って出かけたのだけれど、いつも持ってる鍵でドアは開いたわ。千鶴はベッドの上に起きあがって嬉《うれ》しそうに――得意げに私に話してくれたわ。『ママがこっそりこの部屋に来てることパパにばれたの。パパはママをこの部屋に入れないようにドアの錠をとり替えることにしたのだけど、あたしが上手《うま》いことやって錠を直しに来た兄さんや管理人のおばさんだましたから錠はもとのままだ』って――『だからママはいつだってまた会いに来れる』って」

千鶴が、錠の替ることを知ったのは昨日の夕方、錠前屋が来る三十分ほど前だった。サワの口から、朝に父親がそう言いおいて出かけたことを聞かされたのだった。敏感な千鶴は、即座に父親が、もうこれ以上母親を自分に近づけさせたくないのだと覚《さと》った。しかし千鶴はどうしても母親と会う機会を失いたくなかった。

千鶴は最初新しい鍵を母親に手に入れさせる方法を考えた。そのためには母親と一度接触をもたねばならなかった。だが、その方法はなかった。今夜母親が来るはずになっているが、新しい錠に替ってしまえば、母親が部屋の中に入っては来れない。唯一の接触の機会は失われ、母親とは永久に会えなくなってしまう。千鶴はまず今夜七時にやって来る母親を何とか部屋の中に入れなければならなかった。宮田が錠をとり替えている最中に、千鶴は、綺麗《きれい》好きなサワの手で毎日磨かれているので古いノブが新しいノブと外観はほとんど区別がつかないことに気づくと、チョコレートが欲しいという口実で宮田を追っ払い、その間に古いノブと新しいノブをすり替えたのだった。宮田は何も気づかぬまま、ドアに古いノブをつけ直した。千鶴はまた、宮田のいない間に工具箱の新しい鍵の二つのうち、一つだけを自分のもっていた古い鍵とすり替えておいた。そして、上手くついたか試してあげると言って古い鍵を錠にさしこみ、宮田の目を完全にあざむいたのである。単なる子供のいたずらではなかった。動くことも自由にならない少女が母親に会うために必死になってすがった唯一の手段だった。

ただ一つ問題はもう一つの新しい鍵をどうやって古い鍵とすり替えるかだった。その新しい鍵は、サワが父親に渡すために管理人室へもっていってしまったのである。千鶴は母親に、何とか管理人のおばさんをごまかして、父親が戻るまでにその鍵をすり替えてほしいと頼んだ。

「あの子、『これで、これからもこっそりママに会える。一生ずっとママと一緒よ』と言ったわ。本当に嬉しそうな顔で……でも私は昨日の晩を最後にするつもりだったのよ。お客さんと結婚する話があって……私、自分のことしか考えてなかった。機会をあの子の方で与えてくれたようなものだったわ。今、この子が死んでも、私が部屋に入れないことになっている以上、誰も私を疑わないって……気がついたら箪笥《たんす》をあけ、あなたのネクタイを握ってたわ……自分でもよくわからなかった。いい機会だ、そんなことばかり考えてて……私はあの子を可愛いと思っていたし、責任も感じてたわ。でもあの子を見てるのがいつも辛《つら》かった。私の一生の負い目だったから……だから最後のつもりで行ったのよ。それなのにあの子、一生ずっとママと一緒よって、本当に嬉しそうな顔をして……」

次子は、千鶴が死んだと思いこんで部屋をとびだすと、しばらくアパートの周囲をうろついて、もう一度アパートに戻り、管理人から何とか新しい鍵をもらい、自分の手の中で古い鍵とすり替えて返した。本当は自分が死体発見者になるつもりだったが、ドアを開くと同時に、不意にこわくなった。千鶴はまだ死んでいなかったかもしれない――そう思えてきたのである。

「一睡もできなかったわ……本当に殺してしまったのか、まだ生きてるかもしれない、その希望にすがって……」

次子は泣き崩れた。そんな次子を白井はただ静かに見守っていた。


「これで私たち、もう本当に終りね」

やがて次子はそう呟いた。

「いや、まだ終りじゃない。千鶴が何も俺に言わなかったのは君をまだ庇《かば》っているからだ。

──千鶴は君のことを許していると思う」

「でも、たとえ千鶴が許してくれたとしても、あなたが許してくれないわ。今度のことは事故じゃないもの。私が自分の手で……」

「俺は君を許さなければならない立場だ」

その言葉の意味がわからなかったのか、顔をあげた次子に、白井はポケットからそれをとり出して見せた。一見それは石のように見えた。だが石よりは少し柔らかい。

「特殊な粘土《ねんど》だ……」

よく見るとその石のような表面に、鍵の跡が残っている。それは鍵の影が染みついたようにも見えた。

「昨日の朝、急に錠をとり替えると言いだしたのは、君を部屋に入れないようにするためなんかではなかった」

白井は窓辺にいくと、次子に背をむけ、静かに、呟くように言った。

「俺は、アリバイ工作をしたかっただけだ。俺は――俺も、千鶴を殺そうと思っていた」

8

「一つだけわからないことがあるよ」

昌也が言った。

「千鶴ちゃん、なにも錠をすり替えなくても、母親がくる時に、起きていて車椅子に乗っていればよかったじゃないか。車椅子だったら自由に動けるもの。母親が来たら新しい錠を内側から開けてやれただろう？」

「あの子、私が傍《そば》にいたら困ると思ったのよ。車椅子のままだったら、私もあんたに千鶴ちゃん見ててよと頼んで出かけただろうし……それにお父さんと六時になったらしばらく眠るという約束だったというから」

9

「俺は昨日の朝、駅前の金物店に夕方に錠をとり替えに来てくれと電話を入れると、千鶴に六時になったら必ずベッドに一度入るように言いおいて部屋を出た。前の晩管理人のおばさんが、明日は六時半から八時まで町内会があるので千鶴の面倒をみられない、と言ったときから俺には一つの計画があったのだ」

　白井はその六時半少しすぎに帰宅すると、管理人の息子の昌也に錠をまちがいなくとり替えにきたか確かめ、新しい鍵を一瞬だけ受けとり、すぐにそれを預けなおして再びアパートを出た。その一瞬のうちに手に隠しもっていた粘土に鍵の型を残した。タクシーに乗って、アパートからできるだけ離れた店で顔を隠して、その型通りの鍵をつくってもらい、七時半にまたこっそりアパートに戻り、一号室の錠に鍵をさしこんだ。――だが、その鍵では錠は開かなかった。そしてその時部屋の中から叫び声のようなものがかすかに聞こえてきた。あわてて物陰に身を寄せると、次子がとびだしてきた。

「君はとり乱していた。俺は何が起こったかわけがわからぬまま君の後を尾《つ》けた。君は夜の街をうろついた後、アパートに戻り管理人室のドアをノックした。後は君の知っている通りだ」

　白井は、深いため息をついた。

「君の後を尾けながら、俺にはもう千鶴を殺すつもりなどなくなっていた。――今から思うとなぜあんな気持になったのか俺にもわからない。俺は君と別れた後で、君も知っているあの女と結婚するつもりだった。だがあの女は千鶴のような子供がいるのを嫌がっていて……俺にもあの子は一生の負い目のような気があって、どこかで邪魔に思う気持があって……しかし、あの子が俺の胸に涙をぶつけてきた時、俺にはやっとわかったよ。俺たちはどんなことがあってもこの子を立派に大きくしなくてはいけないと――君の罪ではないと思った。俺の罪だと……ネクタイを握っていたのは君の手ではなく俺の手だったと……」

白井は言葉を閉じると、闇《やみ》に浮んだネオンのさまざまな色を見守った。その美しい色が、昨夜までの悪夢をすべて洗い流してくれるようだった。

「やり直せるかどうかわからない。今度のことであの子の気持を大きく歪《ゆが》めてしまったのかもしれない――しかしやれるだけはやってみたいと思う。千鶴は自分の軀を化石だと言った。あの子の軀には、本当に、俺たちの昔の愛情や俺たちの十年間が化石となって残っていると思う」

次子は答えるかわりに、白井に寄りそうように立ち、窓から外を眺めた。

「蝶々が飛んでいる――」

そう呟いた。

街のネオンは小さく点滅しながら、実際さまざまな色の蝶のように、冬の闇に舞い続けていた。

奇妙な依頼

1

電話が鳴った。喉《のど》が、細い紐《ひも》で巻きつけられたようにちょっとだけ苦しくなる。イヤな予感がする時のオレの癖《くせ》だ。稲葉《いなば》のヤツかもしれない。昨日までの依頼者で、製薬会社の重役だ。オレの調査にいちいち文句をつけた。「奥さんに浮気の形跡はないから」いくらオレが言っても疑惑の目で報告書を睨《にら》みつけていた。まるで女房が浮気しているのを望んでいるみたいだった。そういう客が時々いるものだ。オレはいい加減この仕事が厭《いや》になってきている。稲葉は所長にオレが手抜きをしているように話した。オレがサボったのは、一昨日《おととい》の夕方、稲葉の妻が文化センターを出たところで尾行をうちきったことだけだった。昨日見せた最終的な調査書には五時半帰宅と書いた。十分ぐらい狂っていたかもしれない。その点を突っついてきたんじゃないか。受話器をとる。

「もしもし、スミマセン。畑野《はたの》さんいません？」

「畑野なら三時に出かけて、今日はもう帰ってきません」

畑野はオレの仲間だ。この、古ぼけたビルの一室には、所長も含めて六人が働いている。ガラス窓には赤いペンキでKK興信所と書かれている。Kの一つが剝《は》げかけて、仮名《かな》のくに見える。入って三年になるがオレはまだ二つのKが何の略字か知らなかった。

ホッとして受話器をおろす。そしてオレはひと安心した時がいちばん危険なんだ。去年オートバイをギリギリで避《よ》けてホッとしたところへ乗用車に突っこまれた。目尻の二センチほどの傷跡はその時のものだ。レイ子とのこともそうだ。オレが結婚してもいいなと思ったとき、突然レイ子が別れ話を切り出した。オレは男も女も人間は皆嫌いだ。尤《もっと》もレイ子とのことはもう何年も前の過去だ。今はレイがどんな字だったかも忘れた。

ドアから、用事に出ていた女子所員がとびこむように入ってきた。

「品田《しなだ》さん。廊下にお客さんが来てる」

「誰？」

「さあ——依頼人じゃないの」

受話器にまだ手を残していた。もし依頼人ならきっと厄介《やっかい》な仕事をもちこんできたに違いない。廊下に出た。階段を上りきった所に三十五、六の男が立っていた。天井《てんじょう》の電気が、男の影を段に切って踊り場の方へ落としていた。オレを見るとちょっとだけ頭を下げ、髪をかきあげた。オレは髪をかきあげる男がいちばん嫌いだ。

「稲葉さんの紹介で……ちょっと調べて欲しいことがあるから」

オレは男をビルの隣の喫茶店へ連れていった。男は土屋《つちや》正治《まさはる》と名乗った。稲葉とはちょっとした知り合いで、昨夜一緒に酒を飲んだ際、それならいい興信所を紹介してやると言われたそうだ。稲葉は、オレを絶対に信用できると言ったという。オレの目の前でオレなどちっとも信用していない目つきをしながら、陰では信用という言葉をさも得意げに吐くのだ。そういう嫌《いや》らしい奴だった。

新しい依頼人は、少し悲しげな目でオレを見ていた。痩《や》せて飢えた犬の目に似ていた。こういう目つきをする中年男が何の依頼にくるか、オレは知っている。

「……実は妻の行動を調べて欲しいのだが」

店内のジャズが喧騒《うるさ》すぎて、妻の行動といったのか浮気といったのかよく聞きとれなかった。今夜由梨《ユリ》に電話しよう。そして十日ぶりにあの女の体に溺《おぼ》れよう。オレはもうこの商売がつくづく厭になってきている。土屋は胸ポケットから一枚の写真をとりだした。

「これが妻です——実はこの一カ月ほど日曜以外毎日のように昼の一時から四時まで外出しているらしい。同居している妹が、ピアノを教えて一日中家にいるから、自然サヤ子を見張る形になってね。どうも義姉《ねえ》さんの様子がおかしいと言いだした。サヤ子というのが妻の名ですよ。サヤ子は退屈だから買物や映画に行くと言ってるらしいが、帰宅したとき化粧が変わっていたり、香水の匂いが濃くなっていたりするらしくて、どうもただ出歩いているだけとは思えないと——」

説明を聞きながら、オレは女の写真を見ていた。目の前の、顔だちは整っているがどこか貧相《ひんそう》な中年男とは不釣合な美人だった。肌が白く、脣《くちびる》が厚く、大きな黒い目は、カメラにむけて媚《こ》びるような微笑を浮べている。三十二歳で、サヤ子は沙矢子と書くのだと土屋は説明した。

「奥さんと妹さんは上手《うま》くいってるのですか」

「いや、余り上手くは……二人とも気の強い所があるので……しかし妹は沙矢子のことが嫌いだからと言って嘘《うそ》の告げ口をするような性格ではないが」

「そうではなく、いつも妹さんと同じ家の中にいるのが苦痛で、出歩きたいだけのことかもしれないと」

土屋は首をふった。曇《くも》った目が絶対にそうじゃないと告げている。間違いないな、とオレは思う。妻の浮気は、妻自身の目を見るより、依頼してくる夫の目を見ればわかる。夫の浮気は、妻の目にはっきりと出る。結局、明日の一時少し前から土屋の家を見張り、外出する妻を尾行することになった。そして、それだけなら他《ほか》の依頼と別に変ってはいなかった。吐き気がするほど、馬鹿馬鹿しい依頼だった。

「沙矢子は必ず四時には帰宅する。家の中には妹がいるので、四時以後は家を見張らずとも構わない。ただ――」

最後に土屋は一つ条件を出した。

「一時から四時までの短時間の仕事だけれど、他の仕事は断ってこれだけに専念してほしいんだが。もちろん一日分の料金を払わせてもらう。それからこれは」

規定料金以外の謝礼だといって十万をさしだした。オレは一度形だけ断り、結局受け取る。金銭は、オレがこの仕事を辞《や》めずにいるたった一つの理由だった。最後に出された条件をオレはさほど重要に考えず、ほとんど聞き流した。土屋は悲しすぎる目をしていた。自分の必死さを、調べるオレにも持って欲しいと言っているようだった。それにオレはこの二カ月近く徹夜続きともいえる多忙な仕事ばかりが続いていた。所長も今度は楽な仕事をさせるから、と機嫌《きげん》をとっていた。ちょうど手頃な仕事だろう。明日は日曜だから月曜から調査を始めること、報告はその日の四時半に勤め先へ電話ですること、費用の請求書は三日ごとに郵送することをとり決め、詳《くわ》しい家の地図を書いてもらい、オレは土屋と別れた。

喫茶店を出たところで、オレは興信所に電話をかけ、今日はもう戻らないと言った。それから由梨に電話を入れた。由梨は、今夜は八時までに店に行かなくちゃいけないから、今すぐか午前零時を回ってからかどちらかにしてほしいと言った。オレはすぐに車を拾った。オレは何時間も何もせずにぼんやりと時間を過すのが好きだが、約束の時刻まで何かを待つのは嫌いだ。深夜の路地裏で二人連れがホテルから出てくるのを待つことはできても、女を抱くのに六時間も待つことはできない。待っているうちに飽き飽きして女の軀《からだ》などどうでもよくなってしまう。由梨は四ツ谷の高級マンションに住んでいる。マンションとしては一流だがすぐ近くに高層ホテルがあるので貧弱に見えた。もっとも高級かどうかなど関係なかった。その部屋では、ラヴホテルの一室と同じようにベッドしか意味がなかった。

三カ月前、オレは偶然、由梨の勤めている酒場へ飲みに行き、その晩のうちに関係ができた。ベッドの上で三時間を過すだけのことが関係と呼べるならだ。最初の一カ月は週二回は会っていたが、その後の二カ月は互いに忙しくなって十日に一度がやっとだった。由梨は、腿《もも》まで隠れる男物のような青いセーターを着てオレを待っていた。その下は素肌だった。十日ぶりだったので、オレは由梨の軀に飢えている振りをした。

「ちょっと待って」

由梨は浴室へ行き、タブに湯を入れはじめて戻ってきた。

「余り時間がないのよ。湯がいっぱいになるまでに……」

オレは、だったら浴室で済ませようと言い、由梨は、浴室の音は隣に聞こえるからだめだと答え、声をたてて笑った。

「今夜、泊っていってもいいか」

由梨はちょっと考えてから「いいわ」と答えた。

「明日も来ていいか」

「——いいわ。なんだったらしばらく、毎晩来てくれない。私もしばらく店を休むし、このマンション、一昨日強盗が入ったのよ。夜半《よなか》なんか心細いわ」

「他の男が、困るんじゃないのか」

オレは、どうでもいいことを尋ねた。

「他にはいやしないわよ。みんな終っちゃった」

オレは由梨については何も知らない。由梨というのが本名かどうかも知らない。ドアの横の表札も一度も見たことがない。二十五、六だと思うが正確な年齢も知らない。知っているのはただ青《ブルー》が好きな女だということと、由梨にとって男は、いつも終ってしまった過去にすぎないことだけだ。オレも由梨にとってはもう過去の男なのだ。三カ月前、少し陰気な酒場のテーブル越しに初めて視線を交えた瞬間、由梨はもうオレを遠い昔に忘れた男のように見たのだった。オレは由梨が好きなのか嫌いなのかもわからなかった。もしかしたらオレの最も嫌いなタイプの女かもしれなかった。

由梨をベッドに倒す前に、オレは目まで垂れている自分の長い髪をいつものように指でかきあげた。

オレは、誰よりもオレが嫌いだ。

2

午後一時三分前、家を出る。タクシーを拾い銀座へ。M宝石店に入り、三十分近く真珠を中心に見回る。何も買わず店を出ると、M通り、H通りをショウウィンドウを眺めながらゆっくり。中途の〝ピラト〟という高級ブティックに入るが六分で出てくる。目的もなくウィンドウショッピングで時間を潰《つぶ》しているという印象。二時半に日比谷公園へ。一時間十五分、ベンチに座りぼんやり過す。誰かを待っているといった気配は皆無。ベンチを二度変え、野外コンサートを二十分ほど聞く。三時四十分、公園を出る。数寄屋橋《すきやばし》まで歩き、Hデパート前よりタクシーを拾い、帰宅。四時十二分過ぎ——

最初の日、オレは指定された四時半に土屋の勤め先へ電話をいれ、そう報告した。受話器の声では土屋の反応はわからなかった。「ありがとう。明日もお願いする」とだけ言って電話を切った。

土屋は丸の内に本社のあるN銀行の重役をしている。年齢からみて地位が重すぎるが、頭取の縁者か何かなのだろう。

三田にある家も豪勢なものだった。レースのカーテンからピアノの音が芝生へと流れおちていた。丸の内の二十階建てのガラス張りのビルも、豪華な家も、ピアノの音色も、疲れ果てた万年平社員といった土屋には似合わなかった。何でも自分に似合わないものばかり持っている男がいる。

土屋の所有物のなかで、しかし最も似合わないのは、その妻だろう。

土屋沙矢子は、写真よりふくよかで色が白かった。長い髪と派手なプリントのワンピースの裾《すそ》を揺らしながら、銀座の裏街を、ニューヨークの五番街でも歩くような優美さで歩いた。ゆっくりと静かに——絨緞《じゅうたん》を踏むような金持ちだけの歩き方だった。

M通りの街角でショウウィンドウに映《うつ》った自分の姿に、一瞬足をとめて魅いったとき、オレはこの女には間違いなく夫以外の男がいると直感した。毎日は会っていないかもしれない。しかし必ず誰か夫以外の男に抱かれている——

二日目、彼女は誰かと電話で連絡をとった。前日と同じように一時少し前に家を出て、駅前通りまで歩き、そこでタクシーを拾ったが、オレの方はすぐに車が拾えなかった。最初から尾行に失敗しそうだったが、運のいいことに二百メートルも走ったところで車は突如停《と》まり、彼女が舗道《ほどう》の電話ボックスへとびこんだ。二分ほど誰かと電話で話し、待たせておいた車に乗った。その時にはオレはもうタクシーを拾って乗りこんでいた。彼女の乗った車は高速一号線に入り、羽田空港で停まった。彼女が旅行に出るわけはないから、誰かを迎えに来たのである。そう思ったが、この予想は裏切られた。

彼女はただ、滑走路の見おろせるレストランで、たった一人ぼんやり一時間を過しただけだった。高価なフランス料理を注文しながら、テーブルに蠟《ろう》細工のように並べただけで一皿にも手をつけなかった。それどころか灰皿がわりに煙草《タバコ》の灰を落としたりもした。窓いっぱいに溢《あふ》れた光を避けるように少し横顔になって、滑走路のジェット機をぼんやりと見守っていた。それからロビーに降り、売店や旅行社をまたぼんやりと三十分ほど見回って、まっすぐに家へ帰った。

「電話をかけたんですね」

四時半に入れた電話に、土屋は意味ありげにそう聞き返した。オレは仕事を怠《なま》けているように思われたくなかったので、旅行社で奥さんは海外旅行のパンフレットを熱心に見ていた、どこかへ旅行する気があるようだ、と少しオーバーに言っておいた。土屋はそれには何も答えなかった。

次の日、土屋沙矢子は六本木に出て、またいろいろの店を回り歩いた。

別に目的もなくただぼんやりと歩き回るだけの足取りは銀座の時と変りない。何軒目かに入った小さな宝石店で彼女は耳飾りを買った。ウィンドウ越しに、彼女が十万近い金を支払うのが見えた。彼女は古い方の耳飾りをバッグにしまい、新しい耳飾りをつけて店から出てきた。葡萄酒《ぶどうしゅ》色の大粒な石が、彼女の華やいだ顔によく似合っていた。

だが土屋沙矢子は店を出て一分も歩くと、街角のショウウィンドウを鏡がわりにして、新しい耳飾りをとり、古い方とつけ直した。そして新しい耳飾りは歩道に捨て、ハイヒールの踵《かかと》で二、三度ねじるように踏みつけて、何事もなげに歩きだした。

その日の報告で、オレはこの事だけは土屋に話さなかった。その耳飾りはオレが拾って、由梨にプレゼントだと言って渡した。

「どういう気まぐれ、こんな高い耳飾り」

由梨は喜ぶより詰《なじ》るように言った。怒った目が「軀以外の関係はもちたくないわ」と語っているようだった。そういう瞬間だけ、オレは由梨をちょっといい女だと思う。オレは「客の有閑《ゆうかん》マダムがリベートとしてくれたものだ」と言った。

土屋沙矢子はもしかしたら娼婦《しょうふ》と同じことをやっているのかもしれない、とオレは思い直した。街を彷徨《ほうこう》しながら誰か男が声をかけてくるのを待っているのかもしれない──自分の方から物色したりはしないが、妙に髪や服の裾を揺らして歩く背に娼婦と似た媚態《びたい》があった。

しかし、この予想は翌日の尾行で、また裏切られた。

木曜日、彼女はタクシーを拾うと二時間以上も、その車で首都高速道路を何度もぐるぐる回っただけで、結局一度も車から降りることなく帰宅した。「どういうつもりでしょうね」オレの乗ったタクシーの運転手が飽き飽きした声で聞いた。オレは彼女がどんな顔をして車のシートに座っているかわかる気がした。ただぼんやり車窓を眺めているのだ。日比谷公園で噴水に砕け散る陽の光を見ていたのと同じ目で――羽田で長い滑走路をどこまでも追っていたのと同じ遠い眼差《まなざし》で。

彼女がやっていることはたった一つだけ、時間と金を使うことだけなのだ。耳飾りも豪華な料理もただ棄《す》てるために金を払うのだった。そして、それだけがこの女の唯一の享楽なのだ。まるで、人生の最後に死ぬまでの時間と使い用のない金だけが残った老婦人のようだった。

オレは土屋沙矢子に興味を感じた。そして同時にこの仕事から手をひきたいと思った。

「これ以上尾行しても何も出てこないでしょう」

とオレは土屋に言った。

「いやもうしばらく続けてくれ。必ず何か出てくる」

土屋は、受話器のむこうで、少し悲痛な声で喰い下がった。

金曜日。彼女はいつもと違い、家を出ると地下鉄に向かった。そして品川の駅から京浜東北線に乗った。

その品川駅の改札口でオレはヤクザのような男に肩をぶつけ、因縁《いんねん》をつけられた。改札係が取りなしてくれてすぐにケリがついたが、そのために、ホームへの階段をおりようとした時、既に彼女の乗った電車の発車のベルが鳴った。駆けおりたが間に合いそうもなかった。

だめだ——そう思ったとき、閉《しま》りかけた青いドアから彼女の赤いワンピースが、鳥が舞いおりるようにすっとホームへ降りたった。駅員が何か注意の言葉を吐いたが、彼女は気にもとめず、売店へ行き、煙草を買った。だがその煙草を吸うでもなく、ホームの柱にぼんやり寄りかかってさらに電車を二台見送り、三台目の電車に乗った。

横浜の石川町で降りると、元町を散策するように歩きぬけ、フランス山の坂をのぼり始めた。港を一望できる公園へとつながる長い坂は、人影が絶えていた。オレは、沙矢子の十メートルほど背後について、坂をのぼった。

のぼるにつれ、港の音が下方へ沈んでいくのがよくわかった。陽《ひ》はわずかに西に傾き、石畳が気《け》だるい午後に白く光っていた。静寂《せいじゃく》の中に、二人の足音だけが響いた。

ふと女の背がとまった。ふり返るのではないかと心配したが、ただ背を向けてじっとしている。

足音をとめると怪《あや》しまれるので、オレはそのまま歩き続けた。女はオレが数歩背後に迫ったところで再び坂をのぼり始めた。しばらくのぼって、今度はオレが距離を置くために足をとめた。すると女もまた立ちどまった。オレが慌《あわ》てて歩き出すと、女も歩きだした。まるでオレの足音に合わせるように——

次の瞬間、オレの足は凍りつくように静止した。そして女もやはり足音をとめた。

この女は、オレの尾行を感づいている。

いや、気づいているだけではない。オレにわざと尾行させている。オレの尾行を助けようとさえした。品川駅で発車間際に電車を降りたのは、オレが間に合わないとわかって、自らオレが尾行を続ける機会をつくってくれたのではないか。品川駅だけではない。二日目にオレがタクシーを拾い損ねて弱《そこ》っていたとき、彼女はすぐにタクシーをとめて電話ボックスに駆けこんだ。あの時も電話をかけることなど目的ではなく、オレにタクシーをつかまえる時間をかせがせたかったのではないか――オレが尾行しやすいように力を貸しているのではないか。

オレは、彼女の気持を試すために、坂の中途で彼女を追いぬいた。先にのぼりつめて公園の角で通りすぎた。オレは故意に女の足下に煙草を投げ棄てた。彼女はオレの鼻先を何気ない顔で通りすぎた。オレは故意に女の足下に煙草を投げ棄てた。火のついたままだった。女の足は驚いてちょっと乱れたが、オレをふり返ることなく、横顔を保ったまま、公園に入っていった。――まちがいなかった。

女は石の手摺《てすり》に頰《ほお》づえをついて港の全景を見おろしていた。港は空の玄関のように見えた。海は、鉛板のように灰色に鈍《にぶ》く光っていた。十五分ほどで女は公園を出ると、外人墓地へとむかった。そして墓地の裏手の坂を街中にむけてゆっくりと下《くだ》り始めた。

細い道は昼中なのに暗く、オレはわざと足音を高く響かせた。オレの足音に粘《ねば》るように、女も踵の音を強めた。女の足音は、確かに、オレの足音を――オレの尾行を望んでいた。

土曜日、彼女は新宿のデパートへ行った。

一階ずつ充分時間をかけて見回り、最後に最上階から下りのエレベーターに乗った。オレも他の客に混って乗りこんだ。彼女は一階についてもエレベーターから降りなかった。また上昇し、最上階につくと、また下降を始めた。結局、四往復した。その間客の乗降はあるが、密室の中で係員以外、完全に二人きりになる瞬間があった。だが彼女は完璧《かんぺき》にオレを無視していた。彼女の演技に合わせオレもわざと知らんふりをした。

日曜をまたいで次の週の月曜日。彼女はまた同じデパートに行き、前々日と同じようにエレベーターに乗った。

そして六往復目に最上階で降りると、オレをふり返り、

「——この間の耳飾り、どうしたの？」

と聞いた。

3

彼女はオレのくわえた煙草にライターの火を寄せた。

屋上の遊園地の片隅のベンチだった。客がほとんどいないのに、馬鹿げた陽気な曲が喧騒《うるさ》く流れていた。

彼女はオレの名も興信所の名も知っていた。尾行を開始した最初の日の晩、寝室で夫の上衣《うわぎ》からこぼれ落ちている興信所の名刺と、メモを見つけたのだと言った。メモにはオレがその日の夕方電話で報告した内容が、夫自身の手で細かく書きとめられていた。

「どうして、オレの尾行を助けようとしたんですか」

「あなた、誰を探していたの？　私の浮気の相手？　私が気持を奪われている男？」

すでに共犯者めいた微笑で、土屋沙矢子は言った。風が流れ、女の長い髪がオレの頬をなでた。オレは肯《うなず》いた。

「品田さんだったかしら。馬鹿ねえ、あなた。だったらあなた、自分を探してたのよ」

「自分を？」

オレは意味がわからなかった。陽の光が眩《まぶ》しかった。屋上からは空しか見えない。

「私、男に特別な興味なんかないわ。男になんてあんまり関心ないの。男に特別な関心があるなら、あんな人と結婚しなかったわ。時間と金があれば男と寝ることしか考えないなんて──少なくとも私はそんな女じゃないわよ。浮気なんてしてないし、男に特別魅《ひ》かれたことも一度もないわ。夫なんて一番興味のない男だったし……」

「────」

「でも、あなたにはちょっと魅かれたわよ」

土屋沙矢子はオレを見た。目の奥の方で笑っていた。最初の晩、夫が自分を尾行させていることに気づいた彼女は、次の日、外出する前に、自分の部屋の窓から、門前の陰に潜んでいたオレを見ていたと言った。

「横浜の坂道では、あなたの足音を聞きながら気持が高ぶってたわ──でも誤解しないでね。私、あなたと浮気する気ないから。興味のない男となら寝てもいいけど」

オレは、彼女がヒールで耳飾りを踏みつけた理由がわかる気がした。オレとこの女は少し似ている。グルグル回転するティーカップの中で立ち上がった子供に、係員が悲鳴のような大声で注意を与えた。オレはこの女に唾《つば》をひっかけ、あんたはオレの一番嫌いなタイプだと言おうとした。

彼女は立ち上がり、売店から紙コップに入ったコーヒーを二人分買ってきた。オレは要《い》らないと言った。

「それより、私の方で頼みがあるの。夫がいいと言うまで、私を尾行しているふりで報告は続けて。でももう尾行する必要はないわよ。私が何をしているかはわかったでしょう。適当に創作して報告してくれればいいの——そのかわり、夫の行動を調べて」

土屋の妻は少し真顔になった。真面目な顔は彼女に似合わなかった。美しさも魅力もなくなった女の顔をオレはただ見ていた。

「浮気しているのは夫の方よ。私、もう大分前から感づいてたの。証拠握ったわけじゃないけどまちがいないわ。それもただの浮気じゃなくかなり真剣なの。女に新しいマンションを買うつもりでいるらしいのよ。半月ほど前、夫の留守中に不動産屋から電話があったの。手頃なマンションが見つかりましたって。夫は適当な言葉で言い逃れたけれど、私が疑ってると気づいてあの人こんな芝居うったのよ。わざと私の目に触れるようにメモと名刺を寝室へ落として——自分の方が疑ってるふりをすれば、私の疑いが消えると思ったのね。馬鹿な人だわ。他人は騙《だま》せても、自分の妻までそれで騙せると考えるなんて。でもあなたは騙されたでしょう？　まさかあの人の方が浮気してるなんて考えなかったでしょう？」

オレは肯いた。

「会社を出てから帰宅するまでの行動を調べて。帰宅時間は毎晩零時をまわるけど」

空に赤いアドバルンが浮んでいる。飛行機雲がまっすぐに空を切っていた。機体は見えなかった。オレは今が五月だということを思いだした。あんたへの報告はどうすればいいとオレは聞いた。

「そうね、毎日二時にどこかの喫茶店で待ってて。電話を入れるから。その電話で報告してくれればいいわ」

オレは、銀座四丁目交差点近くの『ロア』という店がいいと言い、電話番号を教えた。別に土屋を裏切ったという気持はなかった。どのみちオレはもう土屋を裏切っていたのだ。横浜に行った日からの土屋への報告には一番重要な点、つまり彼女が尾行に気づいていることが隠してあった。彼女はバッグから十万をとりだしてオレにくれた。

「調査費は夫が払ってるのだからいいでしょう？　面白いわね。あの人に自分のお金で自分の調査をさせるのだもの――今夜からお願い。明日の二時にロアって店へ電話入れるわ。それからあの耳飾りもあなたにあげる。どのみち棄てたものだけれど――」

由梨に偶然弁解した「有閑夫人にリベートとして貰った」という言葉は真実になったわけだ。オレは金を受けとり、彼女は立ち去った。

コーヒーが共に口をつけないままベンチに残っていた。オレはそれを騒々《そうぞう》しく回っているティーカップに叩きつけた。由梨に今夜は行けないと電話を入れようと思ったが、受話器を外したところで思い直した。別に断る必要はないだろう。由梨がオレを待っているというわけではないのだ。オレたちはそんな関係だった。

二階に降りて貰った十万で新しい背広を買い、二時間後土屋に電話を入れ、デタラメを言った。

4

六時二十分、銀行を出る。秘書らしい二十五歳ぐらいの男と共にタクシーで芝の松山礼《まつやまれい》次郎《じろう》邸へ。松山礼次郎は保守派の名高い国会議員。一時間で辞去。八時より十時まで赤坂のマンモスキャバレー『サニー』で取り引き先の客らしき五十二、三の男を接待。『サニー』には月二、三度は現われる。いつも客の接待。馴染《なじ》みのホステスは、ユキ、ミドリ、ハナエの三名。他のホステスの言葉では特別な関係にはない模様。十一時少し前に銀座へ出る。行きつけらしい『ラグ』というバーが休業なので、周囲を歩き回って、『窓』という小さな店へ。三十分ほどで出てくると、秘書に送られタクシーで帰宅。ほぼ午前零時――

翌日午後二時、約束どおり『ロア』へかかってきた土屋沙矢子の電話にオレはそう報告した。沙矢子は、大して関心もないようだった。「そう」とだけ素っ気《けし》なく答えて電話を切ろうとした。

「奥さん、誰か他の人にもご主人の尾行を頼んでいませんか」

「いいえ——どうして」

「いや、それらしい男が一度うろうろしていたから」

銀座の裏通りで、二十メートルほど先を歩いていた土屋と秘書が不意にふり返って道を戻り始めた時がある。オレは急いで小路《こうじ》の物陰に隠れたが、数秒してオレは、やはり土屋と同じ地点でUターンし道を引き返し始めた男に気づいた。男は土屋の背後十メートルほどにつき、土屋たちが立ちどまると、自分も立ちどまる。小路から出て、オレは土屋たちとその男とを同時に尾行する恰好《かっこう》になった。土屋が角を曲るごとに男も角を曲る。オレは自分が尾行者だから、直感でその男もまた土屋を尾行していると覚《さと》った。やがて土屋が『窓』に入ると、男は店の前で、自分も入ろうかどうか迷っている様子だったが、結局店へ入らず、夜の街角のどこへともなく消えていった。

「銀行関係の人じゃないかしら。それとも週刊誌の記者かもしれないわ。今話題になっているでしょう、S建設の収賄《しゅうわい》問題。あれにあの人の銀行の頭取も関連してるんじゃないかってこっそり探りがいれられてるらしいのよ。でもあの人は無関係のはずだけど——」

S建設の事件には確か、松山礼次郎の名が出ていた。その国会議員を土屋は昨日訪れている。何かの関係があるのかもしれない。しかし服装や印象からいって土屋を尾行していたもう一人の男は刑事とも週刊誌記者とも違うように思える。銀行関係の男のように思えた。紺の背広を着て、きっちり整髪した三十五、六の男だった。オレにはよくわからなかった。だからそれ以上考えないことにした。

「今、どこにいるんです？」

「どこでもいいでしょう。それに本当にどこでもいい所だから——」

四時半に土屋へ連絡をいれるまでに二時間あった。オレは銀座裏の小さな映画館に入った。面白い映画で、オレは声をたてて笑ったが、映画館を出るとストーリーを思い出せなかった。

もう一度『ロア』へ戻り、土屋に電話を入れ、土屋の妻が今日は銀座近辺を歩き回ったとデタラメを言った。しかしそれだけだと昨夜土屋の尾行にかかった費用の方がずっと多額なので、最後に奥さんはまた環状道路を二度も無意味にタクシーで回って帰宅したとつけ加えた。土屋はしばらく黙っていたが、

「用があるから六時に東京駅のホテルのロビーへ来てくれ」

と言った。オレを部下か何かのように見下した言い方だった。オレは大した考えもなく、六時に指定された場所へ行った。

土屋は十分遅れてやってきた。二階の、古くさい、異国風の喫茶室で、オレたちはむかいあって座った。土屋は注文を済ませると同時に、乾いた声で笑った。

「君から電話が掛ってくる三十分ほど前に、副頭取の奥さんがやってきた。九州旅行から帰ってきたそうだ。三時半に空港のホテルから沙矢子が出てくるのを見たそうだ。君の報

告では沙矢子は銀座を歩き回り、ハイウェイを二回まわって帰宅したそうだね」

オレはどうでもいい時の癖で髪をかきあげた。オレたちのテーブルの横に水槽が置かれていた。緑と灰色の縞《しま》になった魚が揺れるように泳いでいた。水が透明すぎて、空中を泳いでいるように見えた。窓の外はもう暮色だった。オレは今日の午後が晴れていたか曇っていたか思いだそうとした。オレはもう一度髪をかきあげ、横浜へ行ってからの全《すべ》てを話した。

隠したのはこの男の妻がオレの足音に興奮したことと、昨夜、オレ以外の誰かがこの男をやはり尾行していたらしいことだけだった。

「昨日の晩、やっぱり私は尾行されていたのか――どうもそんな気がした」

土屋は、まずそのことに驚いたようだった。土屋が感じた尾行が、オレともう一人の男のどちらだったかはわからなかった。

オレは黙って頭を垂《さ》げた。謝罪の言葉を述べ、奥さんには、耳飾りをオレが拾い友人にやってしまったことで脅迫めいた言葉を言われたのだと嘘《うそ》をいった。

意外にも土屋は大声で笑いだした。大声はこの痩《や》せた男には似合わなかったが、余裕たっぷりの顔に、オレは初めて、何十人もの部下をもち、豪華な家に住み、政界の要人とも渡りをつける一流の銀行員の顔を見た。

「君は、沙矢子に騙されたんだよ。私は寝室にメモや君の名刺を落としなどしなかった。たぶん私の上衣のポケットを調べたのだろう。君に潔白だと思いこませるために、男と逢《あ》うのを避けて幾日も意味のないことをしていたんだ。昨日、私の方の行動を調べろと言ったのは、なにより君を欺《あざむ》くためだったんだろう。今日の午後は、邪魔な君を追っ払って、羽田のホテルで久しぶりに男と逢っていたんだな。君は体《てい》よく利用されて、今日も誰とも会わなかったという報告を私にしたわけだ。まったく困った奴だ」

困った奴が妻のことか、オレのことなのか、わからなかった。男はスプーンでしばらくコーヒーをかきまわしていたが、ふっと片目をあげ、端に引っ掛けるようにオレを見た。

「君にできるのは、もう一度妻を裏切ることだけだよ」

昨日の午後、デパートの屋上でオレに夫を裏切れと言った時の沙矢子と同じ、真面目な顔だった。

「どのみち金を出すのは私の方だし、君は私につくべきだ」

「また奥さんを尾行するんですか」

「いや、君はもう完全に顔を知られてしまったから、沙矢子の尾行は他《ほか》の興信所に頼む。それより、君は、私の行動を調査してるふりで、妻に私が潔白だという報告を続けてくれればいい。もっとも君が実際に私を尾行する必要はない。私はただ仕事で夜が遅くなるだけのことだから、尾行しても何もでてこない——いいね」

土屋はなれあいの微笑でオレを見た。昨日の沙矢子と、同じ微笑、同じ言葉で、オレはもう一度裏切りをさせられるのだった。オレはこの夫婦の間でゲームのように投げかわされているボールに似ていた。投げたければ投げればいい。オレが考えたのは、ただ土屋の言葉に従えば、何もせずに調査費を払ってもらえるということだけだった。『ロア』へ行きデタラメを今度は土屋沙矢子に報告するだけで金になるのだ。オレは肯き、最初の共犯者と新しい契約を結びなおした。

最初の依頼はこうして、オレの予想どおり、厄介で奇妙な形をとり始めた。もっともオレに良心さえなければ、実に簡単な仕事だった。

「今夜はどこにいる？　今日のような失敗がないように、私の行動のだいたいを君に報《し》らせておこう。それに合わせて明日妻に報告してくれればいい。それから私の帰宅時間も君は知っておく必要がある。深夜に電話をいれるが――」

オレは由梨の部屋の電話番号を言った。夜の時間がまた空《あ》いたから、由梨を抱いてもいいと思った。土屋には、もしかしたら女が電話に出るかもしれないと言って、由梨という名だけを教えた。

「恋人かね――」

オレは黙っていた。

「耳飾りをやった友人？」

土屋は子供でもからかうように、微笑を目に含ませてオレを見た。皮肉な微笑が土屋の眼差をかえって暗くした。

「ええ――婚約者ですよ。近々結婚するんです」

オレは真面目な印象を与えたかったのでそう嘘をついた。土屋は、ポケットを探っていたが、何かメモする紙がないかと聞いてきた。

オレが手帳をとりだして一枚破ろうとすると、土屋は「いや」と言ってその手帳をとり、ナイフの形をした珍しいネクタイピンで丁寧《ていねい》に切りとった。几帳面《きちょうめん》な性格なのか、ナイフの柄《え》にはめこまれたダイヤを見せたかったのかわからなかった。紙に由梨の名と電話番号を書きこんだ。

「家？　アパート？」

「マンションです。四ツ谷にある、メゾン・ソワレという」

「いいマンションかね」

「まあまあですよ」

土屋はその名もメモにとった。夫が女のためにマンションを探しているといった沙矢子の言葉をオレは思い出した。

土屋は、今夜からもう自分の尾行はしなくていいと二度念を押すように言って、席を立った。尾行されたくない理由があるに違いない。浮気ではなく、もっと重要なこと、収賄問題にからんだ何かをオレに知られたくないのではないか――夫婦のどちらが嘘を言っているのだろう。それとも二人とも嘘を言っているのか。いやそれとも二人とも本当のことを言っているのか。

テーブルの上に土屋のネクタイピンが忘れてあった。今度会う時に返すつもりでオレはそれをポケットに入れた。オレがそのネクタイピンを妻の耳飾りのようにくすねるか試すためにわざと忘れていったのかもしれない。ホテルを出る前にオレは由梨に電話を入れた。

由梨は「いいわよ」と言った。昨夜オレが行かなかったことなど忘れている口ぶりだった。

「でも誰にも見られないように部屋に入ってね。この間の泥棒、どうもマンション内の住人だって噂《うわさ》があるの。変に疑われたら困るわ——錠は外しておくから」

「今すぐ行ってもいいか」

「ええ、店には出ないから——もうやめるわ、あんな店」

退屈そうなため息で電話を切った。

オレは裏手の階段で由梨の部屋に上がった。オレがわずかに開いたドアから素早く中へ入ったので「本当に泥棒みたいね」と由梨は笑った。

「雨降ってるの」

オレの髪や服が少し濡《ぬ》れていた。

「たった今、不意に降ってきた」

由梨は窓辺に立った。音はしないが、雨は夜を削《けず》り落とすように烈《はげ》しく降っている。

「夕方まで陽がさしてたのに——」

そう言うと荒っぽくカーテンをひいた。

「店やめるって?」

「ええ。突然やめたくなったの。この雨みたいなものね」

十日ぶりにここへ来た日、店を明日からしばらく休むと言っていた。あの時もうやめたいという気持があったのだろう。

「これからどうする気かって、聞かないの？」

「わかってるのか、どうするか？」

由梨は小さく笑った。

「そうね、どうするかじゃなくてどうなるかだわね。明日のことどうするかなんて考えても仕方ないもの——でも、このマンションもそろそろ出たいと思ってるのよ。この間みたいな事件起こると、私みたいな仕事してる女に皆変な目むけるから。郷里にでも戻って結婚しようかしら」

由梨はひとり言のように呟《つぶや》いた。

雨に濡れたので、オレはシャワーを浴びに浴室へ入った。入れかわりに由梨が入り、オレは裸のまま、ベッドで少し眠った。由梨がベッドにすべりこんだので目をさました。そのままオレは由梨を抱いた。由梨の体に溺《おぼ》れながら、オレの耳は、ふっと石畳の坂をのぼっていく一人の女の足音を聞いた。由梨とも今夜で終りにしよう。

電話は午前零時五分前に鳴った。由梨はオレの肩に髪をからませて眠っていた。受話器をとると、土屋の声だった。

「今、自宅のすぐ近くの公衆電話からだ。帰宅時間は午前零時としておけばいい。メモをとってくれるか。今夜は七時十五分に銀行を出て、八時から十時まで新宿の『クイーン』で取り引き会社の接待。その客と銀座に出て……」

オレは事務的にペンを走らせた。その夜の土屋の行動が細々とメモ用紙に記されていく。

「明日の晩もそこへ連絡すればいいかな」

最後に土屋が聞いた。オレは明日からはアパートの方にいると言い、電話番号を教えた。電話を切ってからタイピンのことを言い忘れたのを思い出した。ソファの上に投げだされた背広のポケットをなにげなく改めてみた。しかし、いくらさがしても確かに入れたはずのタイピンが見つからない。浴室で服を脱ぐときに落としたのかと思って、脱衣場を隈《くま》なくさがしてみたが、出てこない。どこかよそへ落としてきたらしい。

ソファに座って雨が窓を横殴りに打つ音を聞いた。土屋が本当のことを言ったのかどうか、わからない。だがどうでもいい。オレは言われた通りを明日、土屋の妻に鸚鵡《おうむ》のように反復すればいいのだ。

一時を回ってもう一度オレはシャワーを浴びるために浴室に入った。寒いぐらいの晩だったが、冷水を浴びた。烈しい雨の中にぼんやり立っているようだった。思いきり雨を喉《のど》に流しこむ。オレはいつも渇いている。電話が鳴った。また土屋からではないかと思ったが、放っておいた。今夜はもうあの男の声を聞きたくなかった。

何度目かのコールで、由梨が起きて受話器をとったらしい。水音に混ってかすかに「土屋?」と聞き返す由梨の声が聞こえた。オレはバスタオルを巻いて浴室を出た。由梨が受話器にむけて苛《いら》だたしい声をあげていた。

「土屋なんて人、本当に知らないわ。あんた狂ってるんじゃないの」

叩きつけるように受話器を置いた。オレはその電話を土屋が掛けてきたものと思った。由梨にはオレの依頼人について何も知らせていなかったのだ。しかしちょっと考えてみればそれが土屋本人からの電話でないことはすぐにわかったはずだ。土屋本人なら、オレを呼びだしただろう。由梨と口論になるはずがなかった。

「女からよ――狂ってるわ」

「土屋と言ってたけど」

「土屋って男の奥さんらしいわ――あんたとうちの夫はどういう関係なのかってしつこく聞くの」

由梨はまだ怒りに小刻《こきざ》みに震《ふる》えていた。オレは説明しようとしたが、複雑すぎるのでやめた。今の電話は土屋沙矢子からだったに違いない。六時に東京駅のホテルで会ったとき、土屋はオレが教えた由梨の名と電話番号をメモにとった。このマンションの名も書きこんでいた。夫が帰宅した後、背広からそのメモを見つけた沙矢子は、それが、土屋の浮気の相手の新しい電話番号だと思ったのではないか――沙矢子は、土屋が愛人に新しいマンションを買ってやるらしいと、デパートの屋上で言っていたのだ。夫が寝た後、居ても立ってもいられぬ気持から受話器をとったのだろう。

嫉妬《しっと》は、土屋沙矢子には似合わない気がした。あの女がぶるぶる震える指でダイヤルを回すところは想像できなかった。だが人はいつも似合わないことをするものだし、女は仮面をかぶりたがるものだ。嫉妬がなければ、オレに夫の浮気を調べてくれとは言わなかっただろう。仮面を剝《は》げば夫の不貞に怒り狂うごくあたりまえの女の顔があるのかもしれない。

「つまらん誤解だな」

オレは由梨にそれだけを言った。事実一枚のメモが原因の小さな誤解だった。

その小さな誤解のために、だが翌日由梨は殺される破目《はめ》になるのである。

「そうね、馬鹿馬鹿しいわ」

由梨はそう呟くと、ベッドに入ったオレの胸に顔をすり寄せて、目を閉じた。

オレが聞いた由梨の、最後の言葉だった。

5

翌朝オレが部屋を出るとき、由梨はまだ眠っていた。眠ったふりをしていただけかもしれない。朝の光が頰に灰色のかげを与えて、石膏《せっこう》の像のように見えた。オレは部屋を出る前に化粧台に置かれた由梨の宝石箱を開いた。土屋沙矢子の耳飾りを貰っていこうと思った。沙矢子がただの感情的な女なら、オレがまた夫に寝返ったと気づいた時、何を言われるかわからない。そうなったら耳飾りも金も返そうと思った。オレは人が怒り狂う声が嫌いだ。由梨は何とも思わないだろう。耳飾りをポケットに入れたとき、箱の隅にタイピンを見つけた。

昨日オレが失《な》くした土屋のタイピンだった。やはり浴室に落としたのだ。それを由梨が拾って、オレの物だと思い大事にしまっておいてくれたのだろう。おれはそのピンも土屋に返そうと思ったが、部屋を出るとき気が変った。

玄関の土間に、暗い赤の造花が置いてあった。オレはその花の名を知らないが、記憶があった。昔レイ子が最後にくれた花だった。花言葉が「さようなら」だと言った。オレに夢を見ようとした、この世で最も馬鹿な女だった。

オレはナイフの形をしたタイピンを、造花の花びらに突き刺すようにして残した。土屋には適当に弁解すればいい。由梨が花言葉を知っているならオレがもう来ないことを知るだろう。気づかなくてもいい。ちょっとした悪戯《いたずら》だった。ドアを閉めようとしたとき、銀のナイフの柄で大粒のダイヤが目を傷つけるほど眩《まぶ》しく光った。

久しぶりに朝早く、オレは興信所へ行き、今週に入って二日間の土屋沙矢子の行動を適当につくりあげ、書類にして所長に見せた。所長にはまだオレが土屋沙矢子の尾行を続けているように思わせた。所長が一枚の小切手を見せた。土屋が送ってきたものだが、前回の請求書とは全く違う金額が書きこまれている。請求書の五倍以上の額だった。

「何かの間違いだろう。土屋に尋ねてみるから」

と言ってオレは興信所を出た。

『ロア』への電話は、二十分も遅れてかかってきた。オレは昨夜とったメモ通りに土屋の行動を沙矢子に報告した。

「あなた、私を裏切ってまた夫についたんじゃないの——あの人に女がいることはまちがいないのよ」

「だったら自分で調べたらどうです」

オレは少し苛《いら》だって電話を切った。オレは否応《いやおう》なしに土屋夫妻の揉《も》めごとに巻きこまれている。二人にも自分にも腹が立った。夜土屋から掛ってくるはずになっている電話のベル音を何時間か忘れるために、昼間から酒を飲みにいった。

アパートに戻り、一眠りしたところへ土屋から電話が掛ってきた。十一時前だった。土屋の声を聞かずに受話器を叩きつけたかった。

「今夜は早いんですね」

「今から五分後には家に戻るよ。今夜は六時二十分に会社を出て、秘書と日比谷へ映画を見にいった。取り引き先の映画会社が大宣伝している映画だ」

土屋は映画の題名とストーリーを簡単に教えた。

「今度、その映画会社の創立五十周年のパーティに沙矢子と二人招かれているのでね、見ておいた方がいいと思ったんだ——本当は妻も一緒に見ることになっていてね。映画館の前で待ち合せたんだが、あいつ来なかった。銀座近くでもやっているから、そっちの映画館に行ったのかもしれない——映画館を出て、秘書と『ラグ』で一時間ほど飲んで帰ってきた。——これだけだ。メモはとってくれたか」

オレは、「ええ」と答えて電話を切り、横になって無意味なメモを見ているうちに、また眠ってしまった。

翌朝、新聞で事件を知った。大きな顔写真の女が誰なのかすぐに思い出せなかった。『マンションで若いホステス絞殺――物盗《ものと》りの犯行か？』という大きな見出しだけをしばらくぼんやり見ていた。

オレはまず、由梨という名が本名だったことに驚いた。坂本《さかもと》という名字で、オレより一つ年下の二十八歳だった。

それから自分に容疑がかかるのではないかと心配した。オレは昨日の朝まで由梨の部屋にいたのだし、由梨が殺されたと思われる七時から八時までの時間は自分の部屋で眠っていてアリバイがなかった。

昨夜七時に店からかかってきた電話に由梨は返答しており、八時少し前に隣人が、開けっ放しになったドアに気づいて、土間から入ってすぐのダイニングの床に倒れている死体を発見した。由梨は赤い外出着を着、どこかから帰ってきたかどこかへ出かけるところを、ナイロンストッキングで絞め殺されたらしい。七時から八時まで犯人らしい人物を目撃した者はマンション内にはいないと記されていた。

室内が荒され、宝石類や現金が奪われた形跡があること、最近も同じマンションに泥棒が入ったことから、警察では強盗説を有力とみているらしい。それを読んでオレはホッとした。それにオレと由梨の関係を知っている者は誰もいないのだ。部屋の出入りを直接誰かに見られたこともなかった。

新聞に書いてある通りにオレは強盗の仕業《しわざ》だろうと考えた。まだこの時には、まさか一昨日の深夜、土屋沙矢子が誤解して掛けてきた電話と由梨が殺された事件とを結びつけて考えることもできなかった。

写真の由梨は、笑っていた。オレは依然この女が好きだったのか嫌いだったのかわからずにいた。由梨が斜視であることをオレはその写真で初めて知った。

「馬鹿馬鹿しいわ」と呟いた最後の声が、一度だけオレの耳によみがえった。だがどんな顔でそう言ったかはもう思いだせなかった。

オレはまた少し眠り、十二時に興信所へ電話を入れ、このまま尾行に向かうからと言った。そして、土屋沙矢子から電話が掛ってくる約束の二時より前に『ロア』へ出かけた。

店に入ると、電話機の傍《そば》のウェイトレスがすぐにオレの名を呼んだ。いつもより十分も早かった。

受話器をとると、聞こえてきたのは、土屋沙矢子ではなく、その夫の声だった。オレは土屋にこの店で沙矢子と連絡をとることを話してあった。

「沙矢子からはまだ連絡は入ってないね」

少し性急な声だった。

「沙矢子には昨日のメモ通りに報告して、その後すぐTホテルの六〇三号室へ来てくれ。フロントを通さず、直接上がってほしい。誰にも聞かせたくない話がある」

土屋は既にその部屋にいるらしい。オレは、オレと由梨との関係を知っている人物が一人だけいるのを思い出した。土屋である。今朝の新聞を土屋が細かく読んだなら、マンションと由梨の名で、被害者がオレの婚約者だとわかっただろう。それに土屋は新聞の活字を一字一字丹念に読みそうなタイプだった。

急いでコーヒーを一杯飲み、その間に昨夜のメモを見た。そしてやっとオレはおやと思ったのだ。昨夜七時、夫と約束した映画館に沙矢子は来なかったのだった。由梨が殺害された時刻と一致している――

店の電話が鳴った。ウェイトレスから渡された受話器に土屋沙矢子の声が流れた。オレは事務的にメモ通りの言葉を喋《しゃべ》った。沙矢子は「そう」と答えただけで、すぐ電話を切った。オレは店を出てTホテルのある日比谷に向った。

6

ノックと同時に土屋はドアを開いた。ドアに錠をおろし、しばらく怒ったような目でオレを見ていた。

オレは「調査費の支払いがまちがっていた」とか何か無意味なことを言おうとした。土屋の手がポケットからネクタイピンを取りだした。昨日の朝、由梨の部屋を出るとき造花につけておいた――つまりは土屋自身のタイピンだった。

「今朝起きたら私のパジャマの襟《えり》についていた。たぶん沙矢子が厭《いや》がらせにやったのだと思う。つまり沙矢子がこれを持っていたことになる。ところがこのネクタイピンは昨日私が東京駅のホテルで君に会ったときテーブルの上へ忘れたんだと思うが——」

オレは、その通りですと言った。

「それなら説明してくれ。なぜそのネクタイピンが今朝私のパジャマにわざとらしくつけられていたのか」

オレはそのピンを婚約者の所へ持っていったこと、その部屋の玄関に残しておいたことを正直に話した。それ以上は何も知らなかった。

土屋は唇を咬《か》み、困ったというように眉根《まゆね》に皺《しわ》を寄せた。

「その婚約者というのは、この人だろう?」

土屋はテーブルの上の新聞紙を広げた。その新聞では、現場のマンションが大きな写真になり、由梨の顔は小さかった。

「そうです。でも僕がやったんじゃないですよ」

「そうは言っていない。殺《や》ったのは沙矢子だ——」

土屋は悲しそうな目になった。初めて会ったときと同じ犬に似た目だった。オレは土屋が髭《ひげ》を剃《そ》っていないことに気づいた。窓には隣のビルが迫って、部屋の中は薄暗かった。

「一昨日《おととい》の深夜、オレが寝たと思って沙矢子は君の婚約者の所へ電話を入れた。君の婚約者の電話番号を書いたメモを誤解したらしい。そんな電話が掛っていかなかったか——」

「掛ってきました」

答えてからオレは、土屋の暗い目が何を言おうとしているかやっとわかった。由梨が苛立って否定した声で、土屋の妻は由梨にますます疑いをむけたのだろう。それにオレは土屋沙矢子に、だったら自分で調べたらどうかと言ってしまった。沙矢子は本当に自分でマンションへ調べに行ったのだ。由梨がドアを開ける。

沙矢子の眼はすぐに玄関の造花のタイピンをとらえた。それは夫のタイピンだった。由梨がいくら否定してもそのタイピンは夫と由梨を結びつける揺《ゆる》がざる証拠になってしまった——

由梨がどんな顔で死んでいったか想像できなかった。

土屋沙矢子がどんな顔で殺人を犯したかはもっと想像できなかった。

「昨日の晩、家に戻ると沙矢子はもうベッドの中に入っていた。ひどく疲れた顔で私を憎むような目で見ていた。私がなぜ映画館へ来なかったと聞くと、映画館をまちがえて十五分ほど待ったけど、そのまま銀座をブラブラして帰ってきたと言った。妹が言うには帰宅したのは九時ごろらしい——間違いないだろう」

それはつまらぬ事故のような出来事だった。簡単なメモと一個のタイピンが、無関係な女を死に追いつめてしまったのだ。誤解で殺された由梨と、誤解で殺した沙矢子と、馬鹿げた偶然で妻を殺人犯にしてしまった地位ある銀行員と——三人のうちで誰がいちばん損をしたのか。

土屋の体は空気がぬけたように小さくしぼみ、頬がこけていた。もともと貧相な男だった。妻の浮気を小心に心配したり、こんな風に妻のとんでもない過失に心を乱している役割の方が似合う男だった。

「一つ頼みがある――」

土屋は細かく震える目でオレを見上げた。

「警察は強盗事件と考えているから目下は大丈夫だが、万一、容疑が沙矢子にかかった場合だ。殺された女性と沙矢子はただ誤解でつながってしまっただけの関係だから沙矢子の名が出てくる心配はないと思うが、万一の場合には君が証人になってくれないか。君は、私が最初に依頼したときから、私を裏切って私の行動を調査するよう妻に頼まれたところまでを正直に警察に言って欲しい。そして一昨日の晩も私を尾行していたと――一昨日の晩、妻と私は間違いなく七時に映画館の前で落ち合って映画を見た、九時に映画が終ると妻だけが先に家へ帰ったと言ってくれないか。君はメモを持っているはずだが、そのメモにたった一言《ひとこと》、妻も映画を見たように書きこんでくれればいいんだ」

「しかし映画は秘書の人も一緒だったと――」

「あいつには簡単に偽証させられる。しかし秘書といっても身内同然だ。第三者の証言が欲しい。君という興信所員の証言なら警察も信じるだろう――金なら……五百万ぐらいは君にあげられる」

オレはしばらく考えてから、返答のかわりにメモをとりだし、言われた通り、「七時、映画館の前で妻と落ち合い、一緒に映画を観《み》る」と書きこんだ。土屋はオレが案外簡単に引き受けたので驚いた様子だった。そして同時に安堵《あんど》の色を目に見せた。土屋はすぐに小切手帳をとりだした。オレは三百万でいいと言った。

二百万がオレの良心だった。三百万あれば興信所をやめても一年は楽に暮せる。土屋はオレの良心を差し引いた残額を小切手に書きこんでオレに渡した。

それから、オレたちはもう少し細かく事を決めた。オレが映画館で土屋たち三人の二列後ろの席に座って映画の間中ずっと監視を続けていたことや、興信所には今後もう一週間仕事を続けるふりをすることや、今までどおり土屋からの報告をそのまま妻に伝えることや決めなければならないことがたくさんあった。

最後に土屋は訴えるような目でオレを見ると、その視線を腕時計に移して立ち上がった。重要な調印が終ったように深いため息をつき、夜またアパートの方へ今夜の行動を連絡すると言って自分が先に出ていった。

ドアが閉った。「馬鹿馬鹿しいわ」由梨の最後の声がもう一度オレの耳に聞こえた。

オレはベッドに体を投げた。銀行員の完璧《かんぺき》なやり方にうんざりしていた。オレは小切手を空中に思いきり投げあげた。三百万はしばらく空《くう》を舞って、床に落ちた。部屋を出るまで紙屑《かみくず》のように放っておいた。

馬鹿馬鹿しいと言いたかったのはオレの方だ。

7

翌日の新聞は、もう事件を忘れてしまったように何も語っていなかった。オレももう遠い昔の出来事のように事件のことも由梨の顔も忘れかけていた。

『ロア』へ行くと、二時きっかりに電話が鳴った。オレはメモ通りにまた報告を始めたが、

「いいの、それより今からすぐTホテルのロビーへ来て。大事な話があるわ」

オレの返事も待たずに電話を切った。オレは一瞬、土屋に電話を入れようかと思ったが、話を聞いてからでもいいだろうと思い直した。

オレは昨日と同じTホテルに向った。薄暗いロビーで、土屋沙矢子は待っていた。黒と黄色の大胆な縞《しま》になったワンピースを着ていた。沙矢子はオレなど気づかないふりで、立ちあがると、大理石の階段をゆっくりと上り始めた。

オレが階段を上り始めたときは、既に沙矢子の背は消え、ただヒールが大理石を打つ音だけが休みなく上方へとのぼっていく。

三階、四階へと上昇していく足音に尾《つ》いて、オレもまたわざと足音を高くした。一階あがるたびに階段は静寂をまし、足音が高くなっていく。

やがて女の足音がとまった。六階まであがって周囲を見回すと、沙矢子の背がすっと隠れるように廊下を曲った。足音は絨緞《じゅうたん》を踏む柔らかい音にかわり、オレは迷路のような廊

下を何度も曲りながら、沙矢子に尾いていった。

沙矢子は六一〇号室へ入った。昨日土屋と会ったすぐ近くの部屋だった。窓から隣のビルに削られて半分だけ東京の空が見えた。

オレが入ってから五分間、土屋沙矢子は何も喋らなかった。煙草を吸っている横顔は人を殺した女には見えなかった。オレはふっと沙矢子は誤解だと知っていながら、由梨を殺したのではないかという気がした。豪華な料理に灰を落とすように、高価な耳飾りを踏みつけるように、由梨を殺すことはこの女の最後の、最高の贅沢《ぜいたく》だったのかもしれない。煙草をもみ消しながら、沙矢子は口を開いた。

「昨日の報告は嘘《うそ》でしょう？　水曜の晩、夫は映画なんかに行ってないわ」

オレは何を言っていいかわからず、何故《なぜ》とだけ尋ねた。

沙矢子はバッグから新聞の切りぬきをとり出した。水曜の晩の事件が、オレが読んだのとは別の言葉と写真で報道されていた。その写真でも由梨は別人のように見えた。

「水曜の晩、夫はこの女を殺してたのよ」

オレの手が反射的に動いた。ベッドから立ちあがった沙矢子の顔をオレは思いきり殴りつけた。この夫婦の間で投げ交わされるボールの役はもうたくさんだった。仮面をかぶり、同じ言葉を喋り、そのたびにオレはUターンさせられる。沙矢子は片手で頬をおおい、目の端で笑った。オレは済まないと言った。

「また裏切ったんでしょう、私を。夫の方についたのね」

「なぜ、あんたの亭主が由梨を殺さなくちゃいけない。彼女とは何の関係もないんだ」

「それより、私の知らないことを教えてよ。夫とあれからどんなやりとりがあったか――」

沙矢子は、煙草を一本ぬきとるとオレの唇にさしこみ、火を点《つ》けた。オレはデパートの屋上から、昨日のこのTホテルまでの出来事を洗いざらい喋った。三度目の裏切りだった。

沙矢子は退屈そうに聞いていた。

「想ってた通りね」

と言い、短くなったオレの煙草をとって灰皿にもみ消した。

「私、この女の部屋に電話なんか入れてないわ。たぶん夫がホステスか誰かに頼んだのよ。部屋も訪ねたことないし、ネクタイピンのことなど何も知らないわ――水曜の晩は夫に誘われて銀座の映画館へ行ったわ。夫は確かに銀座のと言ったのよ。私が間違えたようにしむけて、その間に日比谷の映画館からこの女を殺しに行ったのね。秘書の田中《たなか》なんか簡単に丸めこめるから――」

「なぜ由梨を殺す必要がある」

沙矢子はちょっと黙った。髪を耳から払うと真珠の耳飾りが覗《のぞ》いた。

「私、この女の名はもうずっと以前から知ってたのよ。そうね、半年ぐらい前から。土屋が寝言で呼ぶの、『ユリ、ユリ』って。背広のポケットからバーのマッチが出てきたので電話を入れて聞いてみたわ。それで、ユリって女の名字もマンションも知ってたの――」

「だったら何故オレに夫の行動を調べてくれと言った」

もっと他のことを聞くべきだった。じゃあ由梨と土屋はオレより以前から関係があったのかと――そしてもっと驚くべきだった。

「確かな証拠が欲しかっただけ。写真か何か――それで慰謝料もらって離婚するつもりだったの。言ったでしょう？　男に、とりわけ夫なんかに興味ないわ。あの人は由梨って女に夢中になってしまっていたけど、どうでもよかったのよ」

「なぜ土屋が由梨を殺した――」

　オレは同じことを聞いた。

「夢中だったのよ。由梨に一人の男がいるってわかったの。あの人、独占欲が強くて、嫉《しっ》妬《と》ぶかくて、神経質で、小心だから許せなかったのね」

　沙矢子はオレをじっと見つめた。目に皮肉な微笑を浮べていた。沙矢子が嘘を言ってるのかもしれない。土屋が芝居をしたのかもしれない。どちらかが嘘を言い、どちらかが真実を喋っている。どちらも嘘を言い、由梨はただ物盗りに殺されたと考えるのが一番簡単だったが、結局オレは沙矢子の言葉の方を信じることにした。由梨がずっと以前から土屋の愛人だったことも、土屋が一人の男のために由梨を殺したこともあまりに信じられなかったからだ。

「昨日、夫は私のアリバイをあなたに頼んだって言ったわね。でもそれはそのまま土屋自身のアリバイになってるのよ。あなたは土屋のアリバイの重要な証人として三百万で買われたんだわ」

耳の大粒な真珠を沙矢子の指が戯《たわむ》れるようにいじっていた。高価なだけで、趣味の悪い品だった。沙矢子は無意味な品に何枚の札を支払ったのだろう。窓から不意にさしこんだ光の中で沙矢子は唇を開いた。声ではなくため息がもれた。

「馬鹿馬鹿しいわ」と言いたかったのかもしれない。

少なくてもこの女の言葉の方を信じれば——土屋と由梨が愛人関係にあったと考えれば、いくつかの謎《なぞ》は解きあかせるのだ。第一にネクタイピンだ。オレはあのタイピンを浴室に落とした。由梨はそれを拾い、オレには何も言わず箱に隠した。それが土屋のタイピンだったからだ。土屋が浴室に入ったときに落とし、ずっと気づかずにいたと考えたのだろう。第二に、東京駅のホテルの喫茶室で、オレが由梨の名を告げたとき「恋人かね？」と聞いた土屋の暗い眼差《まなざし》が説明できる。そしてオレは由梨に夢中になっている土屋に、オレたちは近々結婚すると言ってしまったのだ。由梨は翌日の晩、殺害された。オレがちょっとした口実で言った嘘が、土屋の中にくすぶっていた激情の引き金をひいてしまった。

第三に、これが最も重要なことだが、月曜の晩、銀座の裏通りで土屋を尾行していたもう一人の男の正体が説明できる。あの男は土屋ではなくオレを尾行していたのだ。いつからかはわからない。だが土屋が初めてオレに依頼をしてきたあの土曜より以前に、土屋はよその興信所員にオレの尾行をさせていたのだろう。土屋は何らかの理由で由梨に他の男ができたのではないかと疑いだした。適当な興信所員に由梨の部屋に出入りする男を調べさせた。調査上にオレという男が浮んだ。その時から土屋はオレを尾行させ続けてきた。

オレは仕事で尾行ばかりしていて、自分がまさか尾行されているとは考えもしなかったのだ。

月曜の晩、銀座の裏通りでオレは突然物陰に隠れた。興信所員はオレを見失い、慌てただろうが、オレを見つける簡単な方法があった。あの男はオレが土屋を尾行しているのを知っていたから、土屋の後についていけば必ずまたオレが現われると考えたのだ。それがオレにはその男も土屋を尾行しているように見えてしまった。

第四に、土屋が間違った金額を支払ってきた理由が説明できる。土屋はオレとその男と二人の興信所員をやとっていた。その男へ送る金をちょっとしたミスでオレに送ってしまったのだろう。つまりあの間違った金額はオレ自身を調査した費用だったのだ。オレの調査費としては高額すぎるが、その高額から想像して、土屋はまたあの興信所員の良心も金で買ったのだろう。

それにまた、月曜の晩、土屋の行動を尾行し始め、翌日にはもうオレの裏切りが土屋にばれていた理由が説明できる。土屋は副頭取の奥さんが沙矢子を見たと言っていたが、本当はオレを尾行していた興信所員から報告を受けたのだろう――最後にもう一つ。

「あなたはその由梨って女を愛してたの」

オレは首をふった。

「だったら誤解したのは土屋の方ね――三百万はもらっておけばいいわ。私の言葉より夫の方を信じてもいいのよ。結果は同じですもの。私はただ事実を知りたかっただけなの」

土屋の妻はオレに微笑をむけた。オレも笑おうとした。オレは自分が死ぬほど嫌いだ。この女も嫌いだ。顔も見たくなかった。オレは窓辺に寄った。この部屋を出たらオレは小切手を破り棄《す》てるかもしれない。小切手を金にかえ、興信所へ行って仕事をやめると言うかもしれない。窓の半分に切りとられた空を眺めながら、オレは最後にもう一度だけ、二週間前のあの土曜の午後、一人の依頼人が見せた犬のような悲しい目を思い出した。

あの日は芝居ではなかった。ただ、妻の浮気に怯《おび》えていたのではなく、夢中になっていた愛人の浮気に苦しんでいたのだった。そう、そして最後にもう一つ、沙矢子の言葉の方が真実とすれば、土屋がなぜオレに妻の浮気を調べてくれと依頼してきたのか、その理由が説明できる。

稲葉の紹介というのは嘘だ。オレを尾行させていた土屋は、当然オレがその頃稲葉という男の妻の調査をしていたことを知っていた。それで稲葉の名を口実に使っただけだ。稲葉と土屋は赤の他人だろう。土屋は何としてもオレと由梨の関係を知りたかった。ところがその頃、土屋にも、土屋が尾行させていた興信所員にもそのチャンスがなかった。なぜなら二カ月前からオレは仕事に追われすぎて由梨と会う機会もほとんどなかったからだ。

土屋はオレに時間を与えなければならなかった。オレの夜の時間を仕事から解放し、由梨と会う余裕を与えなければならなかった。あの興信所員に、もっとオレの調査をしやすくしなければならなかった。そこで土屋は、稲葉の仕事が終った直後に、一日わずか三時間で済む何の意味もない仕事をオレに与えてきた。そして同時にまた、しばらく出張に出るからとか適当な口実で由梨の体も解放した。二人を自由にし、二人に接触の機会を与えようとした。妻のことなどどうでもよかっただろう。土屋の興味は、三時間の妻の行動ではなく、残り二十一時間のオレの行動にあったのだ。

土屋の悲しい策略は成功した。オレは自由な時間を得て、毎晩のように由梨と逢《あ》い、完全に調査された。興信所員はやっとオレたちの確証を握り、土屋に報告した。そしてオレが土屋に言ってしまった最終的な言葉――オレたちは近々結婚する。

それは、オレが三年間で受けた最もおかしな依頼だった。

犬のような悲しい目をした男は、二週間前のあの土曜の午後、オレに調査するよう依頼しにきたのではなく、調査されるよう依頼しにきたのだった。

夜よ鼠たちのために

その時まで俺《おれ》たちは幸福だった。

俺たち、俺と妻の信子《のぶこ》。

ほんとうは信子なんて名前じゃない。けれど俺はここ何年間か妻をそう呼び続けてきた。一匹の鼠《ねずみ》のためだった。八歳のとき、俺はこっそり飼っていた鼠を同じ名で呼んでいたんだ。子供の俺の手に乗るほど小さな鼠だった。そこらへんのドブ鼠と同じ色だったが、右の耳だけが何故《なぜ》か白かった。その白い耳に俺はいつも信子と呼びかけていた……

子供の頃、俺は誰からも愛されなかった。父親が酔って母親を殺害し、俺は孤児院で育てられた。もの心つく前だから、事件のことは何も知らない。たぶん貧しかったせいだろう。かなり大きくなるまで持っていた鞄《かばん》の中には、俺が孤児院に預けられたときの服があったが、小さな服はすりきれ、六カ所に穴があいていた。

七歳のとき、刑務所から出てきた父親が俺を訪ねてきた。開襟《かいきん》シャツの胸にあばら骨を浮びあがらせた男はわざとらしい笑顔をつくったが、細い目は硬く乾いていた。俺がすぐには誰かわからなかったのだ。俺を引き取るために来たらしいが、結局三十分もして一人で帰っていった。三十分間、俺が一言《ひとこと》も喋《しゃべ》らなかったためだった。

それまでも俺は孤児院では誰とも口をきかず、心配した先生は俺を三度病院へ連れていったが、医師にも俺の唇《くちびる》を開かせることはできなかった。俺がそれまで語った言葉は「はい」だけだった。「いいえ」の時は黙って首を振った。俺は「ダマリ」と呼ばれ、皆から——先生からも俺よりずっと小さな子供からも嫌われていた。

つまり、生まれて初めて俺が自分から言葉を語りかけたのが、その鼠だったんだ。八歳の年の夏、雨の降る午後、勝手口から裏庭に放りだされた鼠とりの中で、雨脚におびえ、その鼠は逃げまどっていた。

俺は鼠とりからとりだして両手に包むと、めったに人の入らない納屋《なや》へ運び、錆《さ》びた鳥《とり》籠《かご》の中へいれてやった。毎日調理場から食べ物を盗みだし、自由時間になるとこっそり納屋に隠れて遊んだ。

三日目に信子と名づけた。雄か雌かわからなかったが俺はその名が気にいっていた。背表紙のボール紙がすりきれた童話本に出てくる少女の名だった。鼠の信子は俺の人生で初めての言葉を聞いた生き物だった。俺はその納屋の片隅でだけ、他《ほか》の子供のように笑い、喋り、とぎれとぎれに歌を歌った。いくら餌《えさ》をやってもちっとも大きくならず、俺の手の上にじっとのって、白い右耳で俺の声や言葉や歌を聞いた。俺の体の中で、鼠に触れている手のひらだけが温かかった。鼠のほうでも俺だけが自分の鳴き声を聞いてくれる相手だとわかったのだろう、俺の足音を聞きつけると鳥籠の中ではねまわり、黒い、小粒の葡萄《ぶどう》のような目で俺を見つめながら、俺が上手に歌えたときは長い尻尾《しっぽ》を小指にからませ、チーチーと嬉《うれ》しそうに鳴いた。そして一カ月後、鳥籠のほかの世界は俺の小さな手だけしか知らないまま死んだ。

ある朝納屋に入ると、鳥籠が倒れ、土の上に小石みたいに硬くなって、鼠の信子は転がっていた。半分目を開いたまま眠っているようだった。天窓に四角く切りとられた空はまだ夏で、まっ白な光が白い右耳を溶かしこみ、信子は片方の耳が欠けた鼠のように見えた。事実、その耳はもう俺の声や歌を聞くことはできなかった。殺されたのだった。細い針金が首に巻きつけられ、最後のとき俺に助けを求めたのだろう、口を、開いたまま小さく光の中に突きだしていた。

犯人の見当はすぐについた。俺と同い年で、虫や蜥蜴《とかげ》を殺すのが好きなダボに違いなかった。両親を鉄道事故で亡くしたダボはいじめっ子で皆から嫌われ、同じように皆から嫌われていた俺を憎んでいた。前にも俺のいちばん大事な星形のバッジを足で踏みつけたことがあったし、鼠の死ぬ前日、俺が納屋を出たとき、植えこみの陰から顔を覗《のぞ》かせ意地わるい微笑を見せたのだ。俺は庭の銀杏《いちょう》の陰に鼠を埋め石だけの小さな墓をつくり、二日後、晩御飯を終えて食堂を出る際、ナイフでダボに切りかかっていった。

すぐに誰かが俺の体を制したので、ナイフは日に焼けたむきだしの腕に傷を負わせただけだったが、ダボは血を見て、引き裂くような悲鳴をあげた。俺の方は羽交《はが》いじめにする誰かの腕を必死にふりはらおうとしながら、だがそんな際も、自分の声を叫ぶことはできなかった。結局俺は半年間病院にいれられた。

そして半年の病院生活で俺は完全に矯正《きょうせい》された。医師や看護婦の笑顔が俺を社会に適応できるよう作り変えたんだ。相変らず無口だったが、人前で愛敬《あいきょう》よく笑い、腹をたて、泣く、普通の子供になっていた。

ダボの方も半年のうちに別人のような性格に変っていた。いじめっ子だったことが信じられないほど面倒見のいい親切な少年になっていて、誰からも慕《した》われていた。ダボは俺に「ごめんよ」と二度言い、俺はダボの右腕に残ってしまった細いL字形の傷に一度だけ同じ言葉を返した。俺たちは子供じみた誓いの儀式をやって仲良くなった。ダボとだけではなく、他のみんなとも大人たちとも世間とも上手《うま》くやった。

医師は俺を完全に別のロボットに作り変えることに成功した。たった一つ医師が俺の人生で矯正できなかったのは、あのひと夏の鼠の記憶だけだった。俺は医師にも誰にもダボを襲った理由を語らなかったし、ダボにも鼠のことは忘れたようにふるまった。二年が経ち、ダボが思いだしたように「あの時は悪かった」と言ったとき、俺は腹をたてた。ダボは気づかなかったろうが、俺はダボにも誰にも鼠のことに触れられたくなかったんだ。俺だけの鼠だった。俺は誰の目も覗きこめない、胸のいちばん奥深い闇《やみ》に一匹の鼠を埋葬した。

妻にも鼠の話はしなかった。語る必要がなかった。彼女自身が俺の新しい信子だったのだから……俺はいつも胸の中で彼女には聞こえない声で「信子」と呼びかけ、その時まで本当に幸福だった。その時まで……

彼女は、俺がよく行った喫茶店でウェイトレスをしていた。俺はその店ではいつも窓の外を眺めていたが、そんなある日、彼女はテーブルにコーヒーを置くと「無口なのね」そう言ってほほ笑みかけてきたのだった。「一人で来てるのに喋るわけにはいかないよ」「そうね、いつも一人ね。それなのにどうして無口だなんて思ったのかしら」そう呟《つぶや》いてもう一度笑った。

その最初の瞬間から、彼女は俺の遠い昔の一匹の鼠だった。孤児院を出てからも俺は完《かん》璧《ぺき》なロボットを演じ続け、人並みに生きてきたが、その裏ではいつも一匹の鼠に飢えていた。俺の人生には信子の白い耳や小さな目やか細い鳴き声がしみついていた。俺は彼女の笑顔を見ながら、自然に唇を開いた自分に、自分でも驚いていた。

信子が再び俺の手に戻ってきたのだ。彼女は俺が生涯で二度目に、俺の声を、俺の言葉を語った相手だった。

俺たちは海へ行き、公園や街を歩き、雨の降る日には一つ傘の下でふざけあった。彼女は肩まで髪をのばし、いつも麦わらのバッグを持っていた。バッグが大きすぎ、小さく、幼なく、少女のように見えた。麦わらの鞄には俺たちの幸福がいっぱいつまっていた。俺の腕にぶらさがって歩くのが好きで、俺のシャツのはずれたボタンをかけるのが好きで、黄色いブローチが好きで、笑うのが好きな娘だった。ほんとうによく笑った。

笑わなかったのは一度だけだ。一年が過ぎた寒い冬の晩、別れ際に彼女は不意に顔を硬《こわ》ばらせ、「一万円くれない」と言ったのだった。そして俺から札を受けとると、ちょっと泣きだしそうな顔をして背をむけ、駅の改札口へ走り去った。急な要《い》り用ができたのだろうぐらいにしか考えなかったが、翌日いつもの喫茶店へ行くと彼女はテーブル越しに左手をのばし、俺の目の前に指を広げて見せた。

左手の薬指に銀色の指輪がはめられていた。小さなダイヤのような粒を飾った指輪だった。「昨日の一万円……いやならいいの。あなたの手で角《かど》の宝石店へ返しに行って。今日中なら返金するって約束だから」薬指と中指の間に黒い瞳《ひとみ》が見えた。瞳は潤《うる》んでいて、光の雫《しずく》が今にもこぼれそうだった。ダイヤの何倍も綺麗《きれい》な光だった。彼女は結婚という言葉を口にしない俺の気持がわからなくなっていたのだ。俺は彼女を一生自分のものにしたいと思っていたが、結婚という言葉を口にする勇気はなかった。彼女の幸福そうな笑顔と俺の不幸な過去は不釣合だった。俺は彼女の指から指輪をはずし、謝罪の言葉を言った。彼女はその意味を誤解した。笑おうとしたが、硬《こわ》ばった頬《ほお》が微笑を中途で砕いた。「謝らなくてもいいわ。一日真似《まね》ごとをしたかっただけだから……」俺は首をふり「もっと高いのを買おう」と言った。彼女はしばらく信じられないように俺を見つめ、もう一度笑おうとして失敗した。泣き声もなく、ただ静かに涙を流し続けた。

俺たちは一カ月後、結婚した。

そしてそれから何年かの結婚生活は本当に幸せだった。俺はまた八歳の夏の納屋に戻り、誰にも邪魔されない片隅で信子と二人、楽しい時をすごした。俺は、ロボットの矯正された声ではなく、本当の自分の声を語り、妻は静かに耳を傾けながら時々嬉しそうに笑った……

いや、もう思いだすのはやめよう。

とり返しのつかない幸福は思いだしても無駄だ。俺が思いださなければならないのは、あの時の妻の顔だけだ。死という言葉がよくわからないまま俺がぼんやり突っ立ち見守っていた妻の顔だ。

白い蠟《ろう》のような膚《はだ》、薄く開いたまま闇を吸っていた目、蒼《あお》ざめた唇……

運命はふたたび俺の信子に死を与えたのだった。動かない妻はあの時の鼠と似ていた。唇を小さく開き、俺に救いを求めようとしていた。俺は彼女の耳にしゃがみこみ初めて声にだして「信子」と呼びかけてみた。信子……俺の一匹の鼠……

運命ではなかった。あいつらのせいだ。あいつらが妻を死に追いつめたんだ。あいつら……遠い昔、俺をロボットに矯正した銀色の髪をした男と同じ白衣をまとった奴ら。

俺はもう一度八歳の夏のナイフを握り、奴らに襲いかからなければならない。奴らが信子に与えた死を、俺の手で奴らに返してやるのだ……妻を、俺のもう一人の信子を、もう一匹の鼠を永遠の墓に埋葬《まいそう》するために……

復讐《ふくしゅう》計画は完璧だった。俺には誰にも気づかれない隠れ場所がある。俺が復讐を完了するまで、警察は俺の潜む場所を絶対に発見できないだろう。俺は自分自身一匹の鼠になって、この都会の夜のいちばん暗い場所に潜み、目を光らせ、機会を狙い続けてきた。

午後八時一分前。

やっとその機会が来た。俺は路地裏の闇から姿を現わし、商店街に出て角の電話ボックスに入る。凍りつくほどの寒い夜が、この街の人々の生活をシャッターの裏に閉じこめ、人影を一掃している。時々車のライトが思いだしたように流れる。

誰にも見られる心配はないのに俺はコートの襟《えり》をたて顔を埋める。腕時計でもう一度時刻を確かめ、送話口をハンカチで覆《おお》い、手袋をしたままダイヤルを回す。ジー、ジーとダイヤルの回る音が奴らの一人の生命を秒刻みに削っていく。受話器の底に短い静寂《せいじゃく》が落ちる。俺の耳に一匹の鼠の鳴き声がよみがえる……大丈夫だと俺は言う。何も心配はいらない。すぐに終る。そして今度こそお前を誰にも邪魔されない静かな眠りの闇に埋葬してやるよ……相手の受話器がはずされる。俺はゆっくりと喋りだす……

電話が鳴ったのは八時ちょうどだった。横住広江《よこずみひろえ》が夫のカーディガンを二階からとってきて、玄関の掛け時計にちらりと視線を投げたときに鳴りだした。彼女は階段の下の受話器を、最初のコールが終らないうちにはずした。

低いざらざらした男の声が、院長を呼んでくれと言った。

広江は相手の名を聞こうとしたが、その瞬間である。いつの間に居間から出てきたのか、夫の手が背後からのびて、広江の手の受話器を奪いとった。夫は受話器にむかって「私だ」と答え、沈黙した。

広江が居間に戻ると、テーブルの上の夫のグラスが倒れ、茶褐色の液が筋をひいて真紅の絨緞《じゅうたん》へと垂れていた。電話のベルを聞いてひどく慌《あわ》てて立ちあがったらしい。広江は液の鈍い流れをぼんやり見守りながら、玄関の夫の気配に耳を澄ました。

電話は一分ほどで終ったが、その間に夫が口にしたのは二言《ふたこと》だけだった。

「白衣？——なぜそんな場所へ白衣を二人分ももっていくのだ」という言葉と、受話器を置く直前、夫には珍しい震《ふる》える声で呟いた「わかった。すぐ行く」——夫は居間に戻らず、そのまま二階へ上がったらしい。広江が様子を見に二階へ上がろうとしたとき、夫が上着をはおり、白衣を手にもって階段をかけ下りてきた。

「どこへお出かけになるの」

「ちょっと……すぐに戻る」

広江の次の質問を避けるように夫は玄関をとび出していった。

車の赤い尾灯が風に揺らぐ夜の中を妙にしんと静かな二つの火となって遠ざかっていくのを見送ってから、広江は居間に戻った。洋酒の最後の一滴が絨緞へとしたたり落ちた。

絨緞のしみが広江の胸に不安を広げた。

今、夫を呼びだした電話の男は夕方にも電話をかけてきた男にちがいない。夕方、彼女が知り合いのデザイナーのコレクションから帰ったところへ電話がかかり、同じざらざらした特徴のない声が「あんたの御主人の横住忠雄《ただお》は俺の妻を死に追いつめた殺人犯だ」それだけを告げて切れた。六時半に病院から戻った夫に早速話したが、夫は「悪戯《いたずら》電話だ」と言ってとり合わなかった。だが内心ではその電話のことを気にかけていたにちがいない。

それに八時に再び男から電話がかかってくることも知っていたようだ。ウィスキーを傾けながら、グラスのふちから怯《おび》えたような視線をしきりに壁の時計に投げていた。

そんな夫の狼狽《ろうばい》を見たのは結婚して三十四年間で初めてのことだった。夫は、広江の父親の死後、この世田谷にある総合病院の院長の座を継ぎ、白血病の研究の一人者としても知られ、いつも地位にふさわしく堂々とし、一度だって声や視線を震わせたことはなかったのだ……一体なにが起こったのか。

彼女は一昨日の晩、娘婿《むすめむこ》の石津《いしづ》が突然訪ねてきたことを思いだした。内科部長をしている石津は、今年四十歳になるが、大変なしっかり者で、だからこそ夫はひとり娘の婿に選び、将来自分の後を継がせようと思っているのだ。その石津が深夜に訪ねてきて夫と二人書斎に閉じこもった。ドアの前を通りすぎた際、偶然夫の声を耳にした。

「ともかく百万円渡そう。受けとらなかったらその時また考えよう」そんなことを言っていた。

一昨日の晩の二人の会話と今夜の電話とは何か関係があるのだろうか……

石津なら何か知っているかもしれない。そう思って広江は祖師谷の娘の家に電話をいれてみた。しかし石津は昨日から学会のために大阪へ出かけているという。

「洋子《ようこ》、あなたの家へ最近おかしな電話がかかっていかなかった……低い男の声で」

「いいえ、別に。何のことなの」

広江は適当にごまかして電話を切った。

居間のソファに座り、婦人雑誌を手にとってみたが、活字が頭に入ってこない。窓にぶつかる風の音が胸まで叩いてくるようで、彼女は雨戸をおろしたが、今度は静寂が薄氷のように胸に貼《は》りついて、不安をつのらせた。

一時間経《た》ち、二時間経っても夫は戻ってこなかった。

悪い想像ばかりが頭に浮んでくる。夫は手術のミスか何かで患者の一人を死なせ、そのことで患者の夫から脅迫《きょうはく》されているのではないか……いやな想像が次々に胸を刺したが、しかし最悪の想像、夫が電話の男に殺されるために呼びだされたという想像だけは、彼女にも思い浮べることができなかった。

電話が鳴ったのは、真冬の夜がやっとわずかに白み始めた午前五時だった。電話は警察からだった。係官らしい乾いた声が、「都心の遊園地で御主人らしい死体が発見された」と告げた。

警察では、最初から怨恨《えんこん》の線を出した。

現場はビルが乱立した都心の一画に、忘れられたようにポツンと空白を広げた遊園地である。風に揺れるブランコの傍《そば》に横住忠雄は、高速道路に大きく切りとられた都会の空を見上げる恰好《かっこう》で倒れていた。白衣をまとっていた。白衣にはブランコの影が戯《たわむ》れるように行き来して、白衣よりもっと白い顔で死んでいる男を揺り起こそうとしているように見えた。

白衣の胸には血が滲《にじ》んでいた。メスと想われる鋭器で心臓が三カ所突かれ、首には針金が二重に巻きつけられていた。出血の量から見て先に心臓を突き、絶命直前か絶命直後さらに針金で首を絞めたと想像された。針金の、頸部《けいぶ》の肉への食いこみ方に、犯人の恨みの深さがこもっているようだった。

死亡推定時刻は前夜の午後九時前後と出た。被害者が犯人らしい男の電話で家を出たのが八時、自宅から現場までが四、五十分だから、遊園地に到着して間もなくに殺害されたと考えられる。

死体の上着のポケットには、百万円の札束が封筒に入れて突っこまれていた。これだけでも犯行の動機が金銭ではないと想像されるが、この百万の意味について被害者の妻の横住広江は全く見当がつかないと言った。さらに昨夜八時に夫に電話をとりついだだけで何も知らないと言い張った横住広江は、しかし娘婿であり、横住病院では内科部長の地位にある石津純一《じゅんいち》が昨夜八時すぎに大阪のホテルを引き払い、その後の行方がわからないと聞くと、態度を豹変《ひょうへん》させ、赤く腫《は》れた目をぎらつかせて全部を喋った。

全部といっても、前日の夕方にも犯人らしい男から掛《か》かってきたという電話の内容や、三日前の晩、病院長と内科部長が書斎に閉じこもって交わした会話の断片だけだが、しかしそれだけでも警察では事件のアウトラインをつかむことができた。

犯人は自分の妻の死の原因が横住や石津にあると考え、その怨《うら》みを晴らそうとした。横住らは百万の金で対処しようとしたが、犯人には金などは問題ではなく、あくまで怨恨から横住殺害に踏みきった――

「ご主人は白衣を二人分持ってでかけたのですね、おそらく犯人の命令で……」

事件を担当した警視庁捜査一課の堀部《ほりべ》警部の質問に、被害者の妻は黙ってうなずいた。

白衣に関しては二つの疑問があった。一つは死体の着ていた白衣に破れがない点から見て犯人が殺害後に死体に着せたと考えられるのだが、何故わざわざそんな事をしたか、その理由である。いま一つの疑問はもう一人分の白衣の行方だった。

死体にわざわざ白衣を着せたのは、犯人が医師としての横住を殺害したのだと警察に知らせたかったからではないか――警部はそう推測した。自分の妻の死には、横住に医師としての責任があったと訴えているのではないか。しかもそれは犯人の単なる妄想《もうそう》ではない。百万を支払おうとしたなら、横住らも犯人の妻の死に自分たちの責任をはっきりと感じていたはずである。犯人の怨恨には確かにそれなりの理由がありそうだった。

だがそれより、警部にはもう一人分の白衣の行方のほうが心配だった。犯人が現場から持ち去ったに違いないが、白衣の行方と石津純一の行方とがつながっている気がする。

大阪府警の協力でわかったのだが、昨夜八時五分すぎに男の声でホテルの石津のもとに電話が入り、それから五分後石津は慌ててホテルを引き払っている。フロントでの支払いの際、石津は今から東京行きの最終新幹線に間に合うだろうねと念を押すように尋《たず》ね、係員が急げば大丈夫ですと答えると、ホテル前に待っていたタクシーにとび乗って去ったという。犯人は八時に横住の家に電話をいれたすぐ後、大阪のホテルにも電話をいれ、石津に東京へ戻るよう指示したのだろう。そして横住殺害ののち、東京へ戻った石津と指定した場所で落ち合ったのではないか。

横住殺害の後、犯人は横住の車で行動したと推測される。現場付近からは、被害者が乗って自宅を出たはずの車が発見されていないのである。横住の車で犯人は石津をどこかへ連れ去り昨夜のうちに石津もまた殺害したのではないか——事件に引いたアウトラインに間違いがなく、石津も殺害されているとしたら、その死体は、横住同様白衣をまとっているに違いない……

代田の横住病院へ聞きこみにいった刑事から連絡が入ったのは午前十一時だった。最近病院で発生した死に不審な点がないか調べにいかせたのである。

「不審な点はまだわかりません。病院側はどの死にも病院の責任はないと否定しています。ただ亭主もちの女性の患者で院長や内科部長が関係したという条件でいえば、三人が死亡していますね。うち一人は七十歳だから除外するとして残りの二人は白血病の山下治代《やましたはるよ》二十六歳と脳腫瘍《のうしゆよう》の津村民子《つむらたみこ》三十二歳です。山下治代は半年にわたって二人の治療を受け十日前に死亡、津村民子のほうも去年末からやはり二人の治療を受け一カ月前に死んでいます。二人はその方面では権威ですが、何しろ難病でしょう、ともに病院側の責任ではないのですが……」

「ともかくその二人の女性の亭主を洗ってくれ」

「はい——それから、やはりこの一週間のうちに三度、犯人らしい男から院長に電話が入ってます。院長はその都度、石津を呼び何か相談をしてますね。石津のほうにも三日前の当直の晩十時ごろにやはりそれらしい男から電話がかかっていて、そのすぐ後石津は外出してます」

院長の家を訪れ、そこで犯人に百万の金を渡すとり決めがなされたのだろう。事件のアウトラインはほぼ確実になった。

堀部はため息といっしょに受話器をおいた。

石津洋子は、実家の客間のソファに座り、ただぼんやりしていた。

父親の遺骸《いがい》はまだ警察から戻っていないが、客間には親戚《しんせき》一同が集まり、泣きくれている母親をとり囲んでいる。洋子にも「大丈夫よ。純一さん生きてるわよ」と慰《なぐさ》めの声がかけられたが、誰のことを言っているのかさえわからなかった。父親の死も夫の消息がわからないことも実感にはならなかった。警察で最近夫におかしな所が見られなかったかと尋ねられた時も、洋子はただぼんやり首をふっただけである。

事実夫のことは何も知らない。愛情があって結婚したわけではなかった。自分は父親の命令に従っただけだし、夫の側では院長の椅子《いす》を望んだだけだった。院長の椅子のぶんは自分にも子供にも優しかったが、あとは仮面のように無表情だった。

彼女のほうでも十歳も年上の夫には関心がもてなかった。半年前純一が大分前から若い看護婦と普通の関係じゃないと忠告してくれた人がいるが、大して気持に動揺するものはなかった。

噂《うわさ》は本当だったろう。自分よりずっと綺麗《きれい》な女だったのだから。だがその看護婦も半月前事故で死んでもう関係は終わっている。それに夫のほうでは本気でなかったはずだ。院長の椅子を棄《す》てられるような男ではなかった。「あの看護婦さん、自動車事故で亡くなったんですって」そう尋ねた時でさえ夫は顔色ひとつ変えなかった。死ぬ時だって無表情のまま死んでいくような男だった……最近の夫の言葉や声や顔は、いくら思いだそうとしても洋子の頭に戻ってこない。

玄関の電話が鳴り、伯母《おば》が出て、洋子の名を呼んだ。子供をお手伝いさんに預けて家に残してきたから、お手伝いさんが何かの用でかけてきたのだろう、そう思って受話器をとった。

低い聞きとりにくい男の声が「石津洋子さんだね。たぶんそちらに行ってると思った。あんたの夫は殺人犯だ。妻の復讐のために殺した。死体は晴海埠頭《はるみふとう》の倉庫にある」それだけを言って切った。受話器を置いてから何とか犯人からの電話だったらしいとわかった。

洋子はひどくゆっくりと歩き客間に戻った。

皆がいっせいにふり返った。彼女はその誰かに意味もなくほほ笑みかけようとし、電話の犯人の言葉を鸚鵡《おうむ》がえしのように呟き、それから何故頭が下方に落ちていくかわからないまま、気を失った。

俺はゆっくりと受話器をおろす。

俺の手にはまだ昨夜石津の首を針金で絞めあげたときの痺《しび》れが残っている。最後の時石津がどんな顔をしていたかは忘れた。石津だけじゃなく、横住の顔も、あの看護婦の顔も。

あの看護婦は俺が「猫を轢《ひ》いたらしい」というと簡単に信じて助手席から降り、車体の下を覗くために舗道にしゃがみこんだ。俺はゆっくりと車をバックさせ、それからアクセルを踏みこんだ。突然襲いかかった光の中で彼女は驚いて立ちあがったが、車に衝突する瞬間どんな顔をしていたのか。

あの看護婦は本当に単純な女だった。だから石津のような男にも騙《だま》されたのだろう。石津だって、だが馬鹿な奴だった。俺の電話一本で東京へ戻ってきて俺が「晴海埠頭へついてきてくれ。俺と妻が結婚を約束した場所だ。そこで謝罪してくれたら許してやろう」デタラメを言うと簡単に信じて車に乗りこんだ。「横住に金とこの車をもらった」という嘘《うそ》も簡単に信じた。

そして俺がメスを握り襲いかかろうとした最後の瞬間まで、何ひとつ疑おうとはしなかった。

あの時、石津はどんな顔をしたのか……俺が憶《おぼ》えているのは目の前の石津の体が崩れ、不意に広がって見えた夜の湾のむこうに、別天地のように燦《きら》めいていた東京のネオンの色だけだ。忘れてしまえばいい。俺が思いださなければいけないのはあの時の信子の顔だけだ。唇を小さく開き、俺に救いを求めていた信子の顔……

俺は電話ボックスを出る。

冬の午後の光が新宿の駅前広場を照らしている。舗道の上にはさまざまな人間が、人生が、ぶつかりあいながらそれぞれ勝手な方向へ流れていく。

俺もその一人にまぎれこみ、俺だけの方向を目指す。俺はふたたび誰にも気づかれぬ隠れ場所に一匹の鼠となって潜み、次の機会を——あいつを殺す機会を狙う……

石津純一の死体は犯人の言葉どおり晴海埠頭の一画の倉庫から発見された。

横住と同じように、心臓をメスらしい凶器で三度突かれ、頸部に針金が二重に巻かれ、堀部の想像通り死体は白衣を着せられていた。後の解剖結果で出た死亡推定時刻は午前零時から一時。最終新幹線で東京へ戻り、すぐに現場へ連れてこられ殺害されたと想像された。

横住も石津も被害者だった。しかし犯人の言葉に根拠があるなら二人は白衣の下に加害者の顔も隠しもっていたのである。犯人は確かに妻の復讐のためだと言ったという。横住や石津が医師として誰を殺したのか。誰の死に二人の医師としての責任があったのか。

堀部が現場から戻ると同時に二つの重要な連絡が入った。

一つは病院に残っていた刑事からで、半月前にも、内科勤務の若い独身看護婦が、自宅付近で轢き逃げ事故で死亡しているという。轢き逃げ犯はまだ逮《つか》まっていないらしい。

「その田原京子《たはらきようこ》と石津内科部長は何年も前から特別な仲だったという噂があるんです。特別なというのは男女の関係のことですが……轢き逃げ事件には横住も石津も無関係ですがね、二人とも同時刻には病院にいたという確かなアリバイがありますから。ただその田原京子のもとにも犯人らしい男から電話が入っているのです。七時に電話が入った直後、彼女は急用ができたからと同僚に交代を頼んで病院を出、三時間後、高円寺路上で轢き逃げ死体となって発見されたんです」

もう一人、犯人の復讐の魔手にかかったらしい人物が出てきたのである。詳しくその看護婦の身辺を調べてくれと言って電話を切ると同時に再びベルが鳴った。

山下治代と津村民子、この一カ月の横住病院での死亡患者の遺族を洗いにいった刑事からの連絡だった。

「白血病の山下治代の方には別に不審な点はありませんね。夫には昨夜のアリバイがありますし。問題は津村民子の方です。駒沢の小さなアパートに住んでたんですが、夫の津村庄一《しょういち》は葬儀を済ませて十日後、部屋をそのままにして出てったままもう半月以上戻ってきてないんです……」

津村庄一、三十四歳。二年前から駒沢の朝日荘というアパートに住み、近くの洗剤工場に臨時工として勤めていたが、無口な性格で、それまで勤めていた会社が倒産して職場を変えたこと以外、工場でもアパートでも彼について知る者はなかった。

妻の民子は笑顔の明るい親切な女性だったが、彼女も自分たちの生活については余り語りたがらず、ひっそり暮している真面目《まじめ》な夫婦という印象だった。

葬儀にもほとんど人が集まらず、悲嘆にくれた津村にかわって友人だという男がいろいろ面倒をみた。葬儀の後、アパートの住人への挨拶《あいさつ》まわりもその友人がした。

「管理人が名刺をもらってるんですが、友人は伊原貞夫《いはらさだお》というT新聞社会部の記者です。今からその友人をあたってみます」

堀部警部は切った電話で、すぐに横住病院にいる刑事を呼び出し、津村民子という患者について詳《くわ》しく知りたいと頼んだ。

返事は四十分後に入った。

津村民子は昨年末から横住病院に入院し、治療には石津と院長自らがあたっていた。死亡したのはちょうど一カ月前一月十七日の晩である。その夜九時頃看護婦の田原京子がブザーを聞きつけ病室へ走ると、民子が異常に苦しんでいる。即座に石津を呼びに行ったが石津はその三十分ほど前に院長の自宅から電話が入り、院長が倒れたというのでその方へ駆けつけていた。

内科には若い頼りない医師が二人残っていただけなので、田原京子は院長宅へ電話をいれたが、石津は「今、手が離せないから」と言って当直の医師に電話をかわらせ症状を聞いて簡単に治療法を教えた。

若い医師はその通りを試みたが、四十分後患者は死亡した。石津が院長宅から病院へ戻ったのはそれから二十分後だったという。

「その辺の事情を患者の夫は知っていたのだろうか」

「ええ石津が病院に戻ったのは患者の夫が駆けつけた後だそうですから。石津に対しては何も言わなかったけれど、後で看護婦の田原京子に、何故《なぜ》院長や石津先生が診《み》てくれなかったと食ってかかっていったらしいです。野上《のがみ》という治療にあたった研修医がその時のやりとりを傍で聞いていたんですが、田原京子は院長や石津が駆けつけられなかった理由を患者の夫に全部話したということです。田原京子にも、どうして電話で石津先生をもっとしっかり説得してくれなかったかと非難がましい言葉を浴びせたそうです」

「石津の手落ちと言えるのかね」

「いや、石津が駆けつけたとしても助けることは不可能だったと病院側では言っています。それにあの患者は既に入院した段階で手遅れだったから、一カ月も生命が延びたのはむしろ院長や石津が直接治療にあたったお蔭《かげ》で、恨まれる筋あいではないとも——」

「わかった」

堀部は電話を切ると、院長宅へダイヤルを回した。院長夫人の横住広江に尋ねると、確かに一月十七日の晩夫が倒れたので石津を呼んだという。

この春学会で発表する画期的な治療法の研究のために心労が続いていたせいだったが、ただの過労で、一日病院を休んだだけで回復したという。

「それが何か?」

心配そうな被害者の妻の声に、適当な返事をかえし、警部は受話器を置いた。

津村庄一の友人の聞きこみにいった刑事から連絡が入ったのは、それから一時間後、早い二月の夜が刑事部屋の窓を黒く塗りつぶすころだった。

津村と友人の伊原貞夫はともに孤児院で育ち、社会に出てからも年に二、三回のわりで交際は続いていた。津村には子供の頃から陰気で神経質なところがあったが、五年前に妻民子と所帯をもってからは別人のように明るくなった。二年前それまで勤めていた小さな繊維《せんい》会社が倒産した際も、「俺には民子がついているから大丈夫だ」と笑顔を見せていた。その津村がしかし再び神経質な暗い眼を見せるようになったのは、昨年末妻の体が不治の病に冒されているとわかってからだった。死んだ時には異常な悲嘆《ひたん》を見せた。

伊原は特別津村と親しかったわけではないが、津村の妻の葬儀の面倒をみたり費用を負担したりしたのは、横住病院を紹介したのが自分だったからで、津村に何故あんな病院を紹介したと責められ、責任を感じたためだったという。

「それがですねえ、津村民子の死んだ時、院長や石津は病院の外にいて、治療に戻らなかったと……」

「いや、その話は今、岸本《きしもと》から連絡が入ってもう知っている。津村はその友人の伊原にも石津たちを恨んでいる素《そ》ぶりを見せたのかね」

「ええ。伊原は院長が病気で倒れていたのなら仕方がないじゃないかと慰めたそうですが、津村は、病気なんかじゃなかった、仮病に決まっている、あいつらは死んでいく病人の治療に戻るのが面倒だっただけだと……それを宥《なだ》めすかし、しまいには津村もわかったと答えたそうですが……」

伊原貞夫の知っているのはそれだけだという。半月前から津村がアパートに戻っていないことも初めて知ったので、行方に心当りはないと答え、もし津村から連絡が入ったらすぐに警察へ報《し》らせてほしいと頼むと黙って肯《うなず》いた。

「しかしあの伊原という友人はまだ何か隠してますね……勘《かん》ですが」

堀部への電話を切る直前に、刑事はそう呟《つぶや》いた。外は風がひどいらしく、初老の刑事は寒そうな声だった。

刑事が帰った後、喋《しゃべ》るのを避けるように夕刊に顔を埋めた夫の右腕を、伊原文代《ふみよ》はぼんやりと見守っていた。

セーターに隠れているが、夫の右腕には大きなL字形の傷があった。古い遠い昔の傷――夫はその傷のことに触れられるのが嫌《いや》で夏でも長袖《ながそで》のシャツを着ている。たぶん孤児院の頃の忘れてしまいたい思い出なのだろう。孤児院のことについては文代もできるだけ話題にしないようにしている。知っているのは両親が鉄道の事故で死んだことと、孤児院で皆から「ダボ」と呼ばれていたことだけだった。何故そう呼ばれていたかは夫も知らなかった。ただ、太ってどことなく緩みのある夫の体や今も顔に残っている腕白《わんぱく》そうな面影にダボという呼び名は似合っている……

「本当に津村さんがこんな事件を起こしたのかしら」

思いきってそう声をかけると、夫は夕刊のその記事から目をあげ、ため息とともに「わからんな」と答えた。

「でも津村さんほんとに奥さん愛してたし……」

そう呟いて、彼女もため息になった。

津村民子の死を思うと、彼女には一点後ろめたいものがある。

四年前、流産が原因で体調を崩し二カ月ほど病院に入院して以来、文代はずっと病気がちだった。二カ月の入院で一応回復したものの、それ以後も通院を続けている。医師は大した病気ではないと言っているが、疲れやすく、去年の秋も半月ほど入院した。その間に津村夫婦が一度見舞に来ている。津村夫婦とはそれほど親しくしていたわけではなく、陰気な影がある津村にはどうしても親しめなかったが、笑顔の優しい民子には好意をもっていた。その民子は「今は貧乏暮しなのよ」と言いながら津村の愛に包まれて本当に幸福そうに見えた。

ちょうどその頃夫が新聞社の仕事で忙しくめったに病院にも顔を見せず淋《さび》しかったのだろう、文代は一瞬だが、この人も病気になればいいわ、民子の笑顔を見ながらそんなことを考えたのだ。

そして実際その通りになってしまった。

民子が倒れたのは、その後間もなくだし、民子が死んで半月後、文代は医師からもう通院の必要はないと、完全な健康を約束されたのだった。まるで自分の一瞬の嫉《ねた》みが民子を死に追いつめ、自分の生命が民子の生命を犠牲にしたような後ろめたさがあった……

「私、どう考えたらいいかわからないわ」

文代は、記事にならんで載《の》っている二人の被害者の顔写真に、視線を落とした。

「私も何度かこの先生たちに会ったけど、私にはとても親切だったもの。あなただっていい病院だって言ってたじゃない。だから津村さんに紹介したんでしょ」

「少し黙っていろ。津村が犯人と決まったわけじゃないんだ」

夫は怒声になった。腹のたて方が普通ではない。それは言葉とは裏腹に犯人を津村だと確信しているからではないのか。

夫は刑事たちにためらいがちに答えていた。何かを隠しているように見えた。犯人が津村だという確証を握っているのだが、それを刑事たちに言えなかったのではないか。今のところ、津村のことをいちばんよく知っているのは夫だ。

針金？　犯人は殺害した後、首に針金を巻きつけたというが、針金のことで夫には何か心当りがあるのではないか。今夜帰ってくるなり、玄関の壁に吊《つる》してあった小さな鏡をひきちぎり、「こんな所へ鏡を飾るな」と怒ったが、あれは鏡ではなく、吊してあった針金に腹をたてたのではないか……

三十分後夫は浴室に入り、電話はその直後に鳴った。

受話器をとると、「あいつはいるか」と、その声は言った。

受話器を握る指がふるえた。夫をあいつと呼ぶ男は一人だけだった。声も間違いない……浴室のガラス戸越しに夫を呼ぶ声も緊張した。

上半身裸で出てきた夫は、彼女の口から、津村の名を聞くとはっきり顔色を変えた。

「俺だ」受話器に最初にそう声をかけ、「いや」とか「ああ」とだけ答えながら、最後に「明後日《あさって》の夜九時だな」と言って電話を切ろうとした。

この時夫は、彼女の視線が自分の右腕のL字の傷にそそがれていることに気づいたようだ。なに気なくだが、夫は体をねじり腕を隠した。


俺はゆっくりと受話器をおろす。

あいつの右腕には傷が残っているだろうか。孤児院を出てから俺は一度もあいつのむきだしの腕を見たことはない。だがあいつの腕の傷が消えたとしても、俺の記憶からは何一つ消えはしない。俺は遠い昔のL字の傷を今度こそあいつの生命にひいてやるのだ……俺は三人を殺害した。妻の復讐《ふくしゅう》のために。だが復讐はまだ完了していない。俺のもう一人の信子を殺した奴が残っている……俺は二十何年か経ってやっとあいつを追いつめたんだ。

あいつはまだ何も気づいていないだろう。電話の声の様子がおかしかったから、もしかしたら横住や石津を殺害した犯人が俺だと気づいたのかもしれない。昔、一匹の鼠《ねずみ》を絞め殺した罪悪感がまだ奴に残っているなら、二人の首に巻きついていた針金の意味がわかっただろうから……だが俺がまさかあいつにまで殺意を抱いているとは気づいていないはずだ。俺の体の中で二十何年間か一匹の鼠が鳴き声をあげ続けていたとは、俺がずっと復讐の機会を狙い続けてきたとは、気づかなかったろう……そう、俺はただ機会を待っていただけだ。そしてやっと機会はきた……

「津村は横住が仮病を使って診察を怠《おこた》ったと信じこんでるんでしょうか」

深夜の捜査会議でそんな意見が出た。

会議では津村民子の夫庄一を最有力容疑者に絞ることに決まった。証拠が何一つないので公表は避けるが、ともかく津村庄一の行方を追うことに捜査力を結集させることになった。

津村が一月十七日の晩、横住が倒れたのを仮病だと信じこんでしまっているのは間違いないようである。刑事の一人が聞きこみによって、昨夜九時ごろ横住が殺害された遊園地の脇を通ったという会社員を見つけだしたのだが、その会社員が「あんたは病気だと嘘を言ったんだ」という男の罵《ののし》る声を聞いている。

「そう、津村がそう信じこんでいるだけだ。実際に横住はその晩倒れている。奥さんと隣の医院の先生の証言がある。その点は津村のただの言いがかりだろう。しかし津村が横住や石津を殺害したのには、もっと別の確かな理由があると思う。横住たちは犯人にひどく怯《おび》え、百万の金を渡そうとしている。ただの言いがかりなら横住たちは一笑に付したろうからね。犯人に何か大きな事実を握られていた気がする。——看護婦の田原京子もこれで津村に殺害された可能性が濃くなったわけだが、ただ電話で石津に来てくれるようしっかり説得しなかったからという理由だけではなさそうだ……何かもっと他《ほか》にありそうだが……」

田原京子についてはまだ目下のところ、四、五年前から石津と愛人関係にあり、ちょうど津村民子が死亡した頃関係を清算したらしいということしかわかっていなかった。京子の同僚は「突然別れ話をもちだされたと言ってひどく悩んでいたから、死んだと聞かされたときは自殺かと思った」と言っているらしいが、自殺より他殺の線の方が強かった。

しかしもし津村が田原京子をも故意に車で轢き殺したのだとしたら、彼女の場合だけ犯行方法を別にしたことには理由があるのだろうか。横住と石津の二人は全く同じ方法で殺害されているのだ。

堀部は工場で貰《もら》ってきたという津村庄一の顔写真を見た。瘦《や》せて暗い目をしていた。裂けめのように暗い影をのみこんだ目の奥底には、だが一点得体《えたい》の知れない光がある……

「犯人はもうこれで復讐を終えたのでしょうか」

「いや、津村がただ闇雲《やみくも》に妻の死に関係した者たちを殺しているのなら、石津のかわりに最後の治療にあたった二人の若い医師も狙われる可能性がある」

その二人にはおかしな電話がかかったら真っ先に警察に連絡するよう指示してあったが、この点に関しては堀部の推察ははずれた。

犯人が次に狙っている人物は全く別のところから現われたのである。

翌日の早朝、容疑者の友人伊原貞夫が警視庁を訪れ、警部に面会を求めてきた。

伊原が新聞記者なので、事件に巻きこまれたのを幸い特種《トクダネ》にありつこうとしているのかとも警部は心配したが、伊原の顔色は蒼《あお》ざめ、しばらく口ごもった後、意外な事実を口にしたのだった。

「昨夜津村から電話が入り、明日夜九時に会うことに決めました。津村は私を殺すつもりでいます。警察に私の生命を守ってもらいたいのです」

「なぜ昨夜のうちに連絡しなかったんです」

「文代――女房の前では言えないことがあったんです」

「いったいどういうことです？　あなたは、津村庄一が今度の事件の犯人だと確信してるんですね」

「はい」

「それであなたをも殺すというのは、あなたが病院を紹介したからですか」

「それもあるでしょう。最初奥さんは大学病院で検査を受け、脳腫瘍の診断をされたんです。津村が大学病院で治療を受けさせたがっていたのを、私が無理に勧めて横住病院を紹介したのですから……横住先生たちを殺害したのも、二人が最後の治療に駆けつけなかったのを恨んでいたからだということも確かにありますが……その裏に二人を殺害した動機がもう一つ隠されています」

「というと？」

「横住先生が白血病の権威であることは御存知ですね。先生はこの数年新療法を試み、何人かの患者の生命を延ばすのに成功しています。この春には学会でも発表すると言ってましたが、その療法はまだ先生と石津先生しか知らなかったんです。その二人が死ねば治療を受けていた患者は死期を早めることになります。私の女房もその一人です」

「奥さんが……」

「本人には別の病名でごまかしてありますが、四年前に白血病の診断を受けています。しかし先生らの治療のおかげで普通なら一年だという命を数年に延ばすことができたんです。現に最近は体調もいいようです。上手《うま》くいけばあと三、四年は生きられるかもしれないと言われていた所でした。津村は自分の妻が死んだのに、私の女房だけが生きているのが許せなかったんです。私もいけなかったんです。民子さんの葬儀の晩に俺の女房の方はまだ何年も生きられるという言い方をしてしまいましたから。私としてはあまり先生たちを恨んでるようなので、先生たちが悪人じゃないことを証明して宥めるつもりだったんですが……しかし考えてみれば自分の妻が死に私の女房だけが生命を保証されたというのは津村を何より傷つけることだったんです」

「嫉《ねた》みですか」

「ただの嫉みじゃありません。私は昔津村のいちばん大事にしていたものを奪いました。津村はだからいつも私の大事にしてるものを憎悪していたんです。横住先生らが死んで、いったい女房の体はどうなるのか昨日から気が気じゃありません。津村の狙いはそこにもあります。もちろん女房だけでなく、明日には私をも殺すつもりでいます。……私は昔、津村のいちばん大事にしていた鼠を一匹殺しました」

「鼠？……昔、鼠を殺した恨みであなたや奥さんの生命を奪うというんですか。馬鹿な！」

堀部が、呆《あき》れて発しようとした笑い声を、伊原の真剣な目が制した。

「そう思われるのは津村という男を知らないからです。子供のころ津村は私が鼠を殺したと知ると、ナイフで切りつけてきました」

伊原はちょっとためらってから右腕のシャツをたくしあげた。腕には古い傷が鉤裂《かぎざ》きに残っている。アルファベットのLに似ていた。

「誰も制《と》めなかったら本当に殺されたと思います。傷を見るたびにあの時のあいつの目を……社会に出てからも会う時はたがいに何気ない顔をしていましたが、私はいつもあいつの目に怯えていたし、あいつもいつもあの時の目で私を見てたと思います。私が津村にいろいろ親切にしてやったのはそのためです」

大きな傷はそこだけ皮膚が違う色になって、生き物のように伊原の腕に這《は》って見えた。事実その傷の中に、津村の少年時代の殺意は三十年近くを経て今も生きているのかもしれない。

堀部は津村庄一の写真を思いだした。目には色がなく、小さな穴からじっと覗《のぞ》いているように無表情で冷やかだった。得体の知れぬものを秘めていると感じたが、それが昔自分の鼠を殺した伊原に抱き続けた殺意だったのかも知れない。

「被害者の首に針金が巻きつけられていると知ったとき、犯人は津村だと確信しました。

そして誰より私の女房や私の命を奪いたがっていると……」

伊原はそう言って一度唇を閉じてから、

「俺はあいつの鼠を針金で絞め殺したんです」

吐き出すように言った。


石津家でお手伝いをしている中田昭代《なかだあきよ》は、朝早く実家から戻ってきたまま、着替えもせずぼんやりしている洋子の前にコーヒーをさしだしながら、その顔をのぞきこんだ。

一晩で未亡人になってしまった洋子は目の下に黒い隈《くま》ができて憔悴《しょうすい》しきった顔だった。

「どうかしたの」

「いいえ、別に……」

昭代は部屋を出ると、やはりあの若いハンサムな刑事さんに直接話そうと思った。昨日、家宅捜査が終って帰るとき、明日もまた昼前に来ると言ってたから。本当は奥様に断ってからと思ったけど、奥様は警察に話すなと言いそうだ。
五、六日前の晩奥様の留守中に院長から旦那さんにかかってきた電話のことだ。その電話に旦那さんは小声で「いや、お義父《とう》さん、心配ないです。あいつははっきりした証拠を握っていても私たちの罪を世間に公表できないんです。知られて困るのは奴の方ですから」そう言ったのだ。何のことだろうと思って頭の中で何度も反芻《はんすう》してみたから、はっきりと憶えている。

今度の事件と関係があるかどうかわからないけど、あの若い刑事さんはきっと私にお礼を言うだろう。でも電話を盗み聴きする癖があることは黙っていなければ……そう偶然立ち聞きしただけだと言わなければ……

堀部は伊原の想像を全部鵜呑《うの》みにしたわけではなかったし、伊原自身も最後には「事件に衝撃を受けすぎておかしな妄想を喋ったのかもしれない。津村が本当に私を殺そうとしているのだとしても、私がいい加減な病院を紹介したことで恨んでいるだけかもしれません」と訂正《ていせい》した。

しかし伊原の言葉は少なくとも、被害者の首に何故針金が巻きつけられていたかの理由を説明している。その点では単に伊原の妄想と片づけるわけにはいかなかった。

それに津村は明日午後九時、伊原と会うのに神宮外苑《じんぐうがいえん》の人気《ひとけ》ない場所を指定している。伊原を殺害するつもりでいる可能性は充分考えられた。たとえ殺意はないとしても、明日の晩津村はその場所に現われるのである。

堀部はただちに何人かの刑事を呼び、明日九時、その場所に張りこむ態勢を検討した。

伊原貞夫はいつもと変りない顔で出社し社会部と記されたドアを開いた。いつもと変りない喧騒《けんそう》が耳を突いた。

警視庁づめでなくてよかったと思う。警視庁づめだったら彼自身が今度の事件を担当しなければならなかっただろう。彼の机のまわりで同僚たちが事件の噂《うわさ》をしていた。まさか彼がその事件と関《かか》わりあいをもっているとは誰ひとり考えていない。警察には自分の名は絶対に公表しないでくれと頼んでおいた。

いつもと変りなく仕事をし、午後零時十分、彼が立ちあがろうとした時、机上の電話が鳴った。

受話器をとり「はい、社会部」と答えるとその声でわかったらしい、「俺だ」受話器の声は言った。津村だった。伊原は「ちょっと待ってくれ」と言い、交換台に切りかえて、この電話を会議室へまわしてくれと言った。

それから急いで部屋を出ると会議室へ入った。暖房のはいっていない会議室は冷たく、窓を覆う冬の雲に閉ざされて灰色だった。

伊原は片隅の電話機をとり、「俺だ」と言った。

受話器から聞きなれた津村の声が流れだし「明日は都合が悪くなった」と言った。

俺の唇から声がゆっくりと受話器にむけ、ダボの耳にむけて流れだす。

「ダボ、悪いが今夜会ってくれないか、今夜七時。どうしても今夜中に会いたい」そう明日より今夜の方がいい。あいつがまだ何も気づかないうちに……

あいつは沈黙する。返事をためらい、それから「それは困る」と答える。「どうして。何か特別な用があるのか」「いや……だが……」声の様子が変だ。やはり針金の意味に気づいたのだろうか。俺が横住や石津を殺し、あいつを殺そうとしていることにも……俺は一瞬迷い、あいつが何もかも気づいているほうに賭《か》ける。

「ダボ、お前は気づいているんだろう、俺があいつらを殺したことに」

「……やっぱりお前だったのか……」

想ったとおりだ。あいつはそれほど馬鹿じゃない。俺は思いついたデタラメを言う。

「最初から殺して自首するつもりだった。その前にお前にだけ、俺の本当の気持を語っておきたい。その後で俺と一緒に警察へいってほしい……」

俺は嘘《うそ》を言うのに馴《な》れている。昔医師に矯正されてから、俺は人生でデタラメばかり言ってきたんだ。あいつは俺を信用していいか迷って沈黙を続けている。

「ダボ、お願いだ。俺にはお前しかないんだ」俺は八歳のときの声で言う。ダボを肯《うなず》かせたい時、俺はいつも八歳の声で喋った。そうするとダボはちょっと困った顔をするが、結局俺の言葉を受けいれる他なくなるのだ。

「わかった」ダボは答える。今までとは違う完全に俺を信用した八歳の声だった。受話器のむこうで目尻をこすり困っている顔が俺には見える。俺たちは誓いの儀式をして以来、本当の兄弟のように仲良くやってきたんだ。

俺は七時に国会議事堂の前で待っていると言い、電話を切る。

東京の空は暗く、今にも雨が降りそうだった。腕時計を見る。あと七時間……

ダボに語ったデタラメの中にはたった一つ真実があった。「お前にだけ、俺の本当の気持を語っておきたい」

　俺は今夜、あいつに俺の本当の気持を語るだろう……言葉ではなく手で。


　午後二時までに堀部の耳には三つの情報が入った。

　一つは津村庄一の写真をもって病院に調べにいった刑事からで、病院関係者の何人かがこの半月近くの間に津村らしい男が病院の表をうろうろしているのを見かけたという。津村は院長や石津の行動を監視していたらしいのである。

　二つ目は津村の妻を最初に診た大学病院の教授の証言で、患者の症状では大学病院に入院したとしても結果は同じだったろうというものである。だとすると津村の妻の死に横住らは何の責任もなく、津村が根拠のない恨みから犯行に出たとしか言い様がなかった。

　問題は三つ目、石津家に住みこむ十八歳の娘が数日前の晩聞いたという石津の電話の内容である。若い刑事から報告を受けた堀部は、遅い昼食につけていた手をとめ、腕を組んだ。

「石津が電話であいつと呼んだのは犯人のことに間違いないだろうが……どういうことだろう。横住たちのミスを犯人が公表できない立場だというのは……」

「だから心配は要らないと言ったそうです」

「ミスというのは治療ミスのことだろうが……そのミスについて犯人ははっきり証拠を握っているのだが、公表したら犯人自身も困る立場になるというんだね」

「ええ、お手伝いの記憶違いでなければ……」

肯《うなず》くと、若い刑事は堀部をまねて、眉間《みけん》に皺《しわ》を寄せた。

町にはいつのまにか細い雨が降りかかり、既にあちこちでともりだしたネオンの色を濡らしている。この雨とやがて訪れる夜とが、今夜七時に都心の一画で起こる一つの犯罪を隠してくれるだろう。俺はゆっくりと時計を見る。午後四時二十分。あと二時間四十分だ……

寝不足で疲れた顔を洗おうと廊下に出た堀部はふと、通りかかった記者らしい二人連れが、

「大谷《おおたに》の奴、仮病に決まってるさ」

と苦りきった声で呟くのを耳にした。

大谷とは今騒がれている汚職問題での重要証人といわれている国会議員だが、今朝心筋梗塞《こうそく》で倒れ大学病院に入院したと発表された。堀部も証言を避けるための仮病だとは疑っているが、今は仮病でもあの心労では本当に病気になってしまうのではないか……そう考えたところで、堀部の足はふと停《と》まった。仮病？

そのまま顔を洗わずに部屋に戻った堀部はしばらく腕を組んで考えこんでいたが、やがて、「横住病院へ行ってくる。自分で調べてみたいことがあるんだ」

そう言い残して部屋を出た。

一時間後、堀部は病院で四年前の横住の診療記録から松本《まつもと》シズという一人の女性患者の名を見つけだし、その家に電話を入れた。

「えっ死んでる？　シズさんは昨年末に亡くなってるんですね」

受話器にむけて大声で叫ぶと、今からそちらへ伺いますと言って電話を切り、病院の待合室に掛った時計を見た。

あと二分で七時だった。


七時ちょうどにダボは通りを横切ってやってきた。孤児院では錆《さ》びたベルの音どおりに動いていたから、俺たちは時間に正確なんだ。

議事堂の正門の前で周囲を見回したダボに、俺は車のライトを三度点滅させ合図した。不審そうに近づいてきた影に俺は「ダボ」と呼びかけ、助手席のドアを開いた。ダボが乗りこみ、俺は「済まない」と言う。

「一人で自首する勇気がないんだ。いつもお前には迷惑ばかりかける」

ダボは肩の雨を払うと慰めるような笑顔をむける。

「何もかも話す」と言い俺は何気なく車の流れの死角に車を乗りいれる。

「いつ車を買ったんだ」

「借り物だよ。レンタカー。明日の朝警視庁の駐車場へとりに来る約束になっている」

本当は半月前知人に頼んで買わせた俺の名義じゃない中古の車だ。この車であの看護婦も殺した。

警視庁という言葉がダボを安心させた。

「なぜ殺《や》った……奥さんの復讐のためか」

俺は黙ってうなずく。

「なぜ首に針金を巻いたりした」

心配そうに尋ねてくる。やはり子供の頃自分が犯した罪を忘れられずにいるのだ。

俺は何も答えず、ちょっと淋しそうな微笑でダボの目の光を見返していた。俺は二十数年経ってやっと俺の一匹の鼠を殺した奴をここまで追いつめたのだった。

「すきま風が入ってくる。ドアが閉まってないんじゃないか」

俺は言った。確認のためにダボが体をねじる。俺はその瞬間隠しておいたスパナを握りしめ、ダボの後頭部にふりおろした。

二度、三度――

ダボはふり返る余裕もなく、叫び声をあげる余裕もなくただ反射的に右手をサイドガラスに貼《は》りつかせただけだった。窓の外の何かを摑《つか》みとろうとしたようだった。やがてその手がすべり落ちたむこうに議事堂が大きく聳《そび》えたって見えた。

夜の町には、冬の雨が冷たく降りかかっていた。遠くを、車のライトが雨に音と色を奪われながら、かすめ通った。町は午後の光が焼きつけた陰画の中で、死に絶えたように見えた。

俺は二十何年間かの復讐物語のしめくくりにポケットから針金をとりだし、ダボの首に二重に巻き、両手いっぱいに力をこめた。長い時間そうしていた。俺の手から最後の力が針金へと流れだすと、俺の体はもう空っぽだった。やっと俺の憎悪から解き放たれ、ダボはあお向けの顔を俺の左肩に落とした。

俺たちは二つの死体のようにじっと動かずにいた。遠い街燈がダボの顔の線を闇に浮びあがらせている。目を見開き、唇を奇妙な形に歪《ゆが》めていた。最後の瞬間、ダボが叫ぼうとして叫べなかった声を俺はその形に読みとろうとする。「許してくれ」ダボはそう言いたかったのだろう。

俺はその唇を無理矢理閉じさせたが、それでもダボの顔は歪んで見えた。子供の頃の出《で》来損《きそこな》いの粘土細工を見ているような気がした。皆は笑ったが俺はその出来損いの形が割と気にいっていた。もしダボが俺の鼠を殺しさえしなければ俺たちはもっと別の関係があったはずだった。俺たちはともにひとりで、手をつなぎ合うより他なかったのだから。

「ダボ――」

俺はもう一度だけ八歳の声で呼びかける。そしてそれが俺がダボに向けた最後の声だった。ダボの唇ももう何も答えない。どのみちダボの方でも一度だって俺に本心を語ったことはなかったのだ。ダボが俺に聞かせた声のうちで唯一本心を伝えていたのは、二十何年か前、俺のナイフに驚いてあげた叫び声だけだった。

俺はシートを倒し、ダボの死体に毛布をかけた。毛布から右腕だけが流れだした。手首の時計がもうダボには何の関係もなくなった時の流れを刻んでいた。

俺は袖口のボタンをはずし、ダボの腕をむきだしにした。ライターの火を寄せたが、その腕にはもうかすかにも傷の痕は残っていなかった。

俺はそのライターの火で自分の腕を確かめた。遠い昔、俺たちは仲直りのために子供じみた誓いの儀式をした。俺はダボの腕の傷にむけて「悪かった」と一度だけ言い、それからダボにナイフを握らせ「同じようにやれよ」と言い、俺の右腕をさし出したのだった——そして二十数年の歳月はダボの右腕から傷痕を消し、俺の右腕だけにL字の傷を残した。

八時半に戻った堀部は、晩飯をかきこんでいる若い刑事の肩を叩くと、ため息とともに、疲労で重くなった腰を椅子に沈めた。

「どうも我々はとんだ間違いをしていたようだ……犯人は津村庄一じゃないな」

「なぜです……」

「津村の妻が既に死んでいるからだよ」

「しかし、死んだからその復讐で……」

「いや。いいかね。私がどうしても気になっていたのは、横住や石津が何故《なぜ》、犯人の握っている自分たちのミスの証拠にああも怯えていたかだ。石津は横住に電話で心配は要らないと言ったそうだが、それは犯人の側にもそのミスを公表できない事情があったからで、犯人の握っていた証拠自体にはひどく怯えていた」

「石津は横住への電話で、犯人は確証を握っていると言ったそうですが……」

「そう、問題はそこだ。犯人が津村だとして、事実その妻の死が横住たちのミスのせいだとしても、津村にそんな確証が握れるだろうか。死体が残っていれば別だ。死体ならミスの痕跡《こんせき》が残っていてもおかしくない。大きな証拠になりうる。しかし津村の妻の死体はもう既に焼かれてしまって消滅したも同然なんだ。死体さえなければ横住たちはいくらでも言い逃れができるんじゃないかね。それなのに何故ああも怯えていたか……それで私はこう考えたんだ。横住たちが怯えたのは自分たちのミスの証拠であるその死体がまだ生きているからではないのか」

「死体が生きている？　死体がまだ焼かれずに残っているということですか」

堀部は肯《うなず》いた。

「しかし、今までのところ病院で発生した死亡者でまだ火葬されていない者はない。とすると、死体は焼かれていないだけではなく、まだ生きていると思えるんだ」

「いったいどういうことです」

「横住たちのミスで殺された患者の死体がまだ生きている、そう考えれば、何故犯人がそのミスを世間に公表できない立場にいるかわかる。犯人は世間じゃなくたった一人の人物にそのミスを知らせたくなかったのだ。ミスが公表されたらその人物は、自分が横住たちのミスのせいで既に殺されたも同然の死体になっていることに気づいてしまう――犯人はそれを恐れた。まだ生きている彼の妻が自分自身の死に気づいてしまうのを恐れたんだ。犯人は、妻のために復讐したことを、当の妻にだけは気づかせたくなかったわけだな」

俺は、ダボの死体をロープで縛り、重い石をつけて、晴海埠頭《ふとう》の、横住の車を沈めた場所に投げこみ、有楽町へ戻った。

新聞社の近くに架空の名で借りてある駐車場へ車を置き、地下鉄で家へ戻った。家の窓に燈《ひ》が点《つ》いている。カーテン越しに燈は緑がかって見える。冬の冷たい雨の中でそれは本当に幸福な色をしている。事実その燈に包まれて、俺たちの結婚生活は本当に幸福だったのだ。その時まで――

偽の大理石に伊原貞夫、文代と彫られた門を入り、ブザーを押す。やがて内側から錠をはずす音が聞こえ、ドアが開き、妻のいつもの笑顔が俺を迎える。

妻、信子、俺の一匹の鼠。

五つの部屋と、黄色い絨緞《じゆうたん》と、複製の風景画と、白いレースのかかったソファ。それが俺の八歳の夏の納屋であり、今度の事件の隠れ家《が》だった。妻がまだ生きているこの家に復讐鬼が潜んでいるとは警察が気づくはずがない。妻も何も知らずにいる。俺がたった今ダボを殺してきたことも、俺が妻のために三人の病院関係者を殺害したことも――自分の生命があと残り少ないことも。

妻はまだ俺の本当の過去を知らない。真実を話しても妻の愛情が変るとは思わなかったが、俺は、父親が母親を殺したことだけは、どうしても口にできなかった。俺はそれで、ダボの過去を自分の過去のように話した。ダボにそのことを断ると、ダボは「いいよ」と言った。「俺たちは友達じゃないか」俺は妻に、孤児院ではダボと呼ばれていたと言い、妻はダボという名は俺に似合うと答えた。

事実、痩《や》せて陰気な目をした本物のダボより、その呼び名は、太った、牛のような大きな体をした俺のほうに似合っていた。


「津村庄一が犯人じゃないとすると、犯人は誰なんです」

「その津村を犯人だと思わせるために今朝私たちに会いにきた男だろう」

「伊原――しかし伊原の奥さんは横住のお蔭《かげ》で生命が延びたんじゃないですか」

堀部はため息をついた。

伊原を犯人だと確信しているわけではない。今のところは想像にすぎない。明日午後九時、神宮外苑に津村がやって来たら、自分の想像は間違っていることになる。だが堀部は津村が来ない方に賭けている。おそらく津村はもう伊原の手で殺害されているのではないか。死体を隠匿《いんとく》し、死んでしまった犯人を警察に永久に追わせるつもりでいるのではないか。

「君だって仮病を使ったことはあるだろう。私も子供の頃何度か使ったが、一度病院に連れていくと言われてね、あの時は本当の病気になってくれないかと思った……横住も同じことをしたのだ」

「仮病というと、津村民子が死んだ晩、横住が自宅で倒れたことですか」

「いや、津村や妻の民子は今度の事件には何の関係もない。津村民子の死に院長たちの責任は何もなかった。伊原がその死を自分の犯行の隠れ蓑《みの》に利用しただけだ。実は、私が今日病院で調べたところでは、伊原の妻文代が初めて院長の診察を受けたのは、四年前の一月初旬だ。医師の一人が症状から白血病の可能性があるとみて院長に回し、院長自身の診察と検査の結果、白血病と診断された。ところがちょうど同じ日にもう一人、松本シズという女性が検査を受け、この方にはただの栄養失調という診断が下されていた。ところが私がその松本シズの家に電話を入れてみると、シズは四年経ち昨年末に白血病で死亡したというんだ。シズは横住病院の診断だけでは納得できず、大学病院で検査を受け、そこで白血病と診断されたのだという——つまり血液の検査か何かで横住が伊原の妻と松本シズをとり違えてしまったと想像できるんだ」

「誤診……」

「そうだ。しかも、横住がそれに気づいたのは伊原文代の夫に白血病だと断言し、既に治療も始めてしまった後だったと思う。横住は誤診のことを伊原に言うことはできなかった」

「何故です」

「伊原が新聞記者だからだ。誤診のことを必ず記事にするだろう。横住はそう考えた。白血病の権威である横住には、その些細《ささい》なミスは致命的な傷だったのだ。これがもし当り前の病気なら治療のふりを続けて退院させればよかったかもしれない。しかし目下のところ、あくまで目下の所だがそれは死につながった病気なんだ。治療の結果、完全な健康体に戻ってしまったら誤診に気づかれる可能性があった。松本シズの家には直ちに内科部長が出かけ再検査をしたいと申し出たそうだ。この時シズはもう大学病院で検査を済ませた後だったんだが石津は、『うちの病院で検査をしたことは大学病院にも誰にも内密にしてほしい』と頼んで大金を置いていったという。しかし伊原の妻の方には打つ手がなかった。いや、たった一つだけ……誤診の事実から逃れる方法が一つだけあった……」

刑事の瞠《みは》った目に、堀部は肯いた。

「そう、本当の病気にしてしまうことだよ。四年前の一月、横住たちは入院した伊原の妻に治療ではなく発病させたんだ」

「どうやって……」

「放射線を浴びさせたのだろう。癌《がん》の治療などでは放射線を使うが、度が過ぎると白血病を起こす危険があるという。もちろん死なない程度に細心の注意を払って浴びせたのだろうが、患者というのは弱い立場だ。医師が何をしていようと、それが治療法だといわれれば鵜呑《うの》みに信じている他はない。文代自身だけでなく、横住たちは地位を利用して病院内の誰にも内密で、それをやってのけた。さっき、ミスの証拠が生きている文代の体に残っていると言ったのは、その放射線を浴びた痕跡のことだ。おそらく文代の体に何らかの痕跡が残っているだろう。それだと横住たちには致命的だ。白血病と診断した患者には絶対放射線治療などおこなわないものだから」

「しかし放射線を浴びせたからといって、即死させない程度なら、すぐには効果は現われないでしょう」

「そう——四年かかった。去年の秋にも、伊原文代は入院しているが、その時が、四年前の放射線の効果がはっきりと、現われたときだったと思う。やっと伊原文代を本当の白血病にすることができた——横住らはそう思ってほっとしたろうね。四年間、二人はビクビクしながらも気長に待ち続けたんだろう」

刑事は、顔を歪めた。

「そんな残酷な方法をとるより、なぜ四年前にいっそ殺害してしまわなかったのですか。院長という立場なら病死と偽って殺害する方法はあったでしょう。その方がまだ救いがある……」

「いや、文代は流産で体調を崩していたとはいえ病気ではなかった。健康ともいえる者を病死と偽って殺すというのはやはり大きな賭けだ。それより文代を治療しているふりで、彼女が生きていられるのは自分たちのお蔭だという風にして、夫に恩を売っておいた方がいいと思ったんだろう。評判があがるし、新聞記者である伊原を恐れるぶんだけ味方につけておきたいと考えたんだ。事実、昨日伊原貞夫が私たちの前で語った横住たちへの感謝の気持は、ごく最近までの本当の気持だったと思う。これは想像だが看護婦の田原京子は院長たちの秘密を知っていて、石津に棄てられた恨みから、何もかも伊原に喋ったのではないだろうか——今度の復讐《ふくしゅう》事件はそこから始まったと思う」

　堀部は深いため息をついた。

「公園で横住が殺されるとき、犯人らしい男が『あんたは病気だと嘘を言った』というのを聞いた証人がいたね。あれは『あんたは俺の妻が病気だと嘘を言った』という意味だと思う。犯人は横住たちを殺人犯だと言ったというが、それは事実だった。横住たちは伊原の妻に死を与え、彼女を死に追いつめた。四年前、放射線を使った段階で、既に殺人事件は発生したといっていい。当の横住たちにさえ、もう被害者の死を防ぐ方法はなかったのだから。伊原はその死に復讐したわけだが、我々はまさか被害者がまだ生きている殺人事件があるとは考えてもみなかったので、過去の死亡者だけに目を向けてしまったわけだ。——横住たちの死体が着せられていた白衣だが、あれはただ医師としての横住たちの責任を告発しようとしていただけでなく、白血病の白という色を訴えたかったのかもしれない」

　津村の奥さんの葬儀がすんで五日目の晩、俺が家に戻ると、妻は静かな寝顔で眠っていた。その夕方俺は社に突然、田原京子という看護婦の訪問を受け、すべてを聞かされたのだった。彼女は石津の愛を失い、石津への報復のために何もかも俺の手で記事にしてくれと言ってきたのだった。

「放射線を浴びせて、発病するのを待ち続けていただけじゃないのよ。病気に見せなければならないので、治療と偽って通院させ、体力を弱めたりもしたの。それはいろんな方法を使って……人体実験やってたようなものだわ」

彼女は聞いているのが患者の夫であることも忘れて、得意気に喋った。尤《もっと》も俺はただ冷やかな目で見つめていただけだから彼女は俺がその話にどんな衝撃を受けていたかはわからなかっただろう。彼女の目を見つめながら俺はその瞬間にもう横住や石津を殺す決心をした。

目の前の女も殺そうと思った。妻が白血病でないことを入院十日目に気づいたのは石津で、その直後に横住と石津がいっそのこと本当の病気にしてしまおうと相談しあっているのを田原京子は立ち聞きしたのだった。だったら彼女は二人を止められたはずだ。それなのに四年が経ち男に棄てられて今ごろになって真実を喋る気になったのだ。だが「何故今まで黙っていたのだ」とは責めなかった。俺は言葉ではなく、近々手で怒りを表現すればいいと思った。

「近いうちにまた連絡する」と言って彼女を帰し、その後ろ姿を見送りながら、彼女をまず、横住たちに疑いを起こさせないように事故か何かに見せかけて殺そうと考えた。どのみちすべてを知っている彼女の存在は二人を殺害するのに邪魔だったんだ。

家に戻るまでに津村の、ダボの奥さんの死をも利用した計画を細部まで決めた。ダボを殺すことにしたのは、死んだダボを犯人として追わせ、警察の捜査を混乱させるためもあったが、何より俺の胸の中で二十数年鳴き続けてきた一匹の鼠《ねずみ》の声が本能的に要求したのだ。田原京子の話を聞きながら〝鼠〟――俺にその言葉が浮かんだ。

院長らにとって妻もまた実験用の一匹の鼠と変らなかったんだ。今度の復讐は、二十数年前の一匹の鼠のためでもあるのだと自分に言い聞かせた。その晩既に、家への帰路で俺は針金を買った。

妻は闇《やみ》に白い顔で浮び、いつもの癖で薄目をひらき、小さく唇を開いて眠っていた。その唇が俺に救いを求めているようだった。その時まで俺たちは本当に幸福だったんだ。四年前、横住から白血病だと言われたときは絶望で目の前が真っ暗になった。だが、結局は運命と諦《あきら》めたのだった。そして残り少ない月日を一生ぶん幸福に暮せばいいのだと――だが運命ではなかった。奴らが死に追いつめたんだ。妻はまだ生きていたが、既に殺されたも同じだった。妻の体に塗りこめられた奴らの殺意は、白い血となって赤い血を、妻の生命を食いつくしはじめ、もう誰一人とめることはできなくなっていた。

俺は妻の耳に初めて「信子」と呼びかけ、この晩の妻の顔を絶対に忘れないと心に誓い、翌日から計画に着手した。

俺はダボにすべてを話し、奴らの罪を新聞で暴きたいから、病院の近くに部屋を借りて、奴らの行動を見張ってくれないかと頼み、金を渡した。無意味なことだが、後にダボを犯人に仕立てるための伏線《ふくせん》だった。

自分の妻の死への恨みもあったのだろう。ダボは俺に同情し、簡単にその仕事を引き受けてくれた。どのみちダボは二十数年前俺が閃《ひらめ》かせたナイフに怯《おび》え続け、たえず俺の機《き》嫌《げん》をとり、俺の頼みは必ず聞きいれてきたんだ。俺はダボの新しい部屋に毎夜電話を入れ、無意味な報告を聞きながら、その裏で田原京子を死に追いつめ、横住に電話をいれ、俺は何もかも知っていると告げた……

三日前、俺はダボにもう監視をうちきっていいと言い「来週には記事にする」とデタラメを語り、会いたいから明後日の晩遅くに家に電話をいれてくれと頼んだ。昨夜、約束どおりかけてきた電話で、ダボは「新聞で読んだ。あの二人殺されたんだな」と怯えた声で言った。殺したのはもちろん俺だったが、俺は適当に相槌《あいづち》を返しただけで、明後日に会う約束を決めた。この時、浴室から出てきて裸だった俺の腕の傷に妻は視線を注いでいた。なに気なく俺は体をねじり腕を隠し、――ゆっくりと受話器をおろした。あいつの腕には傷が残っているだろうかと思い、やっとここまでダボを追いつめたと思い、もしかしたらダボは横住らを殺したのが俺だと疑っているだろうと思った。事実ダボは疑っていたし、針金の意味にも気づいていた。俺に会うのは危険だと思ったのだろう。今日の夕方、俺の方で電話しようと思っていたが、午後に自分から社へかけてきた。俺が会議室へ切り換えると、受話器からあいつの聞きなれた声が流れだし「明日は都合が悪くなった」と言った――俺の唇から声がゆっくりと受話器にむけ、ダボの耳にむけて流れだした。「ダボ、悪いが今夜会ってくれないか、今夜七時」……そして二時間前、俺はダボを殺した。

こうして俺は全部の復讐を終えた。残っているのは明日神宮外苑にいき、津村が現われないのを不審がる刑事に、「津村は私を見張っていて警察に行ったことに気づき、逃げたのだろう」とデタラメを言うことだけだ。何もかも簡単に済んだ。この二十日近く俺はただ義務に従うようにためらわず行動しただけだった。事実それは納屋で鼠の死骸《しがい》を見つけた八歳の時からの俺の義務だった。そして今夜、俺はやっと二十数年前の記憶と俺とをつないだ一本の針金を断ちきったのだ。

俺がためらったのは一度だけだった。遊園地に誘いだした横住が、俺のとりだしたメスを見て「私が死んだら奥さんの生命は短くなる。数年前からの研究の成果が出たんだ。まだ文字にはしてないから私が死んだら奥さんの命はあと半年だ。私の治療法を使えば確実に何年かは延ばせる」そう訴えたときだけだった。俺は妻の何年かの生命と復讐との間で、一瞬ためらい、だが結局復讐を選んだ。悪魔の研究が多くの妻と同じ患者を救うかもしれないとも思ったが、手は次の瞬間、復讐を選んでいた。俺はどのみち自分の人生しか生きられないのだ。遠い昔、俺が物心つく前に父親が母親を殺したその時から……

俺はあの遊園地での一瞬の選択を今も悔んではいない。何も後悔はないし、逃げのびようとも思ってはいない。俺がダボを犯人に仕立てたのは、その時が来るまで妻に何も知らせたくないからだった。残り少ない月日、最後の幸福な時間を過すために……その後のことは何も考えていない。

ノックとともに、妻がドアを開き、雨に濡れたまま寝室に閉じこもった俺を心配そうに見つめる。そしてタオルで俺の髪をふきながら「警察へ行って、津村さんから電話があったことを話した?」と尋ねる。俺は「何も心配は要らない」と言って妻の体をひき寄せる。

妻は床に座り、ベッドに座った俺の膝《ひざ》に頭をのせる。柔らかい髪が俺の脚にからむ。何も心配しなくていい。何も知らないまま、いつものように微笑《ほほえ》んでくれ。横住に電話をして俺はまっ先に「妻に完全に健康は戻ったと言え」と命令したが、その言葉通りを信じて微笑んでいてくれ。お前には笑顔しか似合わない。何も心配は要らない。俺はもうお前を、誰も気づかない俺の胸のいちばん奥深い闇に葬ったのだから……信子、俺の一匹の鼠。お前のあたたかさを俺に伝えてくれ。お前の息を、お前の生命の鼓動を、お前がまだ生きている証拠を聞かせてくれ。俺たちに残された時間はあとわずかだが、俺たちは今、この瞬間がいちばん幸福なのかもしれない。信子、俺と最後の遊びをしよう。あの納屋に戻りもう一度二人だけで遊ぼう……誰にも邪魔されずに……今度こそ本当に二人きりで……

二重生活

「どうして？　今夜はゆっくりできるんじゃないの。そのつもりで店を休んだのに」

牧子《まきこ》は、上着を羽織った修平《しゅうへい》の背を鏡の中に見つめながら言った。修平はシャワーを浴びて出てくると二、三分ぼんやりしていただけですぐに服を着始めた。鏡には残照があって、男の上着の縞《しま》模様に崩れた四十六歳という年齢を醜く映しだしている。牧子より十六歳も年長だった。時々牧子には自分がこの父親ほども歳《とし》の離れた男にひきつけられた理由がわからなくなる。六年前、牧子が勤めているクラブで初めて出逢《であ》った時も、修平はすでに髪の数本が白く、年寄りじみて見えた。

それなのに身もちの堅さで通っていた自分が最初の晩、別れ際に言った「明日逢《あ》えないか」たったそれだけの言葉に従ったのだ。翌日ホテルで逢い、シャワー室を出て帰り支度《じたく》を始めた修平に牧子は今と同じ言葉を言った。「どうして？　今夜はゆっくりできるんじゃないの。そのつもりで店を休んだのに」

六年経《た》っても同じことを言っている。そんな自分が牧子は悲しいというよりおかしかった。六年の歳月は何の意味もなかったのだ。もう何度抱かれただろう。だが六年が過ぎて今もまだこの男は、あの晩の初めての客だった。修平との関係を知っている店の同僚は別れた方がいいと言う。「その若さでどうしてあんな年寄りとくっついてるのよ。年寄りがいいというならもっと金のありそうな人見つけたら」だが、何故《なぜ》と聞きたいのは自分の方だった。今ではもう三十だが、六年前はまだ瑞々《みずみず》しい肌が青春の名残りに美しく燦《きらめ》いていた。その肌にはもっとふさわしい若者たちの唇《くちびる》があっただろう。それを老いに白く透けはじめた男に、まるで花束を泥川に棄《す》てるように捧げたのだ。その理由は牧子にもわからなかった。

たった一つの答えは、愛という言葉だったが、歳月の流れにそれはズタズタに切り裂かれ、今ではもう憎しみとしか呼べない暗い感情に変わってしまっている。いや今では確かに憎しみだけが自分と修平をつなぐ絆《きずな》になっている。

一時期は金のためだと考えようとしたこともある。皆には黙っているが、修平はその見すぼらしい身装《みなり》からは想像もできない財産家である。時々、相模一郎《さがみいちろう》というペンネームで週刊誌に雑文を載せる程度の文筆家で、その方の収入など大したことはないが、都内に売れば総額二億円は下らない不動産をもっている。荻窪《おぎくぼ》には屋敷とも言える広大な家をもっているし、このマンションも、牧子が店の同僚に模造品と偽っている宝石もすべてこの男から出た金である。店だって修平にはやめろと言われたのだが、牧子の方で気晴らしのつもりで続けているだけである。週に二、三度、この女一人には広すぎる部屋のベルを鳴らし、一、二時間を過すだけの男をただじっと待っているような暮しは耐えられなかった。

月々四十万円の金、ダイヤ、毛皮――

だがそんなものではどうしても埋めることができない女の部分が牧子の中にあった。

牧子は、修平が上着を羽織り、ドアから出ていくまでの一分足らずの時間がいつもいちばん嫌《いや》だった。その一分間、牧子は荻窪の屋敷のような家で、修平のために食事を作り、下着を洗い、夜を傍らですごす一人の女を意識しなければならなかった。修平より一つ歳上で、自分の母親ほどに年齢の離れた女に突然のように嫉妬《しっと》がわき、気持が乱れた。一度だけこっそり荻窪にいき、物陰から盗み見たことがある。古い屋敷の匂いを結城紬《ゆうきつむぎ》の落ち着いた色に染みつかせた気品のある女性で、とても四十七歳とは見えなかった。

その美しさに牧子は、はっきりと敵を感じた。

しかし、これが女同士の戦いなら、牧子の負けは最初からわかっていた。相手は人生の酸いも甘いも嚙《か》みわけた年齢である。牧子のことなどただの若い小娘とぐらいにしか考えていないし、いつかは修平が手を切り紙屑《かみくず》のように棄《す》てるだろうと思っているに違いなかった。

事実、一年前、修平の口から「別れたい」という言葉がでた。真冬のちょうど今頃だった。牧子が黙っていると修平は「一千万はやるよ」と言った。「金じゃないわ、別れないわよ、「私」そう答えながら、牧子の胸にまだ残っていた一人の男への愛情は、かけらも残さずに消えた。最初の頃は、確かに愛していたと思う。「牧ちゃんは子供の頃にお父さん亡くしたでしょう。だから父親のイメージをあの人にだぶらせてるのよ」日頃何でも相談している店のママからもそう言われ、本当にこの人を愛していると思い、幸福だった時期もあった。だがそんな思い出さえも「一千万」その言葉とともに消え去った。その瞬間から、修平もまた敵となり、修平を見つめる牧子の目に暗い炎が燃えたつようになった。自分の青春をメチャメチャに砕き壊した男、若い体を玩具《おもちゃ》のように弄《もてあそ》び、千枚の一万円札で紙屑のように棄てればいいと思っている卑劣《ひれつ》な男――そう、今では修平と自分とをつなげているものはその憎しみだけなのだ。

もちろん憎んでいるのは修平だけではない。修平の肩陰に品の良い仮面をかぶって潜んでいるあの結城紬の女――

一年前、牧子はある決心をした。その決心を、だが実行に移すきっかけが見つからず「別れないわ」そんな言葉で昔通りの関係を一年続けてきただけだった――

「悪いが、やはり静子《しずこ》のことが心配だ」

鏡の中で右肩の落ちた背が、面倒げにそう呟《つぶや》いた。

「心配って何が？」

「一週間前あいつが鑿《のみ》で突然、自分の喉《のど》をつこうとした話はしただろう。喧嘩《けんか》も何もしていないのに不意に俺が新聞を読んでいたら……」

「本当に死ぬ気ならあなたの前でやりはしないわ――ただの芝居よ」

牧子は修平の背を、貫くほどに激しい視線で見つめた。

「それに心配させたくないなら何故来たのよ。いつもと同じ時間だもの。ここへ来てることは気づかれてるはずでしょ？」

修平の背は黙っている。髪が濡《ぬ》れていた。タクシーを拾うはずだから、荻窪に着くまでに乾くはずがない。心配だといいながら牧子と寝た証拠をそのまま髪に残していくのだ。わざとのように――

「本当は心配させたいんでしょ。わざと心配させて気持の隅《すみ》で楽しんでるのよ。女を苦しめることしか考えてないのよ」

「俺だって苦しんでるさ」

牧子の指に怒りが走った。震える手で香水壜《びん》をとると修平の前にまわった。

「じゃあ、もっと苦しめてあげる」

修平の肩に巻きつくようにして、その耳朶《みみたぶ》に壜の細い穴から液を垂らした。金満家とは思えない薄い耳から、ジャスミンのしずくは、首筋に透けて浮きだした骨をつたい、襟の中に消えた。

牧子は冗談のように笑っていたが、修平がただ黙って目を外《そ》らした時、もう待てない――そう思った。一年待ったがもう待てない。もう他《ほか》に方法はない……

そんな牧子の気持には気づかず、いや気づいていて知らんふりをしているのか、修平はいつも通りの無表情のまま部屋を出ていった。

枕もとの灰皿には修平が吸った煙草《タバコ》の吸殻が残っていた。その一本は、ほの白い煙を既におり始めた暮色にからめ、まだ燃えつきずにいる。煙を切るようにして牧子は電話機に手を伸ばし、ダイヤルを回した。

電話に出たのは、運よく聞き慣れた男の低い声だった。

「私……今夜来て」

「いや――今夜は……ちょっと都合が……」

声の感じで何の都合か見当がついた。

「大丈夫、たぶん来られるわ。八時に私の部屋」

相手の返事も待たず、牧子は受話器を置いた。ほの暗いせいで、小指の爪だけに残っていた赤いマニキュアが錆《さ》びた色に見えた。爪はまだ怒りに震えている。もうこれ以上待てない。もう他に方法はないのだ……あの二人を葬るしかない……

数奇屋門の透き間から覗《のぞ》くと、飛石の流れるむこうに玄関の戸口は半分ほど開いたままで、女の背が見えた。

「そう、奥さんの方がご主人より一つ歳上なの？　とてもそんなに見えない。羨《うらや》ましいわ。お若く見えるんですもの」

「主人が老けすぎてるんですわ」

上り框《がまち》に膝《ひざ》をついて、静子は唇だけ微笑をつくっている。修平が門を開くと、

「あっ、帰ってみえた」

小声になり女は静子に回覧板を渡すと、松の植え木の傍《そば》に佇《たたず》んでいる修平にちょっと頭をさげて出ていった。修平が敷居をまたごうとした時、静子の顔に小さな変化が起こった。

一瞬だったが表情を歪《ゆが》め、顔をそむけると庭続きの長い縁《えん》を奥の浴室に向った。風もないのに香水は匂いを静子の鼻にまで運んだのだろう。

居間に入ると、座机にスタンドの燈《ひ》があり金属の花が銀色に照らされている。静子はこ何年か彫金を趣味にしている。花弁の隈《ふち》に鑿の刃が鋭い光の反射で切りかかっている。その花は、友人に依頼されたものだと聞いている。喪服《もふく》として作った黒無地のワンピースを普段着にも着たいから何か飾りをつくってと頼まれたらしい。「銀では却《かえ》って葬式みたいで淋《さび》しいじゃないか」一週間前そんな会話をした。静子は何も答えなかったが、しばらくして修平が新聞を払いのけると同時に静子は突然鑿を握り喉を突こうとした。牧子が言ったように本当に死ぬ気はなかっただろう。新聞を払いのけるのを待って鑿を握ったのだ。そして自分の喉をというより、修平の気持を突こうとしたのだった。この何年か、二人の女の間を往《ゆ》き来し、何も決することなく揺れ動くままに漂っている修平の気持に刃の光は切りかかってきた。思わずとびかかり、細い腕から鑿を奪いとると、静子は座机に崩れた。金属の花に覆いかぶさった静子の唇から荒い息がもれ、銀の屑が舞いあがった。静子の胸の奥底でこの何年かのうちに削《けず》りとられた感情の屑が息とともに吐きだされたように見えた。

「お風呂に入って」

上着を脱いでいる修平の背に声をかけ、静子は金属の花に屈《かが》みこみ、すぐに金槌《かなづち》で鑿の柄《え》を叩き始めた。

湯が沸《わ》くまで、修平は縁にしゃがんで、暮色に消えかかった広い庭を眺めていた。冬の夕暮れとは思えないほど穏《おだ》やかで風もない。それなのに縁のすみの手水鉢《ちょうずばち》へと南天の実がこぼれ落ちてくるのが見えた。

南天の木は、笹の陰に隠れているので、葉かげの暗いところから、闇《やみ》が小さな赤に結晶してこぼれ出しているように見える。赤い実は夕もやの澱《よど》んだ水の中に音もなく吸いこまれていく。

枝から実を落としているのが、静寂の中に響きわたっている静子の鑿を打つ音だという気がした。事実、音が高まるにつれ、赤い実のこぼれ方が激しくなった。幾粒かが手水鉢の石の縁《ふち》をはずれて、縁板に落ちた。音はなかったが、雹《ひょう》のように荒々しくはね、怒りのようなものが感じられた。一週間前、静子の喉から流れだすかもしれなかった血が、こんな幻の血玉となって流れだしているのだ……修平はそんな気がした。

もっと苦しめてあげる——牧子が言ったのは修平のことだったのか、静子のことだったのか。しかし、そう言った牧子自身がまた苦しんでいるのだ。この三角関係では三人が三様に苦しんでおり、考えてみると苦悩には不思議な均衡《きんこう》があった。二人の女のどちらとも関係を断つ勇気もなく絶えず針の先で突かれるような傷《いた》みを覚えながらも、だがそんな苦悩の均衡に甘んじているところがあって、修平は今しばらくはこの関係を続けていけばいいのだと思っている。一年前、牧子に「別れたい」と言ったときも、半分は本心だったが、残りの半分で「別れたくないわ」という牧子の返答に安堵《あんど》のようなものを覚えた。今日だって牧子の香水を拭《ぬぐ》わずにこの家へ戻ってきたのは、その苦しみの釣りあいを壊したくなかったからだった。牧子が苦しんでいるぶん、今、鑿を打っている一人の女も苦しまなければならない、気持のすみに、そんな自分でも説明のつかない感情があった気がする。もっともこの均衡がいつまでも続くとは思っていない。

自分と妻と愛人と——

三人のうちの誰かの苦しみが今以上に重くなれば、三角関係は危険な角度に崩れて、三人もろともが恐ろしい破滅の沼へと落ちこみそうであった。そして今のところ、その均衡を破る可能性があるのは自分ではなく、二人の女のどちらかだろう。芝居だったとしても危険な凶器をふりかざした静子の方か、香水をまるでこの何年間か耐えてきた涙のように自分の体に滴らせた牧子の方か——

「お風呂、もう沸いたでしょう」

静子は鑿の音をとめずに、呟くように言った。修平は「ああ」面倒げな声を出すと浴室にむかった。

湯槽《ゆぶね》に体を沈めると、湯気が香水の匂いとともにたちあがった。匂いの濃密さに修平は目まいをおぼえて目を閉じた。匂いは鼻を火のように焼いた。こんな激しい匂いで、牧子が訴えたかったのはどんな言葉だったのか。

湯とともに何かが膚《はだ》を掠《かす》めた。目を開くと湯の波にのって赤い粒が首のつけ根を襲ってくる。白い湯煙に霞《かす》んで色はねっとりと見えた。修平は驚いて立ちあがった。首筋から肋《ろっ》骨《こつ》の浮いたなま白い胸へと、幾粒かの南天の実が血玉となってすべり落ちた。

前掛けのポケットから、南天の実をとりだし、静子は赤い色に視線を刺した。自然に微笑が唇ににじんだ。その微笑を唇に残したまま、銀の花のくぼみに二粒三粒を落とし、一粒ずつ、鑿の刃先でつぶしていった。真紅の皮は裂けて白い汁がこぼれだす。生臭い匂いが鼻にからんでくる。吐き気のようなものが喉をじんわりと這《は》いのぼってくるが、静子はまだ笑ったままだった。その苦い匂いだけが、玄関先でかいだあの女の香水の匂いを消してくれそうな気がする……

今年の冬まで、いったいどれだけの南天の実をこんな風につぶしただろう。去年の冬も一昨年の冬も……

冬になると広大すぎる家は、静寂に凍りついてしまう。ほぼ一日おきに二時間、静子はその静寂に一人きりで残される。修平の足音が玄関を去っていく瞬間から再びその足音が戻ってくるのを待ちながら……先週、鑿で喉を突こうとしたが、それでも二時間の外出は中止されずにいる。今日などいつものように髪を濡らしていたばかりでなく、いつも以上に激しい香水の匂いを運んできた。まるでもっと苦しめてやろうというように。そして今度こそ本当に鑿で喉を突くのを待っているように。

でも先週のことは只の芝居だったんだわ――静子はさらに力をこめて南天の実を突いた。死ぬ気などまったくなかった。何故私が死ななければならないのだろう。あの牧子という女こそ死ねばいいのだ。「あの女だって苦しんでいるんだ」いつか修平が弁解のようにそう言った。まだ若いのに、いくらでも若い恋人がつくれるというのに、父親ほども年の離れた男を本当に愛しているというなら、それで苦しいのなら、あの女の方こそ死ねばいいのだ。本当に愛してなどいない。金だけだ。月々受けとる札束に未練があって別れられずにいるだけだ……

電話が鳴った。

静子は手をとめて、梁《はり》と同じ色に古びた柱時計を見あげた。午後六時——

本当は時計を見る必要などなかった。あの銀行員は時間に几帳面《きちようめん》で、振り子が錆《さ》びた音をたてる柱時計などよりずっと正確に電話のベルを鳴らしてくる。一昨日ホテルの前で別れるとき、「金曜日には夫はあの女のところへ泊ってくると思うの。六時に電話をしてみて」と言ってあった。

「東都銀行の者ですが」

隅《すみ》の電話の受話器をとると、聞き慣れた声が流れだした。ベッドの上での逞《たくま》しさからは想像もできない神経質そうな細い声である。もっともその声は、紺の背広を一センチの緩みもなく着た痩身《そうしん》の外観には似合っている。誰が見ても一目で銀行員とわかる男で、ベッドの上の激しさだけが別人だった。

「悪いけど戻ってきてるの。明日の四時、都合がついたらいつものホテルへ来て」

「わかりました。それでは明日四時に伺《うかが》わせてもらいます」

職場から掛けているのだろう。丁寧《ていねい》な営業用の言葉でごまかして電話を切った。営業用というのは、しかし電話だけではない。いくら若く見えるとはいえ十六歳も年上の女を週に二度も三度も抱くのは、ただ二千万円の定期預金と月々二十万円の積立預金のためである。どんなに激しく求めてきても、その若々しい欲望の裏には、預金額のノルマを冷やかに計算している銀行員の顔がある。だがそんなことは最初から承知で、まだ青年ともいえるほどの男の演技に合わせ、自分もまた飢えた中年女の芝居をして、大袈裟《おおげさ》な歓喜の声をあげているだけだ。騙《だま》しているのは、むしろ自分の方である。

静子が、弟か息子ほどの若者を抱く理由は、たった一つ、あの牧子という女への復讐《ふくしゅう》のためだった。

二年ほど前から、静子は誰にも内緒で興信所に牧子という女の身辺を探らせていた。あの若い女が修平のような年寄りだけで満足できるはずがない、必ず修平に隠れて誰か若い男と関係をもっているに違いないと思ったのである。そして一年半が経ち、この夏やっと想像通りの結果が出た。

相手の男の名は古橋鉄男《ふるはしてつお》といった。春頃古橋が偶然牧子の勤めている酒場へ飲みに行き親しくなったという。もちろん牧子は修平との関係を古橋には知らせてないだろう。興信所の報告には、二人は相当に熱い仲だと記されていた。

静子は、牧子が裏切っていることをしかし修平には告げなかった。修平にはあくまで沈黙を守り、そのかわりに一週間後、銀行に勤めているという古橋鉄男に電話を入れ、「知人に紹介されたのだが、二千万ほど定期預金をしたい」と言った。そして金の受け取り場所にホテルの一室を指定した。二千万の金は、もちろん修平には内緒で他の銀行からこっそり引きだしたものである。

古橋には最初から想像がついていたらしい、ホテルの部屋に招きいれると意味ありげに静子を見つめ返してきた。一千万が入った小型のケースに古橋が伸ばした手をとめ、「これを開く前に私の方を開いてくれない?」言うと、「田所《たどころ》夫人の紹介ですか?」と聞いた。「ええそうよ。アメリカへ旅立つ前に紹介してくれたの」静子は嘘《うそ》をついた。田所という大手繊維《せんい》会社の重役夫人と古橋が預金のために関係をもっていることは興信所の調査で知っていたが、もちろん田所夫人とかに面識などなかった。手慣れた、少し事務的な手で、古橋が服を脱ぐと、「待って」静子は札束をとりだし、思いきり男の体にぶつけた。札束は鞭《むち》のように激しい音で古橋のむきだしの肩を打ち、空中に砕け散った。次々と札束を投げつけながら、静子の手は怒りに震えていたが、男の方はただ静子に異常な性癖があるとぐらいにしか考えなかったらしい、天井《てんじよう》から降りしく札の雨の中で下卑《げび》た笑顔を見せ、襲いかかるように静子をベッドに倒した。静子は大袈裟な呻《うめ》き声をあげながら、二人の体を埋めつくした札が落葉のようにざわめく音を冷やかな耳で聞き続けていた……

それがあの牧子という女への復讐だった。そしてそれはまた、修平への復讐でもあった。その夜、静子は札の乾いた匂いと古橋の体臭とが混りあって残った体を修平に抱かせた。その夜ばかりではなく、修平が牧子を抱きにいく二時間、静子は古橋をホテルや家に呼びだしては抱かれたのだった。今日まで五カ月間――

浴室から遠い湯音が聞こえてくる。闇の冷たさをわずかに溶かして、音は生温かい。

今湯につかっている一人の男の体は二人の女の間で揺れ動いている。古橋も二人の女の間を行き来し、あの牧子という女の体もまた二人の男を受けいれている。そしてそれぞれが誰かを裏切っている。

だがこの三人よりもっと非道《ひど》い裏切りをやっているのが自分なのだ――

静子は再び、微笑を唇に滲《にじ》ませると、前より高い音で鑿を打ち始めた。


八時ちょうどに、古橋鉄男は牧子の部屋のドアを開いた。ブザーを押しても返事がなく、ノブを回すと錠がおりていなかった。

部屋は闇に包まれ、寝室のドアからわずかに燈がこぼれている。

「いるのか?」

そう声をかけて扉をあけ、鉄男は思わず声をあげて叫びそうになった。スリップ一枚でベッドに横たわった牧子が死んでいるように見えたのである。脚をだらしなく曲げ、乱れた姿態のまま、妙にひっそりと静止していた。

「抱いて……このまま」

牧子は入ってきた鉄男を見ようともせず、冷たい横顔で言った。

「どうしたんだ――」

「黙って抱いて」

声は怒りを帯びている。その声に意志を縛られ、引っ張られるように鉄男の体はベッドに落ちた。スリップの紐《ひも》をはずしながら、鉄男はふと枕元の小テーブルにのった灰皿を見た。煙草の吸殻が数本残っている。牧子は煙草を吸わない。

男だ――

鉄男はそう直感した。自分が来るまでに誰か男がこの部屋で牧子を抱いたのだ。牧子の冷たい横顔にふりかかっている髪の乱れも肌に残っている疲労もその男の与えたものなのだ。その男の体臭が染みついた体を牧子はわざと俺に抱かせようとしている――驚きや腹立ちより先に、だがそれが刺激となった。鉄男は荒々しく牧子の髪をつかむと、夢中でその唇に自分の唇を押しあてた。舌の先に煙草の味がからんだ気がした……

牧子に男がいることは、しかし最初から想像がついていた。六月に上役について飲みに行った銀座のクラブで出逢い、その夜のうちに関係ができた。車でマンションまで送ってきて、酔っぱらったままこの寝室へ雪崩《なだ》れこんだのだった。「他に男なんていないわ。あんただけよ」牧子はいつも言っていたが、いくら一流クラブに勤めているとはいえ、その給料だけで支えられる生活ではなかった。ミンクの毛皮、ダイヤの指環《ゆびわ》、カルヴァンの香水、そして何より、牧子の白い肌に何度もふっと感じた誰か他の男の影――

もっとも初めのうちは鉄男の側でも遊びのつもりだったから牧子にどんな男がいようと大して気にとめてはいなかった。香取《かとり》静子という中年女を預金のノルマのために抱かなければならない、その鬱憤《うっぷん》を牧子の綺麗《きれい》な肌で晴らそうとしていただけだった。あの有閑《ゆうかん》夫人はとても五十間近いとは思えないが、鉄男の欲望と釣り合いがとれるほどに若くはなかった。年齢の差をさまざまな努力で埋めなければならなかった。静子の方は満足していても、鉄男の興奮はあくまで芝居である。香取静子には吐きだし切れずに残る欲望の澱《おり》を若い牧子の肌で洗い流した。

　最初はただそれだけだったが、回を重ねるうちに鉄男は牧子の体に夢中になっていった。体だけではない、牧子という女の存在そのものに鎖《くさり》のように強く自分の気持が縛られていくのを感じ始めた。出世ばかりに気を奪われ、札束の勘定だけに視線を奪われていたのが、牧子を抱かない日が数日続くと飢餓感で仕事が手につかなかったりするようになった。そうなると独占欲がわき、牧子のどこかに見え隠れする男の影が気になりだした。「本当に俺の他に誰もいないのか」「いないわ」「だったら結婚してくれ」「結婚は嫌《いや》よ。こういう関係でいいじゃない」牧子は他の男の存在をはっきりと否定し続けてきた。その牧子が、突然今日になって、男がいる証拠を自分に突きつけてきたのだ。

　嫉妬《しっと》を興奮にすり替えた鉄男の激しい愛撫《あいぶ》に体をうねらせ、牧子もまた今までになかった激しさで答えてくる。

　いつも以上に深く果て、鉄男はゆっくりと牧子の体を離した。床に脱ぎ棄てた上衣《うわぎ》から煙草をとり、火をつける。充足と疲労とが、白い煙に絡《から》んで天井の燈へと上っていく。窓を夜の風が叩き、部屋の空気は冷えている。その冷気に凍りついたように、牧子は鉄男の肩に顔を埋めたままじっとしていた。

鉄男は煙草をもみ消そうとして、その手をとめた。灰皿に残っている誰かの吸殻は、外国煙草である。一カ月ほど前だった。香取静子が「私の肌、煙草の匂いがしない？　夫がいつもベッドの上でロスマンズを吸うのよ。終った後石鹼《せっけん》でこするんだけど、その匂いだけは洗い流せない気がするの」鉄男に胸を愛撫させながらそう言ったことがある。静子の夫には何の嫉妬もわかず、厭《いや》なことを言う女だと思っただけだが、目の前の灰皿の吸殻もロスマンズである。それによく見ると枕元のシーツにはところどころに煙草の灰の痕《あと》があった。今日、この寝室にいた男も、牧子を抱きながらロスマンズを吸っていたのだ――

そこまで考えて鉄男はやっと、今日の夕方牧子が銀行へかけてきた電話を思いだした。静子に、今夜は夫が外泊するから家へ来るように言われていたので、牧子の誘いを断ろうとしたが「大丈夫、たぶん来られるわ」牧子は静子の夫の外泊が中止になることを既に知っていたような口ぶりだった。いや――今になって思うと、確かに牧子は知っていたのだ。

鉄男は思わず体をねじり、牧子の目を覗《のぞ》きこんで何か言おうとした。だがその前に、牧子の唇が動いていた。

「香取静子とは今度いつ逢《あ》うの」

「……なぜ……」

鉄男は冷やかな牧子の無表情にむけた視線を震わせた。

「二カ月前に、ホテルから二人が出てくるところ偶然見てしまったの……怒らないから言って。あなたとあの女《ひと》、どういう関係？」

鉄男はしばらく黙っていたが、牧子の視線に耐えられなくなって、今日までの事情を簡単に説明した。

「けど、俺はあの奥さんに一度だって愛情を感じたことはない……ただビジネスみたいな関係だから……」

「あの奥さん……」

牧子はちょっと淋しそうな声で呟き、

「やっぱりそうだったのね、あの奥さんと……」

「君には悪いと思ってたよ。できるだけ早く手を切りたいとも思ってる……」

「あなたは誰に対しても悪いことなんかしていないわ。あの奥さんにも、その夫にも、私にも……あなた奥さんに愛情を感じたことないっていうけど、むこうだって同じよ。あの奥さん、夫や私への仕返しのために、あなたに近づいて遊んでるだけだわ。夏ごろ誰かが私のこと調べてたの。あの奥さんだったのね。あなたたちがホテルから出てくる所見たときからそうじゃないかと思ってたのよ……あなた、あの奥さんの夫の名前知ってる？」

「香取修平――預金は全部、夫の名義になっている」

牧子は唇の端で笑った。

「その男と私はもう長い関係だわ……」

やはりそうだったのだ。牧子の、この女の肌にもあの中年女と同じ一人の男の煙草の匂いが染みついているのだ……鉄男は舌打ちし、深いため息をついた。

「俺はピエロの役まわりだったわけか……君もあの奥さんも何もかも承知で俺に抱かれていたんだな」

「ピエロはみんな同じよ。私だってあの奥さんの仕返しだとわかっててあなたに抱かれ続けてきたし、香取修平だって薄々《うすうす》奥さんに誰か男がいることに感づいているわ。私とあなたの関係までは気づいていないと思うけど……あなただって私に他の男がいることは感じていたでしょ。みんな芝居してただけ……」

鉄男は首を振った。

「俺が君を抱くのは芝居じゃない——あの奥さんの亭主と関係があるからと言って、君と別れるつもりはない」

「私だってそのつもりはないわ。でもあなたと別れられないように、あの人とも別れられないの」

「なぜだ——」

「別れたいと言えば殺されるわ。去年の冬——ちょうど一年前、別れてほしいと言ったら、ナイフで襲いかかってきた……この傷よ」

右の乳房の下に紫色で残った傷はもう鉄男も見慣れたものだった。前に尋ねたときはちょっとした怪我《けが》だと言ったが、そんな理由が隠されていたのである。一度も会ったことのない香取修平という中年男が、暗い陰湿な顔で鉄男の頭に浮んだ。

「今度別れたいなどと言いだしたら本当に殺す——恐ろしい目でそう言ったわ。ただの威《おど》しじゃない……あなたとのことだって見つかったら何をするか……それにあなただってあの奥さんとは別れられないはずだわ」

牧子の言葉は、鉄男が胸の中で呟いていた言葉と同じだった。俺だってあの奥さんとは別れられないだろう……香取修平は殺すという言葉で牧子を威しているというが、静子もまた「私の方で飽きるまでこの関係は続けてもらうわ。あなたの方が終りにしたいって言ったら、私、あなたがどんな方法で預金を集めているか皆に公表するわよ」先月、そんな脅迫まがいの言葉を吐いている。静子の呼びだしに疲れ果て、そろそろ何か口実をつくって関係を断たなければならない、そんな気持が用心していてもどうしても顔や態度にでるのだろう、喉まででかかっている「別れたい」という言葉を制するように静子は言った。

牧子より鉄男を見すえた目の色が、ただの威しではないことを物語っていた。

牧子から事実を聞かされ、自分が利用されていただけと知って、鉄男は静子という中年女を許せないと思った。二千万の預金額を叩き返しそれで事が済むならそうしたいと思った。

だが、もう手遅れである。静子は二千万の金額で鉄男の体ばかりでなく、その将来をもしっかりと握りしめているのだ——

「どうしようもないのか」

鉄男は半分ひとり言《ごと》として呟いた。

「そうね、方法はないわ」

牧子は小指の爪を鉄男の胸にたてた。その爪だけに赤いマニキュアが塗られている。赤い爪は、鉄男の膚に何か字のようなものを書いた。

「たった一つしか……」

牧子はそうつけ加えて、鉄男を見つめた。

長い睫《まつげ》が影をおとし、目には暗い光がある。

赤い爪はもう一度、鉄男の胸を刻むように死という文字を書いた。

修平に殺されかかったという話は全くの嘘だった。胸の傷は一年前、自分の手でナイフを握り突いたのだった。一年前、修平が「別れたい」そう言いだしたその晩だった。ナイフを握ったときは本当に死ぬつもりだった。香取静子が一週間前演じたような芝居ではなかった。だが流れだした血を他人の血のようにぼんやり眺めているうちに気が変った。今自分が死ねばあの二人は喜ぶだけだ、馬鹿げた三角関係がやっと清算できたと思って吻《ほっ》とするだけだろう、何故《なぜ》自分だけが犠牲にならなければならないのだ――怒りのようなものが突きあげてきて、夢中で知り合いの医者を呼んだ。

修平にも浴室ですべって怪我をしただけだと嘘を言った。修平はその嘘にも、「そそっかしいでしょう」微笑した牧子の目に一つの決心が暗い光で宿っていることにも気づかなかった。そう――あの時、決心したのだ。あの時もう、方法が一つしかないことはわかっていた。苦しまなければならないのはあの二人の方だ。若い牧子の体を人生をメチャメチャにした年老いた男と、静子という優しい名からは想像もできない冷酷で残忍な女――

鉄男を愛していると言ったのも嘘だった。この夏、ふっと淋しさに襲われ、通りすがりの男を受けいれただけである。ただ何度目かに「結婚してくれ」と言われたとき、もしかしたらこの男の愛情を利用できるかもしれないと考えただけだった。おぼろげだった考えがはっきり形をとりだしたのは、二カ月前、偶然鉄男と香取静子とがホテルから出てくるのを見てしまった時からである。牧子はさすがに驚いたが、すぐにそれがあの女の自分への復讐なのだとわかった。ホテルのフロントに金を握らせ、二人がいつ頃からホテルを利用しているかを尋ねると、ちょうど興信所員か誰かが自分の生活を調べていた頃である。それに鉄男が二千万近い大口の預金があったと喜んでいたのも同じ頃である。牧子への復讐のために若者に近づき、その体を弄《もてあそ》んでいる女は乱れた髪をかきあげながら満足そうに微笑し、何も知らない若者は、卑劣な微笑を返していた。

牧子はその鉄男の微笑を思いだしながら、この男を自分の計画に巻きこみ、共犯者にする決意をした。鉄男の卑怯《ひきょう》さと、出世のためなら自分より十六歳も年上の女を抱くことができる合理精神とに賭《か》けようと思ったのだった。

そしてその賭けは成功した。

「簡単な方法があるのよ」

牧子の言葉に鉄男はためらいもなく肯《うなず》き、「どんな方法だ?」と聞いてきた。こうも簡単に鉄男が同意したことに驚きながらも、牧子は先刻、静子の名を出した時、鉄男の目が苦痛に歪《ゆが》んだことを思いだした。この男もあの中年女を憎んでいるのかもしれない。手を切りたいが、切ることができず、いっそのこと方法さえあれば殺してもいい、そんなことを考えたことがあるのかもしれない——

「どんな方法だ」

もう一度尋ねた鉄男に、牧子は奥から葡萄酒《ぶどうしゅ》の壜《びん》を一本もってきて見せた。

「外国から輸入している高価なワインよ。東京でもあまり売ってないわ。あの二人……香取修平と奥さん、寝る前にこの葡萄酒を飲むの。今でもあの二人、同じ蒲団《ふとん》の中で寝るのよ。私それが許せなくて、葡萄酒に睡眠薬を入れて渡そうと思ったの。まだあの人を愛していると誤解してた頃のことだけど——」

「なぜ——」

「一晩だけでいいから、あの人に奥さんのことを忘れさせたかったのよ。結局渡さなかったけど、睡眠薬は入ってるわ。新しいコルクや封印をつけて元どおりにしておくの大変だったけど……今から思うと馬鹿馬鹿しいわね。でもこれが役に立ちそうだわ」

「睡眠薬では死なないだろう」

牧子は目だけで笑った。

「二人は十一時ごろ葡萄酒を飲んで蒲団に入るの。でも修平だけは二時ごろまで蒲団の中で本を読んでいて、それからストーヴの火を消して眠るの。あの家の寝室のストーヴは、この部屋のストーヴと同じで報知器がついているの。だから安心していて、前にも何度か火を消し忘れて眠ってしまったことがあると言ってたわ。睡眠薬を飲めば、たぶん火を消す余裕もなく眠ってしまうわ。——その火を消せばいいのよ。事故か自殺に見せかけられるわ」

「しかしどうやって……夜中に家の中に忍びこんで消すのか」

「家は戸閉《とじま》りしてあるの、駄目《だめ》だわ。それがまた殺人の疑いを消してくれるはずだけど……心配しないで。簡単な方法があると言ったでしょ」

そう言うと、牧子は前々から考えておいた計画を細かく鉄男に語った。

無言の目でじっと牧子の目を見つめていた鉄男は、牧子が語り終えると、ため息をついた。

「上手《うま》くいきそうだが……」

「上手くいくわ」

言うと間髪をいれず、鉄男に抱きつき、唇を押しあてた。舌が鉄男の舌に触れる。その舌が触れるたびに少しずつ熱くなっていくのがわかる。本当に鉄男が自分を愛しているなら、この舌の感触は無視できないはずだ、必ず「わかった」と答えてくれるだろう——

「わかった……」

三十一歳の銀行員は、やっと牧子から唇を離すと、そう言った。そして数秒黙った後、

なっているから——」

「早い方がいい。明日の晩……明日四時にまたあの奥さんといつものホテルで逢うことに

仕事の延長のような事務的な声でこうつけ加えた。

柱時計が四時を打つと、修平は玄関と門に戸閉りをし、家を出た。今日も朝早くから鑿《のみ》の音を響かせていた静子は、三時頃急いで着替えをし「ちょっと出掛けます。帰りは遅くなるかもしれません」行先も告げず、出ていった。廊下を小走りに去っていく静子の背の帯に、黄色い薔薇《ばら》の模様があった。今まで一度も見たことがない帯である。最近買ったものだろう、生地に真新しい艶《つや》がある。背とともに揺れながら遠ざかる花の鮮《あざ》やかな色を見送りながら、静子には男がいるのかもしれない、ふと修平は思った。それも年下の若い男が——最近よく出かけるようになったし、出かける度に着物の柄が変っている。しかも着物の色や化粧が少しずつ派手になっていくようだった。だがそんな男がいるならその方がいい。二人の女と自分と——この危険な傾きのまま、ぎりぎりの均衡を保っている関係が、その男の存在で却《かえ》って安全に支えられる気がした。そんなことを思いながら、縁に座り昨日と同じように南天の赤い実を見ていると、電話が鳴った。牧子からで、「昨日から一睡もしてないの。また不眠症みたい。お友達の所へ行っていつもみたいに睡眠薬一週間分もらってきてくれない？」疲れた声をしていた。コートを羽織り、玄関で靴をはこうとして、靴の先のはね泥に気づいた。今まで気づかずにいたが、雨が降ったのは数日前だから、そ

れから一度も静子は靴を磨かなかったのだ。綺麗《きれい》好きで毎朝、修平が外出しない日でも静子は丹念に靴を磨く。靴に乾いた灰色で貼《は》りついた泥を見ながら、静子にはまちがいなく男がいると思った。しかしそのことについてはそれ以上深く考えなかった。

表通りに出てタクシーを拾い、高校時代からの友人が経営している医院へ寄った。車を待たせたまま、いつもの薬を作ってもらった。友人は「余り飲まないようにしろよ」心配そうな声で言った。この一年のうちに五、六度は薬を貰ったが、修平は自分が不眠症だと偽っていた。

車でマンションに乗りつけ、部屋のブザーを押すと、牧子はネグリジェ姿のままドアを開いた。髪が乱れ、目が血の色のように赤かった。憔悴《しょうすい》しきった顔だった。修平はその顔から視線をはずし、薬を渡した。

牧子は紅茶を淹《い》れただけで、

「薬飲んで寝るから、今日はもう帰って、店も二、三日休むわ」

と言った。一刻も早くベッドに上がりたい様子だったが、修平が寝室を出ようとすると、思いだしたように「悪いけど、ストーヴの具合見てくれない？　火点《つ》きが悪いの」と言った。

修平は点火スイッチを何度も回したが、別に故障はなかった。

「そう、昨夜は点かなかったんだけど……もう一つのストーヴは大丈夫？」

牧子が何気なく聞いてきた。もう一つのストーヴという言葉の意味はすぐにわかった。

去年の冬、静子が寝室が寒いというのでストーヴを買った際、報知器つきの安全な品だったから同じ物を牧子にも買ってやったのだった。二人のどちらにも黙っていたのだが、若いのに勘のいい牧子は、点けたばかりの青い炎を見守りながら「荻窪の家にも同じストーヴ買ったんでしょう？　寝室に同じ火が燃えるのね」そう呟《つぶや》いたのだった。一年前のその言葉を修平はこの冬もストーヴを点けるたびに思いだした。

「ああ――」

とだけ答え、修平は部屋を出た。ドアを閉めながら、牧子がストーヴが故障していると言ったのは嘘ではなかったのか、牧子はただもう一つのストーヴが壊れていないかどうかを確かめたかったのではないか、そんな気がした。

車窓を六本木の夜が流れている。ネオンの流れに浮んで、運転席の古橋の横顔はいつもより端正《たんせい》に見えた。この若者は本当に私を愛しているのかもしれないわ――今日のホテルでの激しさ、レストランで時々見せた優しい目。最初は打算だったとしても今は本当に愛し始めたのかもしれない……そして自分も……

いや――静子は胸の中で否定した。こんな若者を愛してはいない。ただの芝居だ。あの小娘への復讐――ちょっと酔いがまわっただけだわ。今夜この男があまり優しかったから……

ある街角で古橋が不意に車を停《と》めた。有名な輸入雑貨店の前である。古橋は財布から二万をとりだすと、

「葡萄酒にグランペザンというのがあるでしょう。これでその一番高いのを二本買ってきてくれませんか。ロゼです。二本とも包装紙も箱もなしでそのままでいいですから」

唐突《とうとつ》に言った。静子は、おや、と思ったが、言われた通り車をおりて、店に入った。

車に戻り、買ってきたものを渡すと、古橋は裸の壜を手袋をしたままの手で握り、淡いピンクの液をじっと見つめた。

「なんなの、これ……」

「何でもありません」

古橋は後席の鞄《かばん》に二本の壜をいれると、車を出した。自分たちが毎晩床につく前に飲むワインを古橋が買ったのである。ただの偶然ではない気がしたが、不機嫌《ふきげん》に黙りこみ、怒っているようにさえ見える古橋の横顔には何も聞けず、静子も黙ってカーラジオから流れだすロマンチックな音楽に耳を傾けていた。

「ここでおろして」

自宅が近づいた暗がりで、静子は車を停めさせた。古橋は後席に体を伸ばし、闇《やみ》の中でごそごそ何かを探っていたが、やがて葡萄酒の壜を一本とりだし、降りようとする静子の手にしっかりと握らせた。

「今夜からご主人とこれを飲んで下さい」

「どうして知ってるのそのこと……私たちがこれと同じワインを毎晩飲むこと……」

「相模一郎というのがご主人のペンネームでしょう？　いつか週刊誌で蒲団に入る前にこれ

を一緒に飲むと書いてありました。非常にいい味だが、一人で蒲団に入るときは飲んでも上手くないと……」

「そう……そんなこと書いてたの……私あの人の書くもの読んだことないから知らないのよ」

それで？　静子が目だけで問うと、

「今夜からこれを飲んで下さい。前のが残ってても棄《す》てて……僕の金で買ったのを飲んでほしいんです。これからも無くなったら言って下さい。僕が買います」

「なぜ？」

「今夜から僕も寝る前に同じワインを飲みます。ご主人とではなく僕と一緒に飲む気持で飲んでほしいんです」

闇の中で青年の目はぎらぎらと光っている。光は怒りを含んでいた。あなた、嫉妬《しっと》してるの？　思わず口に出かかった声を静子は飲みこんだ。嫉妬してるんだわ、まだ一度も逢ったこともない修平に——寝る前に熱い酒を一緒に飲むことに愛の行為以上のものを感じとっているのだ。やはり私のことを愛し始めているのだ。静子の胸に言いしれぬ快感がわいてきて、唇に微笑となって広がった。いいわ、今夜からこれを飲んであげる、あなたと一緒に飲むつもりで。でもあなたのためじゃないのよ。修平への仕返しのために……

「わかったわ。約束してあげる」

静子はそう言って車を降りると、車窓ごしに微笑と片手で合図を送り、家への坂道を小走りに駆けおりた。

冬の夜を封じこめた門にかけた手をとめ、静子はその手をうなじにまわした。

後ろ髪を繕うためではなく、わざと乱すために——

ドアを開ける前に、鉄男は手袋をはずし腕時計を見た。八時二十七分——ほぼ時間どおりだ。秒針の正確な動きに鉄男は安堵《あんど》を覚えた。

牧子は居間で乱れた髪を梳《す》きながら、鉄男を待っていた。その目前に二本の葡萄酒の壜を置き、何もかも上手くいったと告げた。車の中で静子に語った言葉はもちろん全部計画のうちだった。昨夜から今朝まで牧子と二人、ベッドの上で吟味し用意した台詞《せりふ》だった。静子に渡した壜は、後席の鞄に最初から潜めておいた睡眠薬の入ったものである。渡す間際に闇の中ですり替えた。

牧子もまた、自分の方も上手くいったと言って、睡眠薬の包みを見せた。七包ある。静子に渡した壜に入っている量と同じだった。

鉄男は香取静子にワインを買わせ、牧子はその夫に薬を入手させた。こうすれば警察が後で調べることがあっても、ワインも薬も当人たちが手に入れたものだとわかり、自殺か事故かで片づくはずである。雑貨店の店員は高価なワインを包装もせず買っていった静子を記憶にとどめたろうし、医師も修平が今日の夕方薬を求めに来たことを証言してくれる

「間違いなく薬の入ってる壜を渡したわね」

「大丈夫だ——絶対に」

牧子は肯くと、「残る賭けはあと一つだけね」と言った。さすがに緊張しているのか微笑は硬《こわ》ばり、長い睫《まつげ》の陰になって瞳《ひとみ》の色が暗く見えた。

「でも今ならまだやめることができるわ」

「いや——」

鉄男は少し不機嫌な声で牧子の言葉を制した。ここまで来て中止するわけにはいかない。一度決めて動きだした以上、鉄男は予定が狂うことを許せない。昨夜つくった時間表通りに動くことだけしか頭になかった。ほとんど黙ったままで鉄男はしきりに腕時計を見た気持は自分でも信じられないほど落ち着いていたが、それでも時々ふっと秒針の音が狂いだすのではないか、そんな理由のない不安に襲われるのである。銀行に勤めだしてから、もう何年も秒針の音と共に生きてきた。秒針の正確さだけが、鉄男の正しいと認められる人生になってしまっていた。

腕時計が十時ちょうどをさすと、鉄男は立ちあがり部屋を出た。ドアを閉める間際に、牧子は小さく無言の目で肯いた。

車を犯罪現場となる家の近くに駐車するのは危険なので、国電に乗った。十時四十二分に電車を降り、先刻車で通った道を、自分の足で歩き十四分後にその家の前にたどり着いた。

冬の夜は周囲を暗く飲みこみ、家の左端の寝室の窓だけに燈《ひ》が点《とも》されている。鉄男は香取修平の留守中に何度もこの家の門を潜《くぐ》ったから、家の構造は熟知している。人の気配はわずかもなく、厚いカーテンごしに弱まった燈を見ると、もうその中の二人は死んでしまっているように思えた。

三分後、カーテンの燈が消え、スタンドらしい薄暗い部分的な燈となった。香取修平が蒲団に入り読書のために点けたのか、それとも妻を抱くためか。だがどちらにしろ、蒲団に入る前にあの葡萄酒を飲んだなら五分後には深い眠りに落ちるはずだ。

鉄男は十五分待って裏手にまわり、低い石垣を乗りこえて、暗い庭におりた。台所の出窓に近づくと、ポケットに忍ばせた小型の懐中電燈をとりだし、燈を点けた。淡い燈が闇を剝《は》ぎ、出窓の下の壁から地面へと流れ落ちている細い鉄管を浮びあがらせた。その途中に四角く突きだしている箇所がある。ガスの元栓だった。

鉄男はやはりポケットからスパナをとりだすと、思いきりその栓を締めた。こうすれば家の中に送りこまれるガスはとまる。しばらく待ってから再びスパナで鉄男は栓を開いた。

このわずか二度の小さな動作で、家の中で燃えていた炎は一旦消え、次に危険なガスを放出し始めることになる。もし、今夜も寝室にストーヴの火が燃え、修平がそれを消すこともなく眠りに落ちたなら、三十分もすれば報知器が鳴りだすだろう。だが香取修平にもその妻の耳にも音は届かないだろう――賭けだとはわかっていた。夜が明けなければ結果はわからなかった。もし今夜寝室のストーヴに火が点されていなかったとしたら――もし静子が約束を守らず、二人があの葡萄酒を飲まなかったとしたら――

しかし上手くいけば牧子も自由を手に入れられるのだ。賭けてみる価値はあった。それにもし失敗して、静子が何故睡眠薬の入った葡萄酒を渡したのかと詰《なじ》ってきたとしても、昨夜の牧子の言葉のように、「一晩だけでも奥さんに御主人の体を忘れさせたかったから」そう弁解すればいいのだ。

腕時計の夜光の針は十一時二十二分を示していた。予定していた時刻より七分早い。鉄男は頭の中の時間表どおりに行動を調整するように、ひどくゆっくりと垣根をのりこえ、駅までの暗い夜道を靴の底で踏みつけながら歩いた。

牧子のマンションに戻ったのは零時二十分だった。

寝室のベッドに座った牧子は、唇に運んでいたグラスをとめ、グラスの光を含んだ瞳で鉄男を見つめた。

「上手くいった――」

鉄男が答えると、牧子は返事のかわりにグラスに葡萄酒を注ぎ、鉄男の方にさしだした。

「今、栓をぬいたところ――」

そう言うと、鉄男のグラスに自分のグラスをあて、微笑した。乾杯の澄んだ音が、その微笑に余韻《よいん》を響かせた。

鉄男は一気に、ピンクの液を飲んだ。液は甘い香りを漂わせ、喉《のど》をすべり落ち、やがて胃の底で熱い炎を燃えあがらせた。その炎に煽《あお》られるように、鉄男は牧子の体をベッドに倒した。そして寒さで蒼《あお》ざめている唇を夢中で牧子の肌に押しあてた。牧子の肌は凍りついたように冷えていたが、そんなことには構っていられないほど激しい欲望が、鉄男の全身を貫いていた。

「上手くいくわ……」

牧子の唇から声がもれた。

「ああ――」

鉄男はそれだけを答えた。結果は朝にならなければわからない。もし上手くいったのなら今頃はあの寝室で二人に刻々と死が迫っているはずだった。だが鉄男は何も考えたくなかった。今はただこの女の体に溺《おぼ》れたかった。苦痛のように激しい炎で襲ってくる欲望をこの女に吐きだすことしか考えられなかった。

「明日になれば二人の死体が見つかるわ。そうしたら警察では必ず事故や自殺じゃなく、他殺だと考えるはずだわ」

「他殺？」

「警察が調べれば簡単に私たち四人の関係がわかるわ。そうして二人が残りの二人を邪魔に思って殺したと――間違いなくそう考えてくれるはずだわ」

鉄男はゆっくりと唇を牧子の肌から離した。牧子の言葉が意識に届くまでにしばらく時間を要した。いや牧子の声ははっきりと聞こえたのだが、その意味がわからなかった。

「何のことだ――」

牧子は覆《おお》いかぶさっている鉄男にむけて微笑しようとした。だが微笑のかわりに、不意にその目に涙が溢《あふ》れた。涙はあっという間に大きな雫《しずく》となり頬《ほお》を流れ落ちた。牧子の顔は悲しみに歪《ゆが》んでいた。不意に泣きだした女の顔を、鉄男は初めて見る他人のように感じた。

「死ぬのは私たちですもの……」

牧子はそう呟いた。声は冷えていた。

「あなたが香取静子に渡した壜には最初から薬なんて入ってなかったわ。睡眠薬が入ってるのはそこのテーブルの壜よ。あなたがさっき戻る前に入れたの……」

鉄男はテーブルをふり返った、いや、ふり返ろうとしただけである。次の瞬間、突然何かに押されるように頭が落ちた。牧子を抱こうとしている、そんなことを思った。睡気が濁流のように意識をのみこみ始めた。何かを叫ぼうとしたが唇はもう動かなかった。ただ耳に残ったわずかな意識が、何とか牧子の声を拾った。

「明日の朝になって私たちの死体が見つかれば警察ではあの二人を逮捕するわ。その葡萄酒も、中の薬もあの二人が手に入れたんですもの……私はあの二人が許せなかったのよ。二人は今日まで私を紙屑《かみくず》同然に扱ってきたわ」

不意に秒針の音が高まり、それが闇を飲みこむ前に、鉄男は牧子の最後の声を聞いた。

「修平の妻は、私だというのに……」

それが牧子の夫と愛人への復讐《ふくしゅう》だった。一年前の冬の晩、胸から流れだした血を見つめながら死を思いとどまった理由だった。自分が死んでもあの二人は喜ぶだけだ——そう思った時、気持が変わった。死ぬのはいつだってできる。いつか死ねばいい、だがその死であの二人に復讐してやるのだ、あの二人を葬ってやるのだ、そう決心した。そして二カ月前、あの女が古橋鉄男とホテルを出るのを見たとき、近々その日がやってくるだろうと思った。あの女は私から修平を奪っておきながら、それだけでも足りず古橋鉄男さえも奪おうとした、修平の妻だという理由だけで私を憎み、私から全部を奪っていくのだ——牧子は怒りに駆られ、いっそその場で静子を殺したいほどの気持だった。しかし加害者になることだけは厭《いや》だった。殺すことは簡単だったが、自分の手を汚せば、たとえどんな言葉で今日までの苦しみを訴えても、社会は殺人犯を認めようとせず、被害者に同情するだろう。自分が被害者になり、あの二人の手を汚させるのだ。事実今日まで、被害者は自分の方だった。それなのに皆は牧子を馬鹿にし「悪いのは牧ちゃんの方よ。どうしていつまでもあんな人にくっついてるのよ。慰謝料をもらってさっさと離婚しなさいよ」牧子の苦しみをすこしも理解してくれようとはしなかった。本当の加害者はあの二人で、自分は被害者だというのに——今日まで数年の三人の本当の関係を、あの二人が加害者であり自分が被害者であることを皆に知ってもらいたかった。そしてそれが牧子が今度の事件を起こそうと決心したいちばんの理由だったのかもしれない。今日までの本当の関係を殺人事件という形にして見せれば皆もやっと気づくだろう。あの二人の本当の恐ろしさを、今日までの自分の惨《みじ》めさをやっと理解してくれるだろう。

事実この何年か、あの二人は牧子を死以上に残酷な形で弄び、傷つけてきたのだ。

六年前、牧子は初めて店に来た初老の客と関係ができ、結婚した。「結婚」という言葉を口にしたのは男の方だった。男は「結婚を考えたのは初めてだ」といった。莫大《ばくだい》な財産に守られ自由な暮らしをしてきた男は、その歳まで結婚はただ邪魔なだけだと考えていたのだった。男はこのマンションを買い、牧子との新婚生活を始めた。荻窪の古い家は広すぎるし、若い牧子には気にいらないだろうと言い、近々売りに出すことになっていた。最初のうち牧子は幸福だった。皆が何と言おうと牧子は父親のような夫を愛していたし、夫もまた牧子には優しかった。だがその幸福は半年も続かなかった。間もなく夫はこの結婚の失敗に気づいたのだった。夫の年齢には牧子は若すぎたのである。一緒に暮らすには若すぎる、自分の年齢ともっと釣り合う女の方がいい、そう考えるようになった。その考え通りに夫は一歳年上の、死んだ友人の未亡人と関係をもった。夫はその女を荻窪の家に囲った。そしてまた半年が過ぎ、結婚して一年が経つ頃には立場は完全に逆転していた。夫はあの女のいる家に住みつくようになり、時々思い出したようにやってきては、本当の結婚生活の場であるこの部屋のブザーを鳴らした。

香取静子はまるで自分が修平の本当の妻であるようにふるまった。家の近所の者には修平を夫として紹介し、修平を香取修平と呼んでいた。修平の財産の管理に口を出し、修平と若い妻の関係にまでいろいろな命令を与えるようになった。「離婚を承知しないのはただあなたの金が目当てなのよ」「店を辞《や》めないのは男たちにチヤホヤされたいからよ。最近の若い娘なんて何を考えているかわかりゃしないわ」——そんな言葉を修平に浴びせた。

香取静子はまた自分の方が被害者のようにふるまった。修平を心底より愛しているふりをし、苦しんで自殺するふりをした。実際牧子はただの若い小娘だった。牧子の若さでは母親ほどの年齢の女と戦っても負けは見えていた。その空《むな》しい戦いを牧子は四年続けたのである。そして四年後、夫からとうとうその言葉が出た――「別れよう。一千万やるから」

あの女は遂に牧子の唯一の武器である妻という立場さえ奪おうとしたのだ。本当に修平の財産が目当てだったのはあの女の方なのだ。あの女の仮面に騙《だま》され、修平さえもそれに気づかなかった。修平だけではない、古橋鉄男もあの女の嘘《うそ》を信じ、あの女こそ修平の妻だと信じていたのだった。仕方のない話だった。牧子はクラブに勤めていたし、このマンションより荻窪の家の方がはるかに広いし、その広い屋敷に香取静子は自分の座をしっかりと占め、修平の二十四時間の生活のほとんどをその手中におさめていたのだから――そう、あの女こそ加害者なのだ。

牧子はベッドにうつぶせに倒れ、深い寝息をたてている鉄男をあお向けにした。牧子が今から自分の生命を抛《なげう》って犯そうとしている一つの犯罪の共犯者となった男は、真面目くさった営業用の顔で眠っていた。この男は自分を愛していたかもしれないが、牧子の方では一片の愛情さえ感じていなかった。ただ二カ月前この男と静子との関係を知ったとき、この男も一緒に死に導けば、静子の罪をもっと重くできるかもしれないと思っただけだった。人生を金で割りきることのできる銀行員と牧子には、若さ以外の何の共通点もなかった。一時はこの自分を愛してくれている男に計画を話せば一緒に死んでくれるかもしれないと考えたこともあるが、結局何も知らせぬまま死に導くことに決めた。他人の生命は犠牲にしても自分の生命を犠牲にできる男ではなかった。ただ何の罪もない男を死の道づれにするのはさすがに残酷な気がした。

そしてそのためにだけ、今夜鉄男に架空の犯罪を犯させたのだった。修平も静子もストーヴを点けっ放しで蒲団に入るほど軽率な人間ではなかった。だが鉄男という男を試すいい機会だったのだ。鉄男が殺人を犯せるほどの悪人なら、死の道づれにしても構わないと思った。事実、鉄男は何のためらいもなく殺人に同意し、それを実行に移した。ガス栓を操作することなど何の意味もなかったが、その動作で鉄男という男は、はっきりと自分が悪人であることを証明したのだ。

「上手くいった」鉄男が戻ってきて無表情にそう言ったとき、牧子の中からこの男を道づれにする後ろめたさは完全に消えた。

牧子は最後の涙の乾くのを待って電話機に手を伸ばした。銀座の店のダイヤルを回し、ママを呼んだ。ママには今日までの四人の関係を隠さずに話してあった。牧子はわざとはしゃいだ声をあげた。

「ごめんなさい、ママ、今夜店を休んだの、本当は一昨日《おととい》主人と大喧嘩《おおげんか》したせい。殺してやるとまで言われてショック受けて寝こんでたの。でも今夜九時に主人が来て謝ってくれたわ。主人がもってきてくれた葡萄酒を飲んで一緒に寝るところ——いいえ主人じゃなく鉄男とよ。面白いことに鉄男の方もあの女とこの間大喧嘩したんですって。あの女の方でも鉄男とは別れたがってるんだけど、鉄男が別れたくないって——おかしいでしょ、私と鉄男って。似た者同士ね。私も鉄男もあの二人の邪魔者なんですもの。邪魔者同士まだしばらくは仲良くやっていくつもり……ええ明日は必ず店に出ます。その時また詳しく相談するわ」

牧子は電話を切った。浴室で顔を洗って涙の跡をぬぐい、それから葡萄酒を飲んだ。ピンクの液はやがて体中にしみたが、冷えきったような寒さは変らなかった。

牧子はネグリジェの裾《すそ》をハンカチがわりにしてストーヴのスイッチを回し、炎のないガスを出した。スイッチには夕方、適当な理由で修平に指紋をつけさせてある。その指紋と今のママへの電話とがあの二人を確かに追いつめてくれるだろう。警察では、一旦葡萄酒をおいて出ていった夫が夜中に戻ってきてそのストーヴを操作したと考えてくれるだろう。修平なら、この部屋の出入りは自由にできる。なぜならこの部屋こそが修平の家庭だったのだから——

これでいい、これで何もかも終わる、何年間かの苦しみの何もかもが……これで自分はやっとあの四十七歳の女に勝つことができるのだ……

牧子はベッドにあがり、既に死んでいるような男の傍らに疲れ果てた体を横たえた。

天井の燈がいつもより眩《まぶ》しかった。

牧子は闇が訪れる前に、自分から目を閉じた。

代役

1

三時四十六分、ひかり号は、定刻に一分の狂いもなく新大阪駅のホームを滑りだした。

三時間十分後——六時五十六分東京着。

駅のホームの時計で定刻通りに発車したことは確かめたのだが、俺《おれ》はもう一度、腕時計を覗いた。秒針もまた、次の一分にむかって最初の数秒を滑りだしていた。

計画は、時刻表通りに動きだしたのである。俺はホッとしたが、同時にほんの少し不安のようなものを覚えた。どこかに新幹線が遅れ計画が台無しになってくれればいい、という気持があったのかもしれない。俺の不安を映《うつ》すように、車窓には大阪の街並を底辺に敷きつめて、暮れる間際のような暗い雲が広がっている。俺は煙草《タバコ》を深く吸いこみ、煙ごと胸にくすぶっている不安を吐き出そうとした——何も心配することはない。計画は完全だ。今までだって、俺はこの芸能界でもっと危ない橋を渡ってきたのだ。どの賭《か》けにも勝った。今度だけしくじることはないはずだ。

新幹線最後尾の自由席は、数人の乗客がいるだけで閑散《かんさん》としている。これなら誰にも顔を見られる心配はない。いや、たとえ混雑していたとしても、片隅にボロのような作業着を纏《まと》って蹲《うずくま》っている男が、まさかスクリーンやブラウン管を賑わせている人気俳優の支倉《はせくら》竣《しゅん》だとは誰も気づかないだろう。いったい誰が気づくだろう、テレビでは毎週金曜のゴールデンアワーに舶来のスーツをまとい、長い脚で悪人を蹴り倒し、群がる美女たちに低い甘い声で別れを告げ、冷たい背をむけるあの支倉竣が、こんな浮浪者のような身装《みなり》で自由席の隅に座っていると——そして、まだほんの二カ月前、テレビの対談番組で妻と二人仲睦まじく十年目の結婚記念日を祝っていたあの支倉竣が、妻を殺害するために東京へ戻ろうとしていると——それに俺は、支倉竣のトレードマークになっている、野獣のように危険で、少年のようにナイーブな灰色の眼をいつもより色の濃いサングラスで隠していた。

　女子販売員が入ってきた。娘のアフロヘアと頰《ほお》の大きな黒子《ほくろ》に記憶がある。半月前、やはりこれと同じひかり号で東京へ戻ろうとしていた時、ハンカチにサインをねだった娘だった。あの時ハンカチを返しながら、俺が唇の端に結んだ、女には関心がないといったニヒルな微笑は、今もこの娘の胸に焼きついているにちがいない。試しに俺は声をかけてみた。娘は半月前とは別人のような乱暴さで俺に罐《かん》ビールを渡すと、無関心に通りすぎていった。俺は笑いだしたい衝動をビールの苦い味で喉の奥へ押しもどした。半月前グリーン車に白いスーツで座っていた男と、今ビールを買った男がまさか同一人物だとは、娘が信じるはずがない。俺だって信じられない。半月前、グリーン車で周囲の視線に苛《いら》だちながらぼんやり車窓を眺めていた俺は、まさかこんなにも早く、妻を殺すために同じ新幹線に乗りこむことになるとは考えてもみなかったのだ。

　たった半月で何もかもが変った。すべて、あの男が現われたためだ。俺と同じ顔をもったあの男が……車窓の雲はいっそう低くなった。夕暮れのように暗い窓が、俺の顔を映しだしている。俺は少しいらだって、カーテンをしめた。まだあの男にこだわっているのだろうか……なにも心配することはない。あの男は結局、金が欲しかっただけだ。今夜も二百万の金のために、大阪で俺が頼んだ役を上手に演じてくれるだろう。実際金のためにどんな事でもする男なのだ。それに金を受けとった以上、あの男は俺の共犯者なのだ……なにも心配することはない……少し眠った方がいい、本当になにも心配しなくていい、なにもかもが上手《うま》くいくだろう……。

それなのに目を閉じるとすぐにあの男の顔が浮んでくる。あの男の顔……人気スター支倉竣の顔、俺の顔……さっき大阪のホテルで俺は男に半分の百万を渡し、俺とあの男の関係は完全にビジネスだけのものになったのだ。それなのに、なぜまだ俺はあの男にこだわっているのだろう……なぜ……男が俺と同じ顔をしている、たったそれだけの理由で、なぜ……。

2

その男のことでロスに住むケリー夫人から手紙が届いたのは、三カ月前、この春の終りだった。ケリー夫人は、俺が、結婚した翌年日米合作の戦争映画に出演するため渡米した機《おり》、半年近く身辺の世話をしてくれた若い未亡人である。妻の撩子《りょうこ》も、その間に二、三度ロスへ遊びに来て、ケリー夫人とすっかり親しくなり、その後も年二、三度手紙のやりとりとりをしていた。

――この四月にジャズハウスによく出入りする客でシュンとそっくりの男に逢《あ》った。声をかけて別人とわかったが、そうとわかっても時々シュンと一緒にいると錯覚《さっかく》してしまう程だ。それを機に彼と交際するようになったが、実は、彼が日本へ近々帰ることになっており、日本で何か適当な仕事を探している。長年日本を離れていたし、身寄りも友人もほとんどない人なので、上手く仕事が見つかるか心配している。それでお願いなのだが、彼のために適当な仕事を見つけてやってもらえないか。彼はアメリカに永住したがっているが、その手続きのためにまとまった金がいる。今はアメリカではそれだけの金を稼ぐのが不可能なので、日本にしばらく戻ると言っているのだ。

そんな文面が、いつもの素《そ》っ気《け》ないタイプで打たれている。

「外人は東洋人の顔が皆おなじに見えるというからそれほど似ているわけでもないだろう」

ケリー夫人とは何度も寝たから、彼女なら俺の顔のちょっとした皺《しわ》まで憶えているとは承知していたが、妻にはそう言った。だがその手紙に夢中になった妻は、俺の言葉など耳も貸さず、すぐに返事を出した。その頃俺達夫婦は、ある理由で、俺と瓜二《うりふた》つの男を探していたのだった。

ケリー夫人からは、またすぐにお礼の手紙が来た。「ちょうどいい仕事があるそうで、大変喜んでいる。彼には、帰国したらすぐシュンの事務所へ連絡するよう伝えてある」

手紙の感じでは、男はすぐにもロスを発《た》つように思えたが、それから一カ月半経《た》っても何の連絡もなかった。俺の方では、妻ほど夢中になっていなかったので、すぐに忘れてしまったのだが、妻は諦《あきら》めきれないらしく、この春から俺が仕事にかこつけて寝泊りしているホテルへ何度も電話を入れ、まだ男から連絡がないか尋《たず》ねた。その後もロスへ二度手紙を出したが、ケリー夫人から返事は来ないらしい。

「諦めて他の男を探した方がいいかもしれないわね」終《しま》いには妻もそんな事を言い出したのだが、ちょうどそんな時――今から、正確に言えば十三日前、突然、男は、俺の前に現われたのだった。

夕刻で、偶然、事務所の者が皆、出はらっていた時だった。乱暴にノックされたドアを俺は開いた。ドアの開いたすき間を埋めつくすような大きな体軀で男は立っていた。すぐには俺は、男が誰かわからなかった。俺は口許《くちもと》を手でおさえ、ぼんやり、男の顔を眺めていた。男は、ケリー夫人からの紹介状を俺にさし出した。日本はもう夏だというのに、生地の厚い、汚れたジャンパーを着ていた。西部の乾いた砂埃《すなぼこり》がまだそのジャンパーに染《し》みついているようだった。

この最初のとき、俺は男と面接試験のような事務的な会話を十五分ほどしただけだった。

男はタカツシンヤと名乗った。大学を中退してしばらく新宿のジャズ喫茶でバンドマンをしていたが、本格的にジャズを勉強するために渡米。最初は西岸ジャズから始め、二年ほどでニューヨークに飛び、そこでも芽が出ないまま、方々を転々とし、二年前再び西岸のロスに戻った。そこでこの春、ケリー夫人と出遭ったのだった。

男は、偶然、壁に貼《は》ってある俺のポスターの真下に座っていた。ポスターは十年近く前に撮った日米合作の戦争映画のもので、日本での宣伝用だから当然、俺の顔がいちばん大きくなっている。軍帽の陰から憂鬱《ゆううつ》そうに宙を見つめ、無精髭《ぶしょうひげ》をたくわえたその写真の顔は、俺がいちばん気にいっているものだった。男はちょうどその写真を真似《まね》るように、俺から少し顔を横にむけていた。確かに似ていた。顎《あご》は俺より少し細いし、鼻すじも俺ほど整ってはいない。しかし目が驚くほど似ている。目は俺の顔の全部を決定するほど個性的で魅力的なものだ。その目が似ているために、顔の印象まで俺と似て見えた。俺のように鍛練していないから、全体に贅肉《ぜいにく》がだぶついているが、背恰好《せかっこう》もほぼ同じと言える。ただ俺とちがって、どこか牛のような鈍重さがあった。長く外国にいたせいかとも思ったが、生まれたのはT県の山麓だというから、生来のものらしい。田舎者《いなかもの》臭く、野暮ったく無表情だった。

尤《もっと》もこの最初のとき、俺が男に目をあてたのは、ほんの数秒で、ほとんど俺は視線をそむけていたから、それは会話の端々の印象である。男は俺よりさらに低い声で、喋《しゃべ》り方がテープの回転を遅くしたように間のびしていた。それなのに右足の先だけが、会話の間中、規則正しいリズムで、床を叩いている。

それが男の癖《くせ》らしい。二拍子の単調な、執拗な音は、俺の耳を苛《いら》だたせた。

男は、自分からは何も口にしなかった。動かない目と、重そうな唇にすべての表情を包み隠し、どんな仕事かとも尋ねなかった。俺の方でも秋から撮影に入る映画に、スタンドインが要るような嘘《うそ》の話を匂わせただけだった。初対面で切り出せる話題ではなかった。

ただ質問が終って俺が立ちあがったとき、男は思い出したように、

「ケリー夫人への手紙で、どうして俺の血液型まで尋ねたんですか?」

と聞いてきた。俺は血液型で性格がわかるとか適当に言い訳し、じゃあ明日また連絡すると言って男のために予約してやったホテルの名を教えた。少しでも早く男を離れたかった。

だが男はなかなか立ちあがろうとせず、白い顔を宙にぼんやり泛《うか》せている。俺は薄気味悪くなって、用があるから今日は帰ってくれと言った。数秒間をおいてから、男はやっと立ちあがり、帰ろうとしたが、ふと中途で戻ってきた。男の無表情は、俺のつい鼻先まで迫ってきた。

俺は、反射的に一歩退《しりぞ》いた。

「サインをくれませんか」

唐突《とうとつ》に言った。俺はホッとして、ハンカチにサインをして男に渡した。俺のサインは普通のスターと違い、字が荒波のように乱れている。何年か前擦子が筆蹟占いとかに凝《こ》って、専門家に頼んで書いてもらったものだ。荒っぽい、投げやりなところが気に入って以後そのサインで通しているのだが、男はサインを満足に見ようともせず、すぐにポケットにねじこむと出ていった。挨拶《あいさつ》もしなかった。ずいぶん不愛想な奴だが、結局は有名人に弱い田舎者で、アメリカで自由に暮していたから、人間への接し方も忘れてしまったのだろう。

事務所の者が戻るといけないので、俺は早速、撩子に電話を入れた。俺はただ、男が予想以上に似ていたことだけを伝えた。声だけでも撩子が喜んでいるのがわかった。

「条件はぴったりだもの。身寄りはないというし、金さえできればすぐにアメリカへ行って日本へはもう戻ってこないんでしょ？　いくら欲しいと言ってるの」

「二百万だ」

「それなら相場ってとこかしら」

ビジネスのように言って、ともかくできるだけ早く話をつけて欲しいと言うと、電話を切った。俺は受話器を戻そうとして、思わず手で口を押えた。男を最初に見たときのように。


ゆっくりと何かが喉へと這いあがってくる。

俺が、その男の顔を一目見た瞬間、感じたのは、吐き気だった。


俺は、それから四日間、毎晩、男を呼び出し、バーで飲んだ。酒でうちとけ、何気なく話を切り出すつもりだった。バーは人目につかないよう、ホテルの地階の閑散とした店を選んだ。俺は男に、サングラスを与えた。目が隠れると、無精髭の目立つ顎や乱れた髪で、別人のようになってくれる。男はかなり酒好きらしいが、飲んで崩れることはなく、最初の時と態度は変らなかった。

俺が面白い映画界の裏話をしたり、アメリカでのことやジャズの話を聞きたい素振りを見せても、相変らず喋るのも面倒だというようにのっそりとおし黙っている。時々、俺の質問に、何一つ声を返さないこともある。

俺の知名度や人気には興味がなくとも、せめて自分と似た俺の顔に、少しぐらい関心を示してもいいだろうに、男は俺の顔などほとんど見ようとしない。

それでもサングラスの下の目が、時々、俺のロンジンの腕時計や、ダイヤのネクタイピンや、カルダンのネクタイに、じっと停まるのを俺は見逃さなかった。金には充分、関心が動くようである。仕事の内容も尋ねずに、「仕事はいつから始まるのか」「どれぐらいの報酬があるのか」「その仕事以外にもいい話はないか」自分から口にすることと言えば、そんなことばかりだった。

ただ、三晩目に、一度だけ男が妙にしげしげと俺の顔を眺めたことがあった。

「そんなに似てるかね」

俺は訊《き》いた。

「――？」

「そんなにじろじろ見るのは、あんまり似てるんで不思議なんだろう」

「いや、どう見ても似てないから不思議なんだよ」

二晩目から、男の言葉つきは、もうそんなぞんざいなものになっていた。

「本当に似てるのかな。アメリカでも一度も言われたことないぜ。あんたアメリカでも顔売れてるんだろ？　あれからよく鏡見るんだが、似てるとは思わんな」

「鏡を見たって、仕方がないさ。俺もスクリーンで自分の顔初めて見たときは別人だと思ったからね。鏡は、左右逆だから、本当の顔が映ることはないが、俺たちの場合は、とくにひどいようだ。顔の左右が極端に違うんだな、きっと——」

俺は冗談のつもりで笑った。しかし男はふうんと答えただけで、そのとき入ってきた女性客の腰から脚の線を、サングラスの裏から、露骨に嘗《な》めまわした。

女と金にしか興味がないなら、却《かえ》って好都合だった。だがこの取っつきにくさでは話の切り出しようがない。撩子からは毎晩のように電話がかかり、話の進展を尋ねてくる。

五日目の晩、俺はとうとう心を決め、ともかく話すだけは話してみることにした。その日も留守中に撩子は三度も電話をかけてきたのだ。それに、その晩、男は妙に機嫌《きげん》がよかった。いつも通り不愛想ではあったが、俺の空になったグラスに、初めて酒をついだりした。

「ケリー夫人とは寝たのか」

俺は、そんな所から話を切り出した。俺を愛していたケリーは、この男に俺の面影を追ったろうし、この男がケリーほどの美人を放っておくはずがない。

「部屋を貸してくれたからな」

何のこだわりも見せず、男は答えた。

「帰国してから、日本の女は抱いたのか」

「いや——」

「それなら、いい女を抱かせてやろうか。しかもこれはビジネスで、こちらから金を出す」

男は、大した関心もなさそうに、横顔で煙草《タバコ》の煙を吐き出していた。

「金は欲しいんだろう？」

「夫婦って面白いもんだな。奥さんも同じこと言ったよ、金が欲しいんでしょうって」

「——？」

「今朝、奥さんに呼び出されたんだ、喫茶店で逢ったよ」

「撩子が？」

「あんたが、あんまり愚図《ぐず》愚図してるんで待てなくなったと言ってた。ビジネスでこんないい女抱けるなら悪い話じゃないともな」

午後に撩子が電話をかけてきたのは、この話に違いない。確かに今の撩子なら、それぐらい早急な行動に出そうだった。

「それで——どう思う」

「たしかにいい女だが、見てくれだけだな。抱くにはいいが……」

「ビジネスの方だ」

「断る理由がないだろう。俺が日本へ戻ってきたのは金を稼ぐためだ——それにしても妙な話を思いついたもんだな」

俺は答えようがなかった。この撩子の思いついたビジネスを、誰より奇妙に不快に思っているのは俺自身である。奇妙に思っていないのは撩子だけだろう。男があっさりと引き受けたことに吻《ほっ》としながらも、断ってくれた方がよかった気もした。それに、俺をぬきにして、撩子と男との間で勝手に話がとり決められたのにも、俺はいい気がしなかった。

「やめてくれないか、その音」

俺は少し苛だって言った。その夜も男は、足の先で、床を単調に叩き続けていた。

3

「離婚したい」という言葉は、今年に入ってまもなく、妻の撩子から出した。俺は、面倒くさそうに「ああ」と答えただけだった。実際、去年、突然の交通事故で一人息子の辰也《たつや》を喪《な》くしてから、俺達が夫婦でいる理由は何もなくなっていたのである。子供さえ出来なければ、もっと早く別れていただろう。俺と撩子の関係は、十年前、結婚した最初の日から失敗だったのだ。

俺と撩子が出逢ったのは、A県の湖畔のホテルだった。俺は映画の撮影のためにそのホテルに投宿し、撩子は大学時代の仲間たちといかにも金持の令嬢らしいグループで、贅沢《ぜいたく》な、退屈な旅行をしている途中だった。展望レストランで、俺は彼女達からサインをねだられた。当時、俺は初めて主役で出たアクション映画が大ヒットし、人気の絶頂時だった。日本中の女達が俺のブロマイドに熱い眼差をむけ、サインを奪いあい、俺の周囲には若い娘たちが群がっていた。

その娘たちも、ハンカチやブラウスにサインをねだったが、運悪く、誰もペンをもっていなかった。困っていると娘の一人が、バッグから口紅をとり出し、少し乱暴に俺の方に投げてよこした。その口紅で順々にサインしていき、最後にその娘に手をさしだした。当然、彼女も俺のサインを欲しがると思っていた。だが彼女は俺のさし出した手をちょっと馬鹿にしたように見ただけで、すぐに退屈そうに横をむいた。横顔の冷たい美しさも、俺のさし出した手を拒絶できる女がいることも信じられず、俺は馬鹿みたいに手を宙に伸ばしたまま突っ立っていた。

「彼女、先月失恋したのよ。それで慰《なぐさ》めるためにみなで旅行に出てきたの。いくら文倉さんでも今の彼女には目に入らないんだわ」

娘の一人が言った。問題の娘はじっと横顔をむけたままである。眼は、俺でない男を見ている。屈辱と怒りで俺の胸は煮えたぎっていたが、無関心そうに、口紅を返そうと彼女の方に屈《かが》みこんだ。テーブルの下で俺と彼女の手が触れあった。彼女は一瞬驚いたように俺の顔をまともに見たが、俺はすぐに背をむけ、歩き出していた。手には口紅を握ったままだった。俺は彼女に口紅を返さなかったのだった。

その口紅を返す口実で、真夜中に彼女の部屋を訪れた。彼女は何も拒《こば》まなかった。自分から服を脱いだ。ただ行為の最中にも擦子は先刻と同じように視線を横顔に鎖《とざ》したままだった。裸になっても彼女は耳飾りをつけたままでいた。葡萄《ぶどう》の房のようにガラスの細かい粒を繋《つな》いだ耳飾りだけが、俺の愛撫にあわせ、冷たい音をたてて揺れていた。

二カ月後、俺たちは結婚した。結婚しても想ったほど人気に変化はなかった。映画界が斜陽をむかえると、俺はすぐに独立プロを創り、高層ビルの一画に事務所をもった。テレビに活路を見出し、すぐに茶の間のヒーローになった。そして十年、仕事の上ではすべての成功を掌中におさめたのだった。

失敗は、結婚生活だけだった。撩子は大手自動車会社重役の一人娘で、札束に埋れて育ったせいか、高慢で自分以外の者全部を見くだしている所があった。誰に対しても冷やかな皮膜を被り、自分だけの傲慢《ごうまん》な城の中で生きていた。最初のうち、打ちとけないのは失恋をしたとかいう相手の男にこだわっているためかと考えたが、俺だけでなく誰に対しても冷淡なのである。誰もが撩子の美貌《びぼう》は褒《ほ》めたが、その性格については口を噤《つぐ》んだ。

すぐにも別れたかった。だが、結婚して二年目に辰也が生まれ、なんとなく家庭のようなものが出来てしまったのだった。

撩子は、辰也を溺愛《できあい》した。他人に燃やせない情熱の全部を辰也の小さな体にぶつけているようにさえ見えた。あまりに盲目的なので何度も注意したが、「私だってこういう風に育てられたのよ」と言ってとりあわない。尤も撩子の気持が辰也で占められている分だけ、俺は自由に遊び、他の女を抱くことができたのだ。辰也が物心つく頃には、俺達はもうベッドを共にすることもなくなっていた。もともと俺の方でも、撩子を愛して結婚したのではない。あんな風に俺を、人気スター支倉竣を拒絶できた女を、なんとか自分に、かしずかせてやろうという傲慢な独占欲だけで妻にしたのだ。結婚してからの撩子は、さすがに俺の愛撫にも応《こた》え、時には思いがけぬ烈《はげ》しさで自分から求めることもあったが、撩子との夜は、俺には苦痛でしかなかった。俺の耳にはいつも、最初の晩の耳飾りの冷たい音が聞こえていた。

つまり、俺達は、世間によくある子供だけで繋《つな》がった夫婦の典型だったわけである。だから去年、七歳になった辰也を不慮の事故で失うと同時に、俺達の家庭は壊れた。

「離婚したい」「ああ」と他人が聞いたら冗談のような言葉を交わしただけだったが、二人ともそれが最終的な言葉だと自覚しあっていた。俺達夫婦は、十年間なに一つ理解し合わなかったのに、離婚という言葉だけは直《ただ》ちに理解し合ったのである。

ただ、撩子は、離婚に思いがけない条件をつけてきた。別れる前に子供をつくりたい。子供ができたら即座に離婚する、と言いだした。俺は呆《あき》れて、言葉を返せなかった。離婚するために子供をつくるなど、常識では考えられないことだし、俺の体がもう子供をつくる能力がないことは、撩子も承知しているはずである。撩子は妊娠しやすい体質なのか、辰也の前にも一人を堕《おろ》し、一人を流産させている。一年半近くに三度も妊娠したわけだ。子供はひとりでいいと言い、辰也ができるとすぐ、俺に特別な手術を受けるよう勧めた。

「俺の子供が欲しいなんて――お前にまだそんな愛情が残っていたのか」

「ちがうわ。私はもう一度辰也が欲しいだけよ。あのままの辰也をもう一度抱きしめたいの。運悪く辰也は、あなたに似てたわ。あなたの子供をつくるより他ないのよ――それでね、私、この間から街へ出かけてもあなたに似てる男がいないか、捜してみてるの」

子供の将来を思うと認知だけはしてほしい、認知してくれさえすれば、すぐに離婚してあげる、慰謝料も養育費も要らない、と撩子は言った。俺は驚いたが、しかし辰也を失った際の撩子の取り乱し方を思うと、あながち異常な思いつきとも言えなかった。この数年母性だけで生きていた撩子は、辰也の死でさらに辰也への執着を歪《ゆが》め、烈しく燃えあがらせたのだった。辰也に似た子供がいないか孤児院をまわったり、毎晩のように夢で辰也の名を呼ぶ撩子には、病的なものさえ感じられた。辰也の代役をつくるために、俺の代役を捜すという無謀な話も、撩子にとっては最後の必死の方法だったのかもしれない。

「たとえ、俺と似た男が見つかったとしてもそいつが、こんな出鱈目《でたらめ》な話をひき受けると思ってるのか」

「金さえ積めば、誰だって引き受けるわ」

金銭の苦労を知らない撩子は、どんな人間でも金で動かせると信じきっている。

「できる子が、女の子だったり、辰也に似ていなかったらどうするつもりなんだ」

「その時は、その時よ。賭《か》けだとはわかってるわ。でも私、もう一度辰也を抱けるなら、どんな賭けでもするつもり」

撩子の口調には、有無を言わせないものがあったので、それ以上逆らわなかった。それに俺には弱味があった。去年の秋、赤坂のクラブに勤めている衣絵《きぬえ》という女と出逢い、その頃の俺は彼女と結婚したいと思うようになっていた。撩子は俺と衣絵のことを全部承知で、もう俺への愛情は完全に冷めているのか、恨《うら》みの言葉一つ口にするわけではなかったが、離婚が、夫である俺に衣絵を与える以上、妻の撩子にも相応なものは与えておいた方がいいという気持もあった。尤も、俺はどうしても真剣になれなかった。俺だって数えきれないほど妻以外の女と寝たし、芸能界ではもっと不自然な男女関係が日常茶飯事《さはんじ》で通っているが、子供をつくることまでビジネスと割りきる撩子の気持には、ついていけなかった。俺の無言を承諾と考えたのか、撩子は自分の計画に夢中になった。人気スターに似た男は意外とたくさんいたが、妻帯者だったり、血液型が異なったり、条件を満たす男はなかなか見つからなかった。確かに、辰也が死んでからの撩子は、少し神経を狂わせていたようである。見つからないだけに、一層、その奇妙な計画に執着した。最後の頃には、素人《しろうと》を集めるショー番組に問いあわせたり、興信所にそれらしい男を調べさせた。俺に似た男は意外とたくさんいたが、

辰也の代役を生むという初めの目的も忘れ、ただ俺の代役を捜すことだけに、異常な情熱を燃やすようになっていた。

ケリー夫人から手紙が届いたのは、そんな機《おり》だった。一人の男は、こうして俺の人生に登場したのである。撩子の望む条件を完璧《かんぺき》に備えた男だった。撩子の辰也への執着が、遂に運命までも動かしてしまったと思えるほどの偶然であった。

尤も撩子はこういった事情を全て男に話してはいないはずである。以前と同じ親子三人の幸福な生活をとり戻したいためだと男には語ったらしい。

「まあな、あんた達の条件と俺の条件がピッタリ一致したんだ、いいことじゃないか」

男はそう言うと、サングラスの下で唇を歪めて笑った。俺は思わず顔をそむけた。男の

微笑は、支倉竣がスクリーンで見せる冷たく孤独な微笑と同じだった。十年前、俺が鏡と格闘して考案した微笑を、男は生まれつき、自然に持っているのだ。

「ともかく撩子の指示に従ってくれ。ビジネスと言っても亭主である俺の立場が微妙だってことはわかるだろう？　このところ仕事も忙しいし……」

言い訳して立ちあがると、男が言った。

「銀座のホテルへ戻るなら、車、乗せてってくれんかな」

「しかし、方向が逆だ」

俺は男に、新宿の小さなホテルを借りてやっていた。

「奥さんに今夜から来てくれと言われてるんだ。今日から一週間が恰度《ちょうど》いいんだそうだ――何も聞いてないのか」

俺は驚いて、男のサングラスの下の目を見つめた。いくらなんでも早急すぎる気がした。尤も撩子としては、ビジネスだから早く済ませてしまいたいだけなのだろうが、俺の方では撩子が本気なのかまだ信じきれていないうちに、何もかもが現実になっていくのが少し恐ろしい気がした。だが、

「そうか」

俺は関心なさそうに言って、男をタクシーに乗せた。ビジネスとはいえ、妻を抱きにいくのに、夫に車で送らせるとは、いったいどんな神経をしているのかわからなかった。

夜の町に雨が降っていた。風が強く、雨は町の灯をすくって流れた。狭い車内を圧する

ように投げ出した足でリズムを刻んでいた男は、マンションに着いたときには、あんぐり口をあけ、赤い息を吐きながら、眠りこんでいた。俺がゆり起こし、

「ともかく彼女の指示に従ってくれ」

言うと、欠伸《あくび》だけを返事にして車を降りた。入口に吸いこまれた背の、腰の周りがいかにも田舎者臭く張って見えた。俺は三階を見上げた。窓に灯が点《とも》っている。烈しくなった雨が、その灯を光の破片に砕《くだ》いて下方へとばら撒いていた。

俺は無性《むしよう》に衣絵に逢いたくなり、衣絵のマンションへ車を向けさせた。

衣絵はちょうど店から戻ったところだった。

衣絵は俺を愛していながらも、いまだに撩子の立場を考え、結婚に踏みきるのを躊躇《ためら》っていた。衣絵の過去については詳《くわ》しく知らなかった。離婚の経験があるとは聞いている。夫を若いホステスに奪われたらしいのだが、その際自分の受けた苦しみを、今度は、逆の加害者の立場で苦しんでいるように見えた。

撩子にひけをとらない美人である。これほどの美人だから、店の客の中には言い寄る者も多いだろう。俺との結婚にこだわるのは、俺の他にも男がいるせいかもしれないと考えたが、衣絵は、はっきりと否定した。それに俺の写真やポスターや切りぬきが部屋中に貼ってある部屋に、他の男が出入りしているとは思えなかった。

その晩、俺は、なぜかひどく烈しく衣絵を求めた。頭の中で、先刻の窓の光が舞い散っていた。そしてガラスの耳飾りの音。俺はそれから逃れるように、いつもより深く衣絵の

中へ喰いこんでいったが、その時——俺の目がふと、ベッドの横の壁に貼られた色褪《いろあ》せたブロマイドを拾った。まだ売り出しの頃の俺が、得意の微笑を唇の端に泛《うか》べている。俺ではない。いや確かにそれは俺の写真に違いないのだが、俺の顔のなかで、笑っていたのはあいつだった。

俺の体は、あっという間に冷えた。

その晩、初めて俺は衣絵の体に失敗した。

4

翌日、撩子は、ホテルへ電話をかけてきた。

「私、きっと昨日一晩で、できたわ。上手く言えないけど、はっきり手応《てごた》えがあったの。辰也の時も感じたのよ——でも念のために一週間だけ来させることにしたわ。昨日の晩も入れてだから、今夜からあと六晩ね」

日数を正確にすることで撩子はビジネスを強調した。

「あの男、信用できるんだろうな。子供ができたら変な難癖つけてきやしないだろうか」

「大丈夫よ。何か言い出したって、簡単には証明できないし、あなたがパイプカットしてることは、私の馴染《なじ》みの医師しか知らないことよ——それにあの男は、ただアメリカで暮す金が欲しいだけ。どうもケリー夫人と出来てるみたいね。一日も早くアメリカへ帰りたがってるわ」

俺は電話を切った。このまま全てを撩子に任せ、もう二度とあの男には会いたくないと思った。もう一度会ったら、今度こそ本当に吐くか、殴り倒しそうな気がした。それなのに三日後、俺は男に電話を入れ、ホテルへ会いに来るように言ったのだった。

雨の午後だった。ドアを開いた瞬間、俺は鏡にぶつかったような不思議な衝撃を感じた。男は髪を撫《な》でつけ、レイバンのサングラスをかけ、派手なブルーの背広を着ていた。船来の、俺が去年まで気に入ってよく着ていたスーツだった。

「どうしたんだ、俺とはできるだけ違う恰好《かっこう》をしてくれと言っただろう」

「奥さんの命令だよ。奥さんの指示に従えと言っただろう？　マンションの出入りを誰かに見られると困るからあんたの振りをしろと——いい服じゃないか。気に入ってるんだ」

男は、椅子《いす》に大股を広げて座り、すぐに爪先で、床を叩き始めた。

「やめろ——その音」

俺は怒鳴っていた。俺の服は、男の体格にピッタリ合っていた。それが無性に腹立たしかった。俺には少し長すぎる袖も、男にはちょうど合っている。俺は部屋に置いてある普段着をとり出し、男に着替えろと言った。男は、俺の動揺を不思議そうに眺めていたが、素直に背広を脱いだ。

白い贅肉《ぜいにく》が皺をまわして、脇毛へと落ちている。脇は、俺のいちばん敏感な箇所で、昔愛撫の際、撩子は必ず強くそこを噛《か》んだ。二、三日痕《あざ》が残るほどだが、男の脇に痕はなかった。撩子にはもう何の関心もないはずだった俺は、それでも安堵《あんど》のようなものを覚えた。自分から呼び出しておきながら、俺はすぐに男から離れたくなった。急用ができたのでと言うと、「ふうん」と面倒臭そうに答え、のろのろと出ていった。ドアが閉まると同時に俺は、何故《なぜ》ぶん殴らなかったか、後悔した。靴が雨を吸っていたらしい。男の足跡が、絨緞《じゅうたん》にじっとりと湿って残っていた。

三日後、約束の一週間が終った翌朝、撩子から電話が掛かってきた。

撩子は乾いた声で、昨夜で全部終った、子供はまちがいなくできたようだ、男には午前中にホテルに行くよう言ったから、約束の金を渡してくれ、と言った。

男は十時に来た。これで終りだとは思っても、俺は一秒でも長く男と顔を合せているのが嫌《いや》で、すぐに二百万を現金でさし出した。男の方も、金をポケットにねじこむと、すぐに立ちあがった。

「ロスへはいつ発つ？」

「二、三日うちにはな――ビジネスだったんだから、礼は言わんよ。まあな、上手く子供ができなかったら、また連絡してくれ」

言うと、あっ気なく部屋から出ていった。ただ、ドアを閉める間際、ふり返った男は、

「あの奥さん、気をつけた方がいいな」

妙なことを言った。

「どういう意味だ」

口を開きかけた男は、舌で一瞬、唇を舐《な》めただけで、すぐにドアを閉めてしまった。俺は、もうこの男に二度と会うこともないと思うと吻《ほっ》としたが、しかし男の最後の顔は妙に俺の頭に粘って残った。一瞬、舌で、俺は自分の顔を舐められた気がしたのだ。男が言いかけて呑《の》みこんだ言葉も気にかかっていた。

そのせいだろう、午後の撮影で、俺はつまらぬことで若い新人監督と大喧嘩した。監督が謝罪に来た後も、俺の腹立ちは消えなかった。俺の怒りは、自分でも説明できないものだった。夜、俺は浴びるように酒を飲んだ。

衣絵に電話を入れたが、まだ戻っていなかった。酔った勢いで、俺は撩子に逢いに行った。全てが終った今になって、俺はやっと撩子の口車に乗せられ、自分がどんな馬鹿げた事をしたか、気づいたのだった。ともかく撩子とはもっとはっきりした決着をつけておきたいと思った。

「どうしたの？　朝の電話じゃ来るなんて言わなかったじゃないの」

撩子はちらと俺を見ただけで、冷たく横顔をむけた。俺は何か言おうとしたが、声より先に思いがけず、手が伸び、撩子を抱きしめていた。

「なによ、もう私たち終ったじゃないの」

何年かぶりの俺の腕に撩子は抗《あらが》ったが、俺はさらに力を入れ、居間のソファに倒した。

「わかったわ、じゃあ少しだけ待って、風呂に入るから」

俺の体を突き離すようにして、ソファに座り直すと、背をむけ、俺にファスナーを外させた。冷淡ではあっても、こういう傲慢な態度を今までの撩子は見せたことがない。一週間、他の男と寝て、撩子は別人に変ったような気がした。撩子は、ジャズのレコードをかけると浴室へ入っていった。俺はレコードをすぐにとめ、寝室に入った。ジャズは嫌いだった。バスタオルを巻いただけで、風呂から上がった撩子は化粧台に座った。鼻歌を歌っている。俺は鏡の中の撩子の顔を見た。たしかに今までの撩子ではない。その小さな変化に、俺はあの男の体臭をかいだ。昨夜までの男の臭いは、まだこの寝室に染みているはずである。

「早く脱いだら？　それから忘れずに腕時計はずしてね」

香水を火照《ほて》った肌にふりかけながら撩子は言った。意味がすぐにはわからなかった。撩子は知っているはずだ、俺が腕時計を持ち歩かないことも、香水が嫌いだということも――。

次の瞬間、俺の眼は、鏡の中で撩子の顔から、もう一つの顔に滑った。一人の男がベッドの端に疲れ果てたように肩を崩して座っていた。髪を乱し、ブルーの背広を着て――

あいつだった。

俺は前髪を長く額《ひたい》に垂らし、四日前、男がホテルへ脱いでいったブルーの背広を着ていた。俺ではなかった。

撩子はまちがえているのだ。ジッパーを外させたこと、ジャズを聞かせたこと、「私たち終ったのよ」という言葉。撩子が別人に見えたのは、撩子が俺を別人と見ていたからだ。

撩子がふり返ろうとしたとき、俺は、反射的に部屋の電気を消した。俺は、なぜかこのまま撩子にミスをさせておこうと思った。

撩子はスタンドを点《とも》すと、バスタオルを放りなげ、裸身をシーツに流した。灯は、眩《まぶ》しいほど白く、一人の女の肌を泛《うか》びあがらせていた。俺は、あいつの目で、撩子の肌を見ていた。十年間で、初めて俺はその体に欲望を感じた。

スタンドを消すと、俺は襲いかかるように闇に溶けた撩子の体にのしかかっていった。


「今日、あの人から金を受けとったでしょ」

二十分後、俺達は闇のなかで、肩を並べて横たわっていた。撩子は、まだ何も気づいていなかった。

「何も言わなかったでしょうね。支倉にはまだ知られてはいけないの、私が子供を欲しがった本当の理由は」

俺は横をむき、闇に撩子の輪郭《りんかく》を探した。

「馬鹿な人だわ、あんな話、本当に信じてるのよ、辰也なんて関係ないわ、私が子供を欲しかったのは、支倉を離したくないからよ。認知さえ済めば、こっちのものよ。愛情なんてわずかもないけど、あの人のお金や、知名度や有名人の妻の座は捨てられない魅力よ、あんなホステスなんかに奪われてたまるもんですか」

息を殺して、俺は撩子の声を聞いていた。

「もっともアメリカへ戻るあなたには、こんな話、関係ないわね。今度こそ本当に最後にしてね——さっさと帰って。眠るから」

撩子が背をむける気配があった。俺は、怒るか笑いだすしかなかったのに、ただ黙って闇を見ていた。撩子に騙《だま》されていたのだとはわかったが、悪い夢でも見ているように、衝撃を受けた自分と、距離があった。俺は起きあがり、服を着て、撩子に言われた通り、帰ろうとしていた。

シャツを着ようとした時だった。脇に刺すような痛みを感じた。スタンドを点《つ》けると、脇に歯の痕があった。歯形は、生々しく俺の肉を噛んでいた。

俺は、思わず撩子をふり返った。撩子は俺の体だと知っていたのだ。あの男の脇は白いままだったのだから。

最初から、ドアを開けた最初の瞬間から、撩子は知っていたのだ。知っていてわざと間違えた振りをしていた。わざと間違えた振りで、今の告白を俺に聞かせた。

撩子は、冷やかな背をむけ、眠りこんでいる。本番の最中に台詞《せりふ》をミスした時のように俺は茫然《ぼうぜん》とつっ立ち、何か弁解の言葉のようなものを撩子の背に語りかけようとしていた。だが結局、なにも言わず、黙って部屋を出た。

後ろ手にドアを閉めた。

今度、このドアを開くときは、撩子を殺すときだと思いながら——。

5

自分の車で、衣絵のマンションに着いたのは零時に近い時刻だった。エレベーターがちょうど衣絵の部屋の階から下りてくるところだったので、階段で上がった。住人と顔をあわせたくなかった。

衣絵の部屋のドアがわずかに開いている。おやと思いながら、ドアを開けた。玄関に続く居間は薄暗かった。電話機の傍に、衣絵が黒いスリップ一枚で、亡霊のように立っていた。俺をこわばった顔で見つめ、受話器をとった。

「また来たの――本当に警察を呼ぶわ」

声が震えている。俺が近づくと、衣絵は蒼ざめたまま、退いた。

「どうしたんだ、衣絵――」

俺の大声で衣絵はやっと我に返った。俺が抱くと、それでもまだ顔を遠ざけながら、

「あなた――本当にあなた？」

呪文のように尋ね続けた。

「どうしたんだ、いったい」

衣絵はソファに蹲り、何かの考えを追い払うように、髪を大きく揺さぶり震える唇で少しずつ話し始めた。

衣絵は一時間ほど前に部屋に戻った。疲れていたのでドアに錠をおろすのも忘れ、シャワーを浴びた。浴室を出ると、そのソファーに一人の男が横顔で座って煙草をふかしていた。浴室の灯だけだったが、まちがいなく俺だと思った。こんな時刻に訪ねてくるのは俺しかいないし、服も顔も、いつもの俺のようだった。ブランディをさし出すと、それまで奇妙におし黙っていた男が、手を伸し、あっという間に抱きすくめられていた。唇が首筋から肩へ這《は》った。その時、やっと何かが違うことに気づいた。少し顔をひいて、肩に埋められている男の顔を見ようとした。髪に隠れているが、たしかに俺のようではあった。だが、何かが違う。思わず、男をつき離し、「誰よ、あんた誰よ」と聞いた。その顔は笑おうとしたようだ。衣絵が、叫び声をあげると、男は背を向け、逃げだした。そして入れ違うように俺が入ってきたのだった。

「本当にあなたじゃなかったのね。じゃ、誰だったの、あれは——警察を呼ぶわ」

立ちあがった衣絵を、俺は制《と》めた。今俺達の関係が世間に知れたらまずい。それに、俺はその男が誰かわかっていた。さっき衣絵の階から下りてきたエレベーターに乗っていたのはあいつに違いない。その晩、俺はあいつのふりで撩子を抱き、男は、俺のふりで衣絵を抱こうとしたのだ。

俺は、錠をおろして誰も入れるなと言い残して、衣絵の部屋をとび出すと、車で新宿へ走った。男の投宿しているホテルの近くから電話を入れたが、男はまだ戻っていなかった。

ホテルの玄関の近くに車を停め、眠るようにハンドルに顔を埋め、俺はある事を考え続けた。

タクシーから男が降り立ったのは、二時を回る時刻だった。男がホテルの方へ道路を渡ろうとした時、俺は車のライトをつけた。ライトを全身に浴びて、男は立ちすくんだ。しばらくライトの背後を探るように見ていた男は、俺の車だとやっと気づいたようだ。薄笑いを泛べて近づいてきた。

俺は、助手席に男を座らせた。

「なぜ、衣絵のところへ行った」

男は、薄笑いを泛べたまま、答えるかわりに、煙草を口にくわえた。俺はその煙草を荒っぽく男の口から取りあげた。男は少し真顔になった。

「わかってるさ。撩子に頼まれたんだろう」

「仕方なかったんだ。もう一仕事してほしいと……奥さんには気をつけろと言った筈だぜ」

「俺のふりをして、衣絵を抱けと言われたんだな。いくら貰った」

「さっき、殺そうとしただろう？」

「――？」

「ライトを点けたとき――このまま俺を轢《ひ》き殺してやろうと思っただろ？」

男の言ったことは本当かもしれない。俺の足は、自分でも気づかず、クラッチにかかっていた。だがこの男を殺しても仕方がない。この男は、撩子に操られている人形にすぎない。金のためなら何でもする、ただの小悪党だ。俺は安心させるように笑った。ミラーに笑顔が映った。一瞬、俺と男のどちらの顔かわからなかった。俺は鏡から顔をそむけた。

「いくら貰った」

「二十万――」

「俺はその十倍出してやろう」

「――？」

「俺の方でも一つ頼みたいことがある。明日俺は大阪へ行く。明後日からロケがあるんだ。君にも大阪へ来てもらいたい。なあに、大阪でちょっとしたことをしてくれればいいんだ。二百万だ。引き受けるだろう」

俺が上から、押えつけるように、男に対したのはこれが初めてだった。男はしばらく戸《と》惑《まど》っていたが、やがてひょこんと頭を垂《さ》げた。

「明日の朝もう一度電話する。いいか、今までの事は全部忘れろ。撩子にはもう会わないだろうな」

「むこうの方で会いたがらんさ。奥さん、俺とあんたが似ているんで、本当は俺のことも憎んでるんだぜ」

降りた男は、サイドガラスに顔をこすりつけるようにして微笑した。それは、確かにまちがいなく、俺の顔であり、俺の微笑だった。

俺は、俺自身を共犯者にしようとしていた。

6

　こうして今、俺は新幹線に乗り、妻の撩子を殺すために、東京にむかっている。なかなか寝つかれなかったが、それでも名古屋を出たころからうとうとし始めた。目が覚めた時はもう小田原を通過していた。ぐっすり眠ったのと、東京に近づくにつれ輝きだした空とで、先刻までの不安は跡形もなく俺の胸から消えていた。結局、あの男は金のためならどんなことでもする男なのだ。俺は澄んだ頭で今朝からの行動に不備がなかったか、もう一度点検してみた。

　今朝、俺は男に電話をいれ、大阪で泊るホテルの名と落ち合う時刻を告げ、ひと足さきに一人で大阪へむかった。ロケは明日からで俺は今夜一晩、大阪で羽をのばすということになっていた。男が本当に来るかどうかに俺は最後の賭けをしていた。

　男は、午後、約束の時刻より、わずか三分だけ遅れて、ホテルの部屋をノックした。従業員用の裏口から入り、これも指定どおり目立たない服を着ていた。俺は男に、自分の着ているのと同じ背広とネクタイを与えた。以前長期の撮影のために二着作ったものだ。

　俺は男に、その服を着て、今夜六時半から七時まで、大阪の「紫苑」という店で飲んでもらいたいと言った。もちろん、俺の代役を勤めさせるのだ。この男の存在価値は、俺と似ていることだけなのだから――「紫苑」は薄暗い店で、数年前に一度行っただけだから、俺のファンだと言うママも騙されるだろう。俺は最近の俺に関する知識を細かく男に与え、サインを頼まれたときのために、サイン入りのハンカチを五枚渡した。男と俺は声が少し違うから、自分からはあまり喋らないように言い、七時に東京のマネージャーから電話が店にかかり明日のロケの開始時刻を連絡してくるから、その電話にも「わかった」とだけ答えて店を出るように、言った。

「何も聞かないのか」

「これだけの仕事で二百万円貰えるとは思ってないさ。まあな、万が一のために、俺は何も知らずに引き受けたことにしておこう。大丈夫だ、あんたが想っている以上に上手くやってやるぜ」

男は俺の計画を感づいているようだった。感づいていても、ビジネスとして引き受けようというのだ。俺は男にまず百万を渡し、残りの百万と明日の朝ロスへ発つ飛行機の切符は、今夜一時にもう一度ここへ来たときに渡す、と言った。男は黙って部屋を出ていった。

俺はフロントにおり、見たい洋画をやっている映画館を尋ね、その映画館に行った。切符きりの娘に俺を印象づけ、トイレでボロ着に着替えると、入れ替えの混雑を狙って外へ出た。そしてこの列車に乗ったのだった。俺の計画は簡単だった。俺の部屋の浴室のタイルは非常に滑りやすい。管理人にも文句を言ったことがあるが、撩子は今のところマットを敷いて済ませている。そのマットを片づけ撩子の頭を浴槽のふちに思いきり打ちつけて殺せばいいのだ。裸にし、入浴の跡を演出しておけばいい——簡単に事故として片づくだろう。万が一、殺人の疑いがもたれても、男が大阪での俺のアリバイをつくってくれている。「大丈夫だ。あんたが思っている以上に上手くやってやるぜ」そう言ってドアを閉める間際に男が安心させるように見せた微笑。それは、俺の人気を爆発させた「流れ者」のラストで俺が見せた微笑だった。流れ者の俺が自分で射ち殺した恋人にむけた冷やかな微笑。日本中の若い女の胸を熱く燃えあがらせた微笑。俺は少し苛《いら》だったが、それでも男に初めて親しさのようなものを覚えた。結局金のためなら人殺しの片棒だってかつぐような、貪欲《どんよく》で、卑劣な、つまり少し哀れな男にすぎない。あと五分で列車は到着する。東京の街が左の窓に傾《かし》いだ。一時間もすればすべてが終る。何もかも上手くいくだろう。俺は失敗したことがない。俺は絶対に失敗しない——

失敗は、俺が撩子の外出を考慮に入れなかったことだった。列車は定刻に東京駅に着き七時十五分に、俺は誰もいない居間に立っていた。夏で、町はまだ明るかった。灰色の絨毯を焼き焦がしたように、俺の影は黒く長く伸びていた。化粧台には、赤い口紅が、蓋《ふた》もせず放りだしてあった。部屋の空気は冷えていた。他人の部屋に紛《まぎ》れこんでいるようだった。事実、この部屋で十年間、俺はいつも他人だったのだ。華々しい闘牛場で泡を吹いた牛のように、リングでぶっ倒れたボクサーのようにただおし黙って敗北の味を嚙みしめているほかなかった。何もない部屋、俺がどんな役も——夫の役も、父親の役すら演じなかった部屋。俺は、今度も空白にむけてドアを開いたのだった。

五分も待つと、俺は諦《あきら》めて立ちあがった。これ以上待っても、八時二十六分の最終新幹線にまにあわなくなるから、計画は中止しなければならない。どのみち、俺は吻《ほっ》としていた。俺は本当に撩子を殺す気があったのだろうか。殺人犯の役を——この部屋でたった一度でいいから撩子を痛めつける役を演じたかっただけなのではないか。大阪に戻り、もっと現実的な解決法を考えた方がいいだろう。男に渡す二百万は無駄になったが、あいつへの手切金と考えれば高くなかった。

ドアに手をかけた時、電話が鳴った。少し迷ってから受話器を取った。計画を中止した以上、東京へ戻ったことは誰に知られても構わない。

「あなたね、やっぱりそこにいたの？」

意外にも撩子の声だった。

「なぜ、ここにいることがわかった」

「そんなことより大変なのよ。私いま衣絵さんと一緒にいるの。すぐに来て」

それだけを言うと、ひどく静かに電話は切れた。俺は慌てて、衣絵のマンションに駈けつけた。撩子が、衣絵の部屋に乗りこんだのだ。今の声の切迫した調子からすると、ひと騒動起こっているようだ。俺は、撩子を殺しに東京へ戻ったことなど、もう忘れていた。意外な方向に展開し始めた現実の問題をどう処理するかで頭がいっぱいだった。階段を駆けあがった。ブザーを押したが返事はない。合鍵でドアを開くと、部屋には意外にも——いや、俺にはおぼろげにわかっていたような気がする——当然のように、誰もいなかった。

電話の撩子の声を包んでいたものは、この部屋の空気ではなく、なにかもっと静かな、凍りついたようなものだった。

二人共、俺が来る前に出ていったのか、それとも二人は別の場所で会っていて、撩子が居場所を言い忘れたのか、俺が聞きおとしたのか。ともかくしばらく待ってみることにした。七時四十五分だった。俺はマネージャーに電話を入れた。もう無意味になったが、男が約束通り、仕事を了《おえ》たか知りたかった。

「さっきはバーに電話をありがとう。ホテルの方に戻ったがね、酔ってたんで明日の時間を忘れてしまった。もう一度教えてくれ」

「監督が倒れたんです、明日のロケは中止ですよ……奥さんにちゃんと言いましたが」

「奥さん？」

「奥さんも大阪なんですね。さっきバーの電話にでたの奥さんでしょ、主人が酔いつぶれたからって」

「ああ、そうだったな……いや悪かった」

俺はそう答えて電話を切るほかなかった。最初、男が誰か商売女でも連れてバーへ行ったのかと思ったが、マネージャーが撩子の声を間違えるはずがない。すると撩子は大阪にいるのだろうか――それもあの男と一緒に。

ブザーが鳴った。衣絵だと思ったので、俺は急いでドアを開けた。だが廊下に立っていたのは、見たこともない、一目で水商売とわかる四十すぎの女だった。化粧の濃い顔が、俺を見てギョッとした。

「衣絵ちゃん……います？」

　俺はドアの陰に顔を隠し、小さな声で誰もいない、と答えた。

「どうしたのかしら。夕方に電話があって、重要な相談があるから七時四十五分きっかりに来てほしいって……それで店、脱けだしてきたんだけど。あ、私、衣絵ちゃんの高校の先輩で、アツ子っていいます。衣絵ちゃんを今の店に紹介した……聞いてません？」

　俺は黙っているほかなかった。

「変ねえ、何か急用でもできたのかしら。あのう、ご主人でしょう？　一カ月前、アメリカから戻ってらした」

　今夜は、不意打の連続だった。周りが狂いだしたのか、俺が狂い始めたのか、わけのわからない言葉ばかりを聞かされるのだ。だが、驚いている余裕などなかった。何とかその場を切りぬけねばならなかった。俺は、顔を少し動かした。肯定《こうてい》したのか否定したのか自分でもわからなかった。

「衣絵ちゃんの相談も、そのことだと思うんですけど……一昨年、一人でアメリカから戻ってきてから、衣絵ちゃん、ずっと悩んでたんですよ、ご主人と別れた方がいいのかって。でも衣絵ちゃん、結局ご主人を愛してるのね。口では別れるって言ったってねえ、別れられるなら八年もアメリカで一緒に暮しませんよね」

　女は余計なことを喋ったというように、不意に口を噤《つぐ》むと、衣絵が戻ったら電話をくれ

るよう言い残して、帰ろうとしたが、間際ににっこり笑って、

「でもご主人、本当に俳優の支倉竣に似てらっしゃる。写真見た時も驚きましたけど」

と言った。ドアを閉めた俺は、しばらく動けなかった。叫び出したかったが、何をどう叫んだらいいかもわからず、誰かに喉を絞めつけられたように顔を歪めていた。どうやって寝室まで歩いたかわからない。俺は全身の力でポスターを剝がし、引き裂いた。ポスターだけではない、部屋中の壁にすき間もないほど俺の顔が貼られている。無数の俺の眼が、俺を見ていた。視線はもつれ合い、重なり、俺は気が狂いそうだった。片っ端からその顔を引き裂いていった。だが剝がしても剝がしても壁に、顔は泛んでくる。壁に喰いこんだ爪から血が流れても俺は止めなかった。俺の写真ではなかった。いや俺の顔にちがいないのだが、衣絵が俺の顔に見ていたのは、別の男の顔だった。あいつ——十年間、衣絵の夫だったという男。

混乱の中で、俺はどうやって時間を意識していたのか。

八時三分前に部屋をとび出し、東京駅から発車間際のひかり号にとび乗った。

暗い窓に頭を押しつけ、俺は考え続けた。

たった一つだけ、明らかな事実があった。衣絵が愛していたのは、俺ではなく、あいつだった。二人は十年前結婚し渡米した。二人の結婚生活は、あいつの言動を考えれば、余り幸福なものではなかったろう。それでも八年間続いたのは、衣絵の性格が辛抱強かったからだ。だが二年前、遂に破局は訪れた。衣絵はひとり帰国した——そして二つの偶然が

起こる。赤坂の芸能人がよく出入りするクラブへ勤め始めた衣絵は俺と出遭い、ロスに残った夫の方も、ケリー夫人と出遭う。そしてケリー夫人は何も知らぬまま、男を俺に紹介してしまった。一カ月前に戻ったという男が、すぐに俺の前に現われなかったのは、衣絵との問題があったからだろう。

昨晩も二人は、衣絵の部屋で口論した。男がとび出し、直後に俺が入っていく。衣絵は夫の存在を知られたくないため、出鱈目《でたらめ》な嘘で切りぬけた。エレベーターで階下へ降りた男は、玄関に俺の車を見つけ、俺が出ていった後、衣絵の部屋に戻り、衣絵にどう弁解したかを尋ねる。後で俺に会ったとき、その嘘に合わせ、自分もまた嘘をついたのだった。

そして、今夜、いったい何が起こったのか。撩子は、男とアリバイ工作の場に顔を出している。その撩子は、電話で衣絵と一緒だと言った。すると衣絵も大阪にいるのだろうか。

何もかもわからぬまま、俺は奇妙に、男と俺がどこかで混ざりあってしまったような気がした。少なくとも俺たちが事務所のドア越しにたがいの顔を探りあったときより、ずっと以前に、男は、衣絵の夫として、あの寝室の無数の切りぬき写真の中に、俺の顔の中に登場していたのだった。

「あのう、その足の音、やめてもらえません。気になって眠れないんです」

隣席の中年女が声をかけてきた。すぐに自分に言われたとは気づかなかった。女の神経質そうな眼鏡が、俺の足もとに落ちている。

靴の先で、それは車輌の床を叩いていた。

のんびり単調なリズムを刻んで……。

あいつの足だった。靴の埃《ほこり》も、二拍子の執拗なリズムも、気《け》だるい音も。

「その音をやめろ！」

俺は、その足が自分の体に繋がっていることも忘れ、思わずそう叫ぼうとしていた。


大阪のホテルに戻ったのは、零時を少し回る時刻だった。服は、ホテル近くの公園で着替えた。俺が入っていくと、笑い興じていたフロントの二人が、顔色を変えて改まった。二人は、夜、地階のレストランであったらしい男女の痴話喧嘩の話をしていた。キーをくれと言うと、一人が怪訝《けげん》そうな顔で、

「七時すぎに戻られた時、お渡ししたままですが……外出なさったとは気づきませんでした」

と、言った。俺は何も答えず、エレベーターに乗った。部屋のドアは、ノブを回すとひとりでに室内へと開いた。スイッチを入れようとした俺の指がとまった。俺はすぐにその異物に気づいた。

夜卓から、スタンドがベッドへ倒れていた。笠をはずした電球が、異物の腹を、色のない光でなめていた。のけぞった首はベッドから床の暗闇へと落ちている。女であることも死体であることもすぐにわかったが、俺はゆっくりとそれにむかって歩いていた。顔は死角に落ち、暗い床に広がった髪だけが見えた。むき出した胸で、衣絵だとわかった。軽く

弧を描いた首は妙に長かった。衣絵の首の右隅に小さな黒子があることを俺は初めて知った。巻きついたネクタイは俺のものだった。今、俺の首に吊されているネクタイ……撮影現場で、一つの役を演じている気がした。

事実、俺は、カメラの目のようなものを感じて、ふり返った。ドアを背に男が立っていた。俺だった。俺と同じ服を着て、同じ顔をしていた。俺はもう何も叫ぼうとしなかった。すべてを、単純すぎる数式のように明瞭に理解していた。こんな風になることは最初からわかっていたような気がした。出番前の鏡で自分の顔を確かめるように、俺はもう一人の俺に微笑《ほほえ》みかけようとさえしていた。

男と俺の違いは、たった一つだった。

もう一人の俺の首には、ネクタイがなかった。

7

つまりは、俺が殺したのだった。撩子ではなく衣絵を――東京ではなくて大阪で。俺は六時半に、大阪で妻と二人、「紫苑」に行き、七時すぎにホテルへ戻った。かなり酔っていた。衣絵は――以前から俺に結婚を迫り、つきまとっていた衣絵は、大阪まで俺を追いかけてきた。三人はホテルのロビーで出遭った。地階のレストランで痴話喧嘩を演じ、怒った撩子はひとり東京へ戻った。俺は衣絵を部屋に連れこんだ。俺の最後の怒りが爆発した。俺は、撩子を愛し、浮気のつもりだったのに本気になった衣絵を邪魔に思っており、あげくは酔っ払って前後の見境がつかなくなっていた――こうして、今、ひとりの女の死骸が、俺のすぐ傍に転がっているのだった。

俺は、それが死体だということも忘れ、頭を抱えこみ、座っていた。男の語った筋書きどおりだという気がした。俺は東京に行かず、この大阪で、憎んでいた衣絵を殺した――。

事実、俺が東京へ行ったことは誰も証明できない。俺は別人として東京へ行ったのである。ただ一人、東京で、俺を見たのは、衣絵の部屋を訪れたアツ子という衣絵の先輩だけだった。俺はそのことを男に話した。男は俺の前につっ立ち、冷やかな目で俺を見下ろしていた。俺の顔を暗く、男の影が包んでいる。

「そう、あのママはこう証言してくれるだろうな。七時半には、俺は――衣絵の亭主はまちがいなく東京にいたと。あの女を衣絵の部屋に呼んだのは俺たちだ。俺と撩子――撩子が衣絵のふりでママの留守中に電話を入れたんだ」

「撩子などと呼ぶな。たった一週間寝たぐらいで何がわかる」

俺は、男と撩子が結託したのはその一週間のうちだと思っていた。昨夜、車の中で大阪での仕事を頼んだときから、男は今日の俺の行動を看破していたのだろう。俺が男を利用して企てたアリバイ工作を、男はそのまま自分のアリバイ工作にすりかえ、衣絵を殺したのだ。

「撩子と呼ぶなって？　それは俺の台詞だ。あんたは俺の言いたいことばかり言うよ。この前の晩も、撩子を抱かせてやるって言ったな。それこそ俺の台詞だ。俺は十年間あんたに撩子を抱かせてやってたんだぜ」

「なんのことだ」

「十年前あんた達の結婚を週刊誌で読んだとき、俺はすぐわかったさ。撩子が俺の身替りと結婚したんだと――撩子は俺の女だったんだぜ」

男は信じられないことを語り出した。男と撩子が出遭ったのは、俺達がA県の湖畔のホテルで出遭う半年も前だった。当時男は新宿でバンドマンをしており、撩子はそのジャズ喫茶に入り浸《びた》っていた暇《ひま》な金持ち娘のグループの一人だった。二人は、俺達が数年かかった分を最初の一カ月で寝た。虚栄高く冷淡な撩子が男の前では奴隷《どれい》のように振舞った。

尤も男の方では、すぐに撩子に飽きた。衣絵と結婚しアメリカに渡った。アメリカでの男と衣絵の結婚生活は、新幹線の中で想像した通り幸福なものではなかった。二人はロスの近くの裏通りに住んでいたが、ある日男はジャズハウスで出会ったケリー夫人と関係をもつようになったのである。それだけではなかった。その頃、日米合作映画に出演していた俺の陣中見舞いにかこつけて、アメリカまで男を追いかけてきた撩子とも縒《よ》りをもどした。撩子と男は俺の目を盗み、ロスの片隅の小さなホテルで一年ぶりに抱きあった。――そして一人の子供ができた。

「気づかなかったのか、俺の名を聞いたとき――俺は高津伸也というんだ。撩子は俺の名から字をぬいて、子供に名をつけたんだ、気づかなかったろうな。辰也はもちろん俺と瓜二つだったが、ということはあんたにも似ていたわけだから」

俺は嘘だと叫ぼうとした。あんなにも俺と似ていた辰也が、俺のスクリーンでのヒーローぶりを真似るように俺と同じ形の唇に反逆の微笑を泛べていたあの辰也が……だが、だからこそ辰也がこの男の子供だという可能性は充分あるのだ。少なくとも辰也がこの男の子供だとすれば、俺を憎んでいた撩子が、何故俺とそっくりの辰也を溺愛したか、その理由を説明しうる。俺は結局、何も叫ばなかった。全てが嘘か、全てが真実かどちらかしかない選択だった。そして、そのどちらかに事態が決定したとしても、俺は嘘だと叫んだだろう。

ケリー夫人と撩子――女達との関係が収拾がつかなくなると、ちょうどロスで食いつめかけていた男は、衣絵を連れてニューヨークへと逃げた。ニューヨークには六年いた。六年の間に、撩子は二度、辰也を連れて男に会いにいっている。やがてニューヨークでも食いはぐれた男は、再びロスに戻り、衣絵と別れた。衣絵は単身日本へ戻り、男はこの頃から撩子との関係を真剣に考えるようになっていた。男と撩子は手紙のやりとりで計画をすすめた。そして今年の春、ケリー夫人からと偽って一通のタイプの手紙を俺に送ったのである。

ケリー夫人――あの、金色の髪をいつも所在なげに肩に波うたせていた女が、本当に愛していたのも実は、俺ではなく高津伸也だった。ケリー夫人が男と出会ったのは、俺と出会う以前である。彼女は、女にだらしなく妻もいるその男高津伸也を半ば絶望的に愛していた。そして充《み》たされぬ愛を、当時偶然彼女の家に滞在することになった俺で埋めようとしたのである。ちょうど衣絵が俺に、夫の面影を追い求めたように――

高津伸也は、ポケットから俺のサイン入りのハンカチをとり出して投げた。

「使わなかったから返すよ」

「なぜ使わなかった。みんなに配れば俺だと強調できたろうに……」

「必要がなかったんだ。あのバーで俺は自分でサインを書いて皆に渡してやったんだから――そのハンカチのサインはもともと俺の筆蹟なんだぜ。撩子が初めてロスへ来たとき、俺の筆蹟であんたの名を書いてくれと言った。冗談半分のつもりだったが、あんたは必死に練習したそうじゃないか。今ではもう俺より何倍も早く俺の字を書けるんだろう?」

俺はもう男の言葉を聞いていなかった。壁に俺の影が映っている。いや、男の影かもしれない。俺は混乱したので、救いを求めるように男の顔を見た。俺がこの男に出遭ったのはまだ二週間前だった。だが、それよりずっと以前から、おそらく十年前、北国の湖畔のホテルのテーブルの陰で、俺と撩子が密約のように一つの口紅を授受し、無言で見つめあったときから、ずっと俺の人生に登場していた。撩子、衣絵、そしてケリー夫人。三人の女の目の中に、思い出の中に、俺にむけた烈しい、だがどこか冷えた愛情の中に――衣絵の部屋の写真だけではなかった。辰也の顔で、俺とそっくりなあの小さな英雄の少し投げやりな微笑で、俺のサインの少し歪んだ奇妙な線で、男は俺の人生に忍びこんでいた。そして、またスクリーンに映し出される俺の顔の中にも男は忍びこんでいた。結局、俺の人気もスターとしての魅力も一つの表情のためだった。女など関心がないといった投げやりな微笑。もういつかも思い出せないほど遠くなった過去のある日、鏡にむかって夢中で自分の魅力を創り出そうとしていた俺に、その微笑を勧めてくれたのは撩子だった。「もう少し唇の右端をあげた方がいいわ。いいえもう少し」――俺は何も気づかぬまま撩子に男の微笑を真似させられていたのだ。二週間前、俺はこの男を、俺の代役に雇った。しかし代役は俺の方だったのである。俺が――日本中の女に愛され世界的にも名を売った支倉竣が、この俺が、一人の男の、誰も知らない、通りを歩いても誰の視線にも引っ掛りそうにない、一人の男の代役を演じ続けていたのだ。三人の女の愛人の代役。辰也の父親の代役。そしてまたスクリーンの上で俺が演じた、俺自身の代役。大衆が喝采《かっさい》をおくり続けてきたのは、俺の創られた微笑の中に、一人の男を見出したからだった。俺の微笑は創りものだったが、この男の微笑は生まれつきのものだったのだから。大衆は、――何にでも熱狂したがる馬鹿げた大衆は、結局、俺ではなく、この男を求めていたのだった。そして最後に今夜、東京の衣絵の部屋で、俺はこの男そのものを演じた。

俺は撩子を殺すために、この男を利用した。だが、その実、利用されていたのは俺の方だった。今夜、東京の衣絵の部屋で、一人の女に俺の顔を衣絵の夫の顔として目撃させるために、俺は今日まで、この男に似せる、この男を真似る訓練をし、十年間を生きてきたようなものだ。そして滑稽《こっけい》なことに、俺は今この瞬間まで、自分が別の男の人生を歩かされているとはわずかも気づくことなく、自分の顔を、自分の魅力を、自分のすべてを信じていたのだ。

男は胸ポケットに手を入れた。男が何をとり出すか、俺にはわかった。たぶんそれは、俺がヨーロッパで買ったブローニングの十三連発だろう。俺はこの部屋で、発作的に一人の情婦を殺したことを悔いた馬鹿げた男として死ぬのだ。男は予想通り銃をとり出し俺の方にむけたが、俺が少しも驚かなかったので、ちょっと驚いたようだった。俺は自分が死ぬまでに、あと何分——いやあと何秒、人生が残っているかわからなかった。処刑の瞬間が余りに早くきたので、何も考えられなかった。いやたとえ男があと何時間か、たっぷりの猶予をくれたとしても、俺はなにも考えなかっただろう。

「最初は、あんたにできた子供を認知させるだけのつもりだった。認知させたら、その時になって莫大な慰謝料をふっかけて、その金で撩子と二人、いや子供と三人幸福に暮すつもりだった。ところが、衣絵が俺の計画に気づいて、あんたに全部話すと言い出したんだよ——それでこうするより他なくなったんだ」

男は、俺にはもうどうでもいいことを、何か弁解でもするような口調で言った。男の足が床を叩いている。引き金を引くタイミングを測るように——男の側で俺を真似たのはその足音だけだった。男は俺をいらいらさせるために、わざと俺の、その少し貧乏くさい下卑た癖を真似ていたのだ。単調な足音でいつか俺を最終的に踏みつぶすために——そして俺は、さっきまで自分のそんな癖に気づかずにいた。俺は、いつも自分を別人のように誤解するのが好きだったから。

銃口が目前に迫ったことも忘れ、俺は男の顔を見ていた。本当によく似ていた。男が唇を少し端の方で捩《ねじ》っているのが、あまりに俺とそっくりなので、俺はその男を、見知らぬ男のように感じた。俺はもう何度、こんな風に鏡の中の自分の顔を見つめただろう。撮影所で、テレビ局の控室で、俺は時々こんな風に鏡の中に自分ではないような他人の顔を見つけ、じっとそのもう一人の俺に見入ったものだ。スクリーンに映る俺の顔をもう何度、俺はどこか本当の俺とは違う別人のように感じたのだろう――そしてその理由を知った今、俺は死のうとしている。俺の腿《もも》に氷のように冷たくなった手をあてている一人の女の死体、窓から城の見えるホテルの一室、ケリーの部屋の窓から見えたネオンのＢＡＲ三つの文字、ハリウッドの撮影所で俺が得意の微笑を見せたとき、カメラのむこう側から監督が狂喜したように叫んだ声、「ザッツＯＫ、ハセクラ、ジャストＯＫ」、今日の夕方東京で俺が二度も空白にむけて開いたドア――そして見知らぬ一人の男の顔。男の指が引き金にかかる。最後の混乱で、俺はその男をもう何年も前から知っていたように親しく、懐しく感じて、手をさし伸べようとした。そして、俺の胸もとで本物の銃声が爆発し、俺の体が一メートルも壁の方へふっ飛ぶ間際に俺は笑った。

　こうして、俺と、俺の人生は床に倒れた。

　俺は闇に落ちきる前に、拍手のようなものを聞いたが、それが倒れた俺に向けられたものか、俺を最終的に倒したもう一人の俺に向けられたものかわからなかった。

ベイ・シティに死す

雨、というより霧に似ていた。

波止場は紗幕《しゃまく》越しの景色のように、ただ灰色にけぶっている。海も空も、濡れて、一つの色に溶けこんでいる。

ときどき風が、雨の色に襞《ひだ》を与えて流れ、沖に停泊している貨物船や客船をかき消した。霧笛《むてき》が鳴り響くと、呼応するように鷗《かもめ》が騒ぎだした。海面を這《は》ってとぶその羽の色と、沖に届くほどに伸びた桟橋《さんばし》にぶつかる波頭だけが、灰色だけの景色を白く破っている。

雨と暮色のせいだけではなかった。このホテルの窓から見える港は色がない。さいはての港町だが、貿易港として戦前は名が通っていた。現在も外人の往来がある。夜は、湾から吹きこむ風に、あちこちでネオンの花が揺れる。

この船員相手のホテルも表は、繁華街に臨んでいるが、私の入った部屋は裏手で、波止場だけしか見えなかった。遠い水平線のむこうには本州がある。港は町の玄関だが、窓から見ると、却《かえ》って町の死角のようだった。日中でもただの灰色だった。

五日前、初めてこの部屋で目をさましたとき、まだ刑務所の中にいるような気がした。刑務所は一カ月前、夏の終りに出ていた。だが窓から見える灰色の港は、刑務所の中庭に似ている。こんな風に夕暮れで、雨が降っているとなおさらだった。空は水平線に沿って果てしなく広がっているのに、刑務所と同じ、灰色の見えないコンクリートの壁で、鎖《とざ》されているように見えた。

事実、私は、まだあの鉄格子《てつごうし》の中にいる。七年の刑期を六年で終え、出所したが、六年前の事件はまだなにも清算されていなかった。私は事件にカタをつけるために、この町へ来たのだった。

階下から、口笛が聞こえてきた。昼間、食堂で会った黒人の船員が、故国《くに》を思いだして吹いているのだろう。カウボーイの歌だったか、黒人霊歌だったか、メロディは憶《おぼ》えているが、名を知らない曲だった。霧笛にとぎれながら、口笛は、灰色の雨の中を漂《ただよ》い続けた。

黒人は、国を離れて六カ月になると言っていた。懐しさと諦《あきら》めの混ざった顔だった。私も刑務所では、半年目には諦めていた。たった一つ諦められなかったのは、あの事件とあの二人のことだけだ。いや、それすら一年が経つ頃には諦めていた。ただ忘れきることができなかっただけだ。

刑務所でいちばん辛《つら》かったのは、不思議に最後の一カ月だった。出所が間近に迫ったこの夏だった。娑婆《シャバ》の空気にああも飢《う》えたのは、六年間で初めてだった。天窓から溢《あふ》れこむまっ白な光と、うだるような暑さの中で、私はあの二人の顔を思い浮べた。二人の顔が一時《いっとき》も頭から離れなかった。憎んでいるより懐しがっているようにさえ思えた。夜は、再び警察に逮捕される夢にうなされた。刑事の顔が近づく。パトカーのサイレン。手錠――私は自分が殺《や》ったのではないと訴えようとするが、声が口をつかない。パトカーの窓に群がる通行人たちの顔。その中に二人の顔があった。二人は、同じ憐《あわ》れむような遠い目で私を見ている。私は女の方の名を叫ぼうとするが、名前を思い出せなかった。苦しさで目をさました。目をさましても、だが、まだ夢の中にいるように、すぐには女の名を思い出せなかった——どうしても二人に逢《あ》わなければならない。私は二人を追って、この町に来たのだ。

口笛はまだ続いている。夜の気配は、まず海面を暗くした。方々で灯《ひ》がともった。その一つが沖の方へ流れていく。巡視船のようだった。

部屋の中はもう暗い。時計を見るために、ベッドの横の小さな洋灯《ランプ》をつけた。五時半だった。洋灯の埃《ほこり》くさい笠にとまっていた蝿《はえ》が一匹、部屋を飛び始めた。北の港町は、初秋というより、もう冬が始まったように冷えている。蝿は力なく飛び交《か》っていたが、やがて床に金色の点々と煌《きら》めくものを見つけてとまった。金の鎖だった。昨夜、連れこんだ女が忘れていったネックレスだろう。床に手を伸ばしたとき、電話が鳴った。

「あんた？」

昨夜の、髪を赤く染めた女だった。昨日の晩、埠頭《ふとう》の反対側の酒場で知りあっただけで、名前は知らなかった。

「あんたが探してる女の居所がわかったわ。教会へ上る坂があるでしょ。その中途に、新港小路っていう最近出来た酒場街があるの。その中の〝レインボー〟という店……店ではリエって名を使ってるらしいけど、片脚を少しひきずるっていうし、まちがいないわね。今夜も来れる？」

「今夜はだめだ。二、三日うちにまた行く」

ネックレスが忘れてある、と私は言った。

「わざと落としておいたのよ。昨日の晩一晩きりっていうのは嫌だわ。気が向いたら、届けに来て」

女は電話を切った。

私は、もう一度時計を見た。まだ出かけるには早すぎる時刻だ。もう少し夜が更けてからの方がいい。六年間待ったのだ。慌《あわ》てる必要はなかった。

それでも、やっと恭子《きょうこ》に会えると思うと胸に高鳴るものがあった。私はベッドの端に掛けてある上着をとると、内ポケットから拳銃をとりだした。少し慄《ふる》えていた指が、拳銃を握ると鎮《しず》まった。刑務所に入ってからは、恭子のことを思いだすたびに、指の先がわずかに慄えるようになった。私は慄えをとめるために、よく指だけで拳銃を射つ真似《まね》をした。同じ房《ぼう》の男が、ここを出たら誰かに復讐《ふくしゅう》するつもりなのか、と尋《たず》ねた。私は何も答えなかった。私は無口で陰気な男だと思われていた。出所すると、二人の行方を探す前に、まず、昔の知り合いを訪ねて、拳銃を買った。拳銃は、あの鉄格子とコンクリートの壁の中で、私が諦めきれなかった最後の夢だった。

1

六年前、私は、新宿の小さな組にいた。土建業と銘《めい》うってはいたが、要するに馬鹿馬鹿しいただの暴力団だった。私はまだ三十そこそこだった。幹部ではなかったが、若い連中の間では、古顔だった。三下の連中からは、兄貴と呼ばれ、顔が効《き》いた。

征二《せいじ》は、そんな、私を兄貴と呼んでいた一人だった。私より四つ年下で、私がその頃、一緒に暮していた恭子と同い年だった。私は征二をいちばん可愛がっていた。単純で馬鹿で、やくざになるために生まれついたような男だった。九州から集団就職し、大都会の夜のネオンの色に魅せられて、後は決まりきった道の踏みはずし方をした男だった。私は自分がヤクザでありながら、ヤクザを馬鹿にしている所があった。こんな馬鹿げた世界に自分を貶《おとし》めていることに快感をさえおぼえていた。そして、そんな自分も馬鹿にしていた。私に比べると、征二は根っからのヤクザ者だった。上着の袖《そで》をひらひらさせて歩き、街角で若い娘をからかったり、素人に喧嘩を売ったりするのを得意に思っていた。血の気の多すぎるところがあったが、それだけに情にもろく、人の好い所があった。組でも、あいつは頭が弱い、と馬鹿にされていたが、誰も嫌う者はなかった。剽軽《ひょうきん》で、人を笑わせるのが上手《うま》かった。動物のように本能だけで周囲を嗅《か》ぎとっているところがあった。私はそんな征二に、半ば羨望《せんぼう》さえ覚えながら、どこへ行くにも連れ歩いた。実際、征二は野良犬のように私につき従っていた。

　私と恭子が一緒に暮している部屋にも、よく征二はやってきた。私と恭子は共に無口でベッドの上以外では、関係をもてあましていたところがあったから、征二が来ると部屋の空気が明るくなった。恭子が、征二の前ではめずらしく声をたてて笑った。恭子は、征二のことを弟のように可愛がっていた。子供の頃に死んだ弟と似ていると言っていた。事実、白い艶《つや》のあるまだ若い肌に、ふけた大人の表情をいつも翳《かげ》らせている恭子と並ぶと、童顔の征二は、同い年でも四、五歳幼なく見えた。弟の死んだ話を恭子が語ったとき、征二は腕で涙をぬぐって、泣いた。

　征二は、私と恭子の関係に、ひどく自然にとけこんでいた。旅行のときなどは、どちらともなく征二の名を出して、一緒に連れていった。私が忙しいときは、私の方から征二に恭子の相手をさせ、映画や買い物に行かせた。

　その晩も、征二を連れて三人で横浜へでも食事にいこうという話になっていた。七時に組で征二を待っていると、征二が事務所のガラス窓から顔を覗《のぞ》かせた。中には入ってこず指でガラスを叩《たた》いて私に合図した。路地へ出ると、「谷沢《やざわ》の兄貴が呼んでいる」と言った。征二は心配そうな目だった。谷沢がひどく不機嫌な顔だったという。

　谷沢は、幹部のひとりだった。組といっても、昔気質《かたぎ》の親父さんを中心に、皆が家族のように肩を寄せあっているような小さな組で、幹部連中にも好人物が多かった。谷沢だけがただ一人例外だった。当時の谷沢は、今の私と同じぐらいの齢だったが、やたら兄貴風を吹かせて、下《した》っ端《ぱ》の連中をどやしつけてばかりいた。高い頬骨《ほおぼね》の銃弾の痕《あと》や、前科三犯の過去をひけらかし、組のやり方は生ぬるいといっては、何かにつけ暴力で解決しようとした。

谷沢は、とりわけ私を嫌っていた。些細《ささい》な事に言い掛りをつけ、「大学を中退したからと言って生意気な面《つら》をするな」口癖のように私に怒声を浴びせていた。殴られたことも一度や二度ではなかった。

征二はそんな谷沢がまた言い掛りをつけて私を虐《いた》めつけるのではないかと心配していたようである。私は征二に、三十分ほどしたら谷沢のマンションの玄関で待っていてくれと言った。それからアパートに寄って恭子を拾い、三人で横浜へいくつもりだった。

なぜ谷沢に呼ばれたか、私にはわかっていた。その前夜、私は偶然、池袋のバーで谷沢を見かけたのである。谷沢が私を認めて驚くと、背を向けて谷沢と話しこんでいた男も私の方をふり返った。新英会《しんえいかい》の幹部の一人だった。私は何気ない顔ですぐにその店を出たが、谷沢が組を裏切って新英会に通じているのは間違いないと思った。うちの組と新英会はもともと同じ安川組《やすかわぐみ》から派生した組だが、二年前から表通りのミサキというキャバレーをめぐって一種の縄張り争いを続けていた。新英会ではまだ若い安川の三代目を動かして、ミサキを奪《と》り何とか手打ちにもっていこうとしていたが、ミサキを奪われたらうちの組としては安川への上納金も満足に支払えなくなる。事実上は組を引き渡すことになるのだ。どんなことをしても組を潰《つぶ》したくないという親父さんの言葉に組の者はみな従っていたが、ただひとり谷沢だけが「新英会が安川の三代目の気持をつかんでいる以上どうしようもない。この際思いきってミサキを新英会に渡したらどうだ」と真っ向から反対意見を唱えていた。他の幹部とも摑《つか》みあうほどの喧嘩もした。ところがその一カ月ほど、不意に谷沢は何も言わなくなった。みなが、谷沢の沈黙を由縁《いわく》ありげに考えていた。谷沢が新英会の幹部と昵懇《じっこん》そうに話しているのを目撃したのは、そんな矢先だった。谷沢が、組に見切りをつけ、新英会に身柄を預《あず》けようと考えているのはまちがいない。その日、突然私を呼び出したのも、その証拠だった。谷沢は、私に口止めするつもりなのだ。

思ったとおり、マンションの居間に私を通すと、谷沢はスタンドだけの薄明りの中で、鼻梁《びりょう》に皺《しわ》を寄せて卑《いや》しい笑顔を造った。酒や猫撫《ねこな》で声で私の機嫌《きげん》をとり、昨夜見たことは誰にも話してくれるな、と言った。それだけではなかった。「新英会は近々、最後の行動に踏みきるつもりだ。あんな先の見えた組にいたら怪我《けが》するか、下手すりゃ命だって危ない。どうだ、俺と一緒に新英会へ行かんか。お前だけの器量がありゃ、新英会でもっと大きくなれるぜ」谷沢はそんな風に勧めてきた。

私は、はっきりと否定の返事をした。組を裏切ることよりなにより、目の前の男に嫌悪感を覚えていた。私が黙って立ちあがろうとしたとき、谷沢の笑顔が停った。

「このままで、黙って帰れると思っているのか」

そう言った谷沢は、素早く拳銃をとり、私に銃口をむけた。谷沢は冗談だと思うな、と言った。私は銃口と谷沢の目を交互に見ていた。冗談でないことはわかっていた。最初からそのつもりだったのだろう。私が誘いにのるはずがないことは、わかっていたはずだ。私が射殺されても、自分に罪がかからない手筈《てはず》は整えてあるにちがいない。ソファから立ちあがろうとした谷沢が、テーブルに膝《ひざ》をうって怯《ひる》んだとき、私はとびかかった。あおむけに倒れた谷沢の体を、私は全身の力で床に押えつけ、その手から拳銃を奪いとろうとした。しかし体格も力も谷沢の方が上だった。体位が逆転しかけたとき、二人の縺《もつ》れあった手の中の拳銃が、閃光《せんこう》と銃声を同時に放った。

衝撃を感じたのは、私の方だった。一瞬自分が射たれたのだと思い、私は痛みに似た声を挙げた。数秒、私は、なぜ谷沢がのけぞり、喉《のど》を痙攣《けいれん》させているのかわからぬまま、やっと自分のものになった拳銃を必死に握りしめていた。谷沢が震える唇で、なにか喋《しゃべ》ろうとしたとき、私は拳銃を棄《す》て、部屋をとび出した。

玄関に、征二の姿はまだなかった。夏は暑く、熱気に開け放たれた夜に、繁華街の喧騒《けんそう》は、遠慮なく叩きつけられていた。このときほど、新宿のネオンの色を鮮やかに感じたことはなかった。私は右手と白いシャツの胴のあたりを血に濡《ぬ》らしていた。裏道を選んで、恭子の待っているアパートに行った。

ドアを後ろ手に閉めたとき、恭子は鏡にむかっていた。

「どうしたのよ、遅かったわね、今からじゃ横浜へ着くのが九時を過ぎてしまうわ」

楽しそうな鼻歌が、私をふり返って不意にとまった。恭子は、紫色の、胸もとに花の飾りを三つ縫いつけた華やかなレースの服を着ていた。口紅がいつもより濃かった。恭子は微笑を停めて、私のシャツの血の色を信じられないような顔で見ていた。その血が、その夜の予定だけでなく、すべてを台無しにしてしまったことに恭子はまだこのとき気づいていなかった。もちろん私も何も知らずにいた。恭子は私が傷を負ったのだとまちがえて、「医者を呼ぶわ」と言った。

「それで……谷沢は死んだの」

私が事情を話すと、恭子は震える声で聞いた。私は首を振った。私にはわからなかった。私が憶えているのは、床に倒れたスタンドの灯に、谷沢がのけぞる度《たび》に油のような光を放って揺れていた髪だけだった。谷沢の体はソファの陰になっていたし、私は銃弾がその体のどこに的《あた》ったかも確かめず、部屋をとびだしていた。

私は、征二がこの時刻なら、もう谷沢のマンションの入口で待っているだろうと思い、行って征二に谷沢の部屋を確かめさせてくれと、恭子に頼んだ。

とび出していった恭子は、三十分後に鉄階段に力のない足音を響かせて戻ってきた。右脚をひきずる癖がいつもより、はっきりと聞こえた。

恭子は、私が尋《たず》ねる前に黙って首を振った。

私は覚悟ができていたので、さほど驚かなかった。恭子を待っているあいだに、私は、谷沢がもし死んでいたら、すぐに組へ行って全部の事情を話し、警察に自首してでようと考えていた。私の行為は正当防衛だった。それを証明することもできるはずだ。格闘の跡が部屋には残っているし、拳銃には谷沢の指紋が残っているし、それは、また、谷沢自身の拳銃だった。「何も心配しなくていい」そう言って立ちあがろうとした私の手首を、恭子は摑んだ。

「逃げてもいいのよ……このまま、あんたと……逃げても……」

恭子はそう言った。呟《つぶや》くような低い声だった。横顔を長い髪に包み隠し、私ではなく、どこか遠くにいる別人に語りかけたように見えた。ただ手だけが、私の気持までも摑みとろうとするように、必死に私に縋《すが》っていた。

「大丈夫だ」

私はその手をふりほどいた。恭子の躰《からだ》は畳に崩れた。紫のレースが、私の視線の底に美しく模様をひろげた。私はそれ以上、恭子に声をかけず、部屋を出た。

征二は、鉄階段の下で待っていた。足で鉄階段を蹴っていた。私は、この時、征二の右手に包帯が巻かれていることに気づいた。七時に組の事務所の裏手で話したときは気づかなかった。たぶんポケットにでも手をつっこんでいたのだろう。尋ねると、昨日の晩、ちょっとした喧嘩の際、ガラスを手で殴ってしまったと征二は答えた。私は、包帯が解けかけていると注意した。征二は包帯をちょっと見ただけで、なにか言いたそうに口を開いたが、私が黙って歩き出したので、何も言わず背後に足音をつけた。

組長も兄貴たちも、真相を話すと、私に同情してくれた。悪いのは谷沢だから、罪にはならんだろうと慰《なぐさ》めてくれた。私は征二を連れて警察に行った。征二とは署の前で別れた。署の玄関に入るとき、ふり返ると、征二は両手をポケットにつっこみ、このときも、半ば私に背をむけるようにして、靴の先で舗道の縁《ふち》を蹴っていた。

私は、刑事に事実を話し、正当防衛を主張した。刑事は、納得したように肯《うなず》き、

「確かに正当防衛だったよ。ただしそれは最初の一発だ。右腹を掠《かす》めている方だ。もう一発、心臓に命中している銃弾を射ったときは、はっきり谷沢を殺《や》る意志があったんじゃないか」

「二発?」

私は笑おうとした。私が射ったのは一発だけだ。あのときは無我夢中だったが、それぐらいは、はっきりと憶えている。だが、刑事が見せた写真の、谷沢の剝《む》かれた体には確かに二つの傷があった。一つは右腹を掠め、もう一つは心臓に黝《くろ》い穴をあけていた。腹を掠めた弾丸は床からみつかった、と刑事が乾いた声で言った。それが、私と谷沢のもつれた指から発射されたものだろう。谷沢はもちろんそれだけでは死ななかった。苦痛に顔を歪《ゆが》めただけだ。そのあと、二発目の弾丸が、今度は、はっきりとある意図をもって、谷沢の命に射ちこまれた。だがそれは私ではない。私が射った一発目の傷は掠り傷程度だったので、警察ではどちらが先に発砲されたかはわからなかったらしいが、心臓に命中した方が後に発砲されたことは明らかだった。つまり誰かが、私が現場をとび出した後に入ってきて、倒れている谷沢を見つけ、同じ銃で谷沢を殺害したのだ。ただの偶然とは思えなかった。二発目を射った犯人の意図は、谷沢を殺害することより、私に濡衣《ぬれぎぬ》を着せることだったのではないか。

三日間、無実を主張し続けた。四日目に、刑事が恭子と征二の証言を聞かせた。二人とも口を揃《そろ》えて、現場から逃げ戻った私から「谷沢を殺した。弾丸は二発射った」という言葉を聞いたと語ったという。私は刑事に「恭子を呼んでくれ」と怒鳴《はげ》り続けた。「恭子の奴を呼べ。あいつを呼んでくれ」私が生れて初めて口から吐きだした烈しい怒声だった。「恭子が会いたがらない」と聞くと、私は完全に自分を喪《うしな》い、刑事に殴りかかった。壁をかきむしり、頭をうち続けた。その晩、一晩中、私は鉄柵《てつさく》に頭や手首を叩きつけ、獣のような叫び声を挙げた。そして翌日の朝、白い光の中で、私はすべての罪を認めた。

裁判所で、私は恭子を二度、征二を一度見かけた。恭子は二度目の証言の際、突然ふと被告席に私がいることを思い出したように、一瞬だけ、私の方をふり返ったが、すぐに目を外《そ》らすと、乾いた声で偽証を続けた。征二は一度も私の方を見ようとしなかった。不貞《ふて》不貞《ぶて》しい横顔に、私は、初めて、小賢《こざか》しい大人の男の顔を見た。証人席から離れた征二は、いつもの癖《くせ》で右手をポケットにつっこんだ。もう包帯を巻いてはいなかった。あの晩包帯が解けかかっていたのは、二発目の銃弾を谷沢の心臓にぶちこんだとき、無理に指を曲げたからだろう。恭子がアパートをとびだし、戻ってくるまでの三十分に、二人はすべてを決めた。恭子と征二が現場に入ったことを承知していたのに、私はなぜ、濡衣をかけた犯人が二人であることにすぐ気づかなかったのだろう。いや、気づいていたかもしれない。しかしそれが私のいちばん認めたくなかったことだったから、私は自分の気持をごまかしたのかもしれない。傍聴席に戻ろうとする征二に、私は何か言おうとした。弁護士が制《と》め

いかわからなかった。


たが、制止されなくとも、結局、私は何も言わなかっただろう。私には、何を言ったらいかわからなかった。

　最初の発砲が正当防衛であることは認められたが、二発目を射った際には、錯乱《さくらん》状態の中にもはっきり殺意が認められるとして、七年の実刑がおりた。

　刑務所に移って六日目に恭子が面会に来た。私は恭子がもう一度だけは、私に会いに来てくれると思っていたので、思いどおりだったことがむしろ、嬉《うれ》しかった。私はもう長年会っていなかったように、懐しい目で恭子を見ていた。恭子は黄色いブラウスに、真珠の耳飾りをし、真珠に届くように髪を短く切りそろえていた。私は、その髪型は似合わないと言った。ガラスが二人を拒《へだ》てていた。共にほとんどなにも喋らなかった。

　ただ私は、

「征二とは、いつからできていた」

と聞いた。恭子は顔を挙げた。そんなことは重要じゃないというように淋しい目だった。

「あのとき、逃げてもいいと言ったな。俺を裏切る工作をしたすぐ後に、なぜあんなことを言った」

「わからないわ。……でも本当の気持だったから」

　結局、最後のとき恭子が言ったのはそれだけだった。面会時間の半分で出ていったが、立ちあがる前に、ふと、右の手を私の方にのばし、掌《てのひら》をガラスに押しあてた。そうして、数秒そのままの姿勢でいた。掌の脈に沿って、一筋黒いものが流れていた。血痕《けっこん》のようにも見えたが、ただ何かで汚れているだけだろうと思った。指の端で、銀色のマニキュアが光り、耳に真珠が煌《きら》めいていた。涙はないが、泣いているより悲しい目で私を見ていた。濃い化粧が消えてしまうほど、白い淋しい顔だった。躰も静かだったが、その静かさの裏で崩れていくものを、ガラスにあてた右手で必死に支えているように見えた。

こんな綺麗《きれい》な女を見たことがなかった。私の体が少しだけ、恭子の方に動いた。私はこの時、自分の手で目の前の恭子を殺したいと思った。そして同じぐらい、自分の手で抱きしめたいと思った。恭子が出ていくと、看守が立ちあがったが、私は面会時間が終わるまでここに座らせておいてくれと言った。

その晩に、恭子と征二がどこかへ逃げたことを、十日後、面会に来た組の若い者から聞いた。私は何も驚かなかったし、何も答えなかった。

恭子が逢いに来た翌日から、私は静かすぎる囚人《しゆうじん》になっていた。無口で、ただ時々、思い出したように、指で引き金をひく恰好《かつこう》をした。

出所してもすぐには、二人の行方《ゆくえ》はわからなかった。組は、私が刑務所に入った年の末に結局新英会の手中におち、翌年、親父さんは癌《がん》で死んでいた。昔の顔馴染《かおなじみ》の何人かは、征二のことを既に死んでしまった男のように話した。誰もが憶えている征二は、いつも肩を丸めてポケットに手をつっこみ、目立たないように人影に隠れ、そのくせ絶えず獲物を狙うように目をきょろきょろさせた、飢《う》えた野良犬に似た男だった。狂犬のように威勢よく、乱暴で、涙もろいお人好しの馬鹿だった征二を思い出す者はなかった。長い歳月が経つと人は真実だけを記憶に残すものだ。一カ月後、最後に訪ねた久美《くみ》という女から、この町の名を聞いた。

久美は昔、恭子と同じ店に出ていた女だった。何も知らないと言ったが、不審に思って力ずくで問い質《ただ》すと、一枚の絵葉書を見せた。私もよく知っている北の港町は、絵葉書のつくられた空の青さの下で、架空《かくう》の町のように見えた。三年前の葉書に、恭子は、今金に困っているから、五万ほど都合がつかないかと書いていた。自分の足音のように少し文字をひきずる癖は昔と変わらなかった。金の送り先に駅の中の郵便局が指定されていた。久美は恭子の住所を知らないいし、金も結局は送らなかったと言った。五万ぐらいの金は持っていたが、おかしなことに関わりあいたくなかったのだと言った。私は久美を殴った。久美は右手で頬《ほお》を庇《かば》いながら、「あんた、まだ恭ちゃんに惚《ほ》れてるの。もう昔の恭ちゃんじゃないはずだわ。六年が経ってるのよ。あんただって昔通りじゃないでしょ」と言った。それはわかっていた。私は黙って久美の部屋を出た。恭子が今もその町にいるかどうかはわからなかったが、翌日、私は東京を発ち、海を渡った。

夜の海峡は、ただ黝《くろ》い波のうねりだった。波にのみこまれそうに、星は低く落ちていた。秋が始まったばかりだったが、夜空は凍《こお》りつくように冷たく、星は、その冷たさの雫《しずく》のようだった。私は長い時間、甲板に立って、夜の海を見ていた。

潮風は、私の体をつきぬけて流れていた。

六年前、恭子もまたこの果てしない闇だけの世界を眺《なが》めただろうか。私は六年前、いったい恭子がどんな気持でこの海を渡ったのか、考えてみようとした。だが何もわからなかった。征二と二人楽しそうに笑っているようにも、たった一人、すべてを忘れるために、夜の海を眺めているようにも思えた。

私にわかっていたのは、六年前まで私が幸福だったこと、その幸福を一人の女が裏切ったことだけだった。

2

夜は、もう暗かった。港の灯が霞《かす》んでみえるので、まだ霧雨が降っているのがわかる。九時になっていた。私は、もう一度、胸ポケットの拳銃を確かめると、上衣を着て、ホテルを出た。

雨の中を、しばらく運河沿いに歩いて、通りかかった車を拾った。運転手は「レインボー」という店を知っていた。まだ最近できたばかりだが、女たちに美人が揃《そろ》っているのでちょっとした評判になっていると言った。

「リエという女を知らないか」

「さあ、私はお客さんを送り届けるだけで、中に入ったことはありませんから……」

運転手は、ちらりとルームミラーを覗《のぞ》いた。

「お客さんも組の方ですか」

「組？——暴力団のことか」

「ええこの周辺をとりしきっている松尾《まつお》組の縄張りなんですよ、レインボーは。うちの社が組の事務所の近くなので、よく組から呼ばれて、レインボーへ行くんです」

運転手は、組の者に通じているようであった。私は、古川《ふるかわ》征二という名を聞いたことがないか尋ねた。この町でも征二は暴力団員を続けているに違いないと思っていた。ヤクザになるしか生き方のない男だった。

「古川というと、三十二、三の瘦《や》せて色のない目をした？　去年、幹部になった奴でしょう？　それなら五、六度、乗せたことがありますよ。レインボーに行ったことはないですが、夜遅くにホテルから呼ばれてね。いつも違う女で、非道《ひど》い所を見せつけるんですよ。その席で——」

私が黙りこくっているので、運転手は余分なことを喋ったと思ったのか、ひょいと謝まるように頭を垂《さ》げ、ハンドルを右に切った。道はゆるやかな坂になった。商店街らしい家並は、石畳の坂の両脇に、すでに灯とシャッターをおとして、静まり返っている。車のライトにさからって、石畳をすべりおちてくる霧雨の流れにネオンの色がまじった。運転手は、ネオンの色に車を踏みいれて、すぐにとまった。さまざまな色とさまざまな名で店のネオンはひしめきあっている。霧雨は、色彩の喧騒《けんそう》を静めるように、音もなくふりかかっていた。この雨の中を、車のライトが次々に訪れてくる。車を降りて、見上げると、レインボーと英字が赤いネオンで読めた。雨に滲《にじ》んだ赤は、目を離しても、すぐには消えなかった。私は、青銅のような重い扉《ドア》を開いた。

店の名とは不釣合に中は暗かった。思ったほど広くはなかったが、奥に大きな窓があるのでさほど狭くは見えなかった。窓がなければ穴倉のように息苦しい店だろう。ボックスはどれも客で埋まっていた。外から霧が流れこんだように、うっすらと層を重ねた煙草《タバコ》の煙を、時々笑い声が破った。薄暗いので、客も女の顔もはっきりとはわからなかった。入口から短い石段が階上へ上っている。階上といっても、バルコニーのような木の柵《さく》が一階に覆《おお》いかぶさって張りだしているだけである。私がその下のカウンターの隅に座り、バーテンに酒を頼むと、黒い絹のハンカチが、私の体へとふりかかってきた。顔をあげると、木の手摺《てすり》の陰になった闇に紫のハイヒールがラメの光を放って見えた。恭子かもしれないと思ったが、やがてハンカチをとってくれと顔を覗かせたのは別の女だった。私が馴染の客か顔を見定めようとしただけだった。

私は、店中に響いている騒々《そうぞう》しい唄から耳をそむけるように、蹲《うずくま》って、ただグラスを時々思い出したように口に運んだ。長い時間が経った。客の出入りがあり、そのたびに女たちが派手な声をあげたが、騒がしい音楽で、声の特徴はつかめなかった。やがて、グラスが空《から》になっていることに気づいて、バーテンを呼ぼうとした時である。

ふと、誰かが私の背中に、崩れるように、寄りかかった。女だった。女は、私の右肩に顔を埋《うず》めた。髪が私の右腕に波うって流れた。酔っぱらって、女は立ったまま私の背にすがりついている恰好《かっこう》で、じっとしていた。突然だったが、私は驚かなかった。私は、女が誰かを確かめようともせず、ただ空のグラスを見ていた。酒の匂《にお》いに混じって、香水の匂いが漂った。六年前とは違う、強い下卑《げび》た香水だった。女の髪の感触と眠るように静かな息が、私のうなじにかかっていた。肩に埋められた女の頭に、私も自分の頭をもたせかけた。私は二十三の時、組に入って最初の喧嘩をしたときのことを思い出した。傷ついて地面にぶっ倒れた際、土の匂いに感じたあの安らぎを、恭子の髪の匂いに感じていた。私たちは、長い間じっと、そうしていた。疲れ果て、ただ眠りに落ちることだけを望むように。

やがて、背後から、抱きしめるように、恭子は手を私の胸にまわした。爪は赤かった。六年前恭子がいちばん嫌いだと言っていた色だった。恭子の手は、上衣の上から胸ポケットの拳銃に触れていた。拳銃だとわかったにちがいないが、恭子の指は静かなままだった。吐息《といき》とともに、低い声が私の背に触れた。

「征二を殺して……」

声はそう呟いたようだった。六年前、私に逃げようと言ったときと同じ声だった。

私が黙っていると、恭子は私を離れて、

「奥へきて」

と言った。私は、恭子の背について、いちばん奥の席へ行った。酔っているのか、恭子の、黒いスリップのようなドレスを着た背は少しふらついていた。右脚をひきずるのは昔と変らなかった。恭子は私と出遭《であ》う前の年に一度自殺に失敗していた。車にとびこみ、そのときの傷を右脚に残した。二人は、窓際の席に、対《む》いあ《か》って座った。

恭子は、私から目をそむけるように髪に横顔を隠して、窓の外を眺めていた。

「知っていたのか」

何も答えず、恭子はぼんやり外を見ていた。ずいぶん時間が経ってから、

「何を？」

今やっと私の声が聞こえたというように、髪をかきあげながら、ふり返った。私が目の前にいることにも今やっと気づいたというように、ちょっと驚いた顔だった。

「知っていたのか、俺がこの町へ来ていることを……」

「……ええ、久美が手紙で報《し》らせてきたわ、あなたが訪ねてきたって……でも知らなくても、さっきすぐにわかったはずだわ、あなたは後ろからだと、右の肩が妙に落ちて見えるから……」

「久美は、お前の住所を知ってたのか」

「ええ……町の名だけは教えてしまったから、すぐに逃げた方がいいって……」

「なぜ逃げなかった……」

「どこへ……」

「――」

「どこへ逃げるの」

「どこか、俺が追いかけられないような遠い所があったはずだ。どこか遠い……俺はこの

町にお前たちがいなければ諦《あきら》めるつもりだった」

「そうね。征二なら、今度も逃げてくれたでしょうね、あなたと違って——私が逃げようと言いさえすれば……でも」

恭子は小さく、投げやりな微笑を浮べた。

「でも逃げられないのは気持だわ……あなたは六年間、私を追い続けていたわ、刑務所の中にいても……」

私は恭子に、六年前より少し痩せたと言った。少し痩せ、茶色に髪を染め、濃い化粧で目の下の隈《くま》を隠そうとしていた。

恭子は目を、バーテンの背後に掛けられた絵に流した。外国の港町を描いた絵だった。夕陽が港と海を染め、沖の方に、マストの影を長くひいて、船が一隻《いっせき》描かれている。

「店の娘《こ》たちが賭《か》けをするのよ。あの船が港から出ていくのか、港に戻ってくるのか、客がどっちを答えるかって……」

私には、どちらにも見えなかった。あの船には戻る港も、出ていく町もないように見えた。そこに停まって、ただ夕暮れの波に漂《ただよ》っているだけの船だった。恭子は、私と同じ目で、しばらくその船を見ていた。

「それでも逃げられたはずだ……どこかへ」

私はもう一度言った。恭子は、首をふった。

「私はあなたを待ってたのよ、逃げるつもりはなかったわ」

立ちあがると恭子は、バーテンから自分のバッグをとってきた。バッグの中から銀色の蓋《ふた》の口紅をとりだし、ふとその手をとめて、

「六年前、東京を離れる前の晩に、私たちは私たちなりに仁義をつけたわ」

私は、仁義などという言葉は問題ではない、自分はもうあの世界の人間ではない、と答えた。恭子は口紅の蓋をとろうとしたが、思い直したようにバッグに戻し、別の口紅と手鏡《コンパクト》をとりだして唇の紅を直した。

「俺がこの町へ来たのは、そんなことのためじゃない」

私は、胸から拳銃をとり出して、握ったまま、テーブルに置いた。

「わかってるわ……だから、征二を殺して、と言ったわ」

「俺を裏切ったのは、征二だけじゃない」

恭子は口紅をとめ、冷ややかなほど黙りこんだ眼差《まなざし》を鏡にむけていたが、やがてバッグにしまうと、顔をあげた。酔ってはいるが、目の奥に、私をしっかりと見つめる光があった。恭子は思いだしたように肯《うなず》いた。

「六年前、私たちの偽証をあなたが認めた、と聞いたときにもうわかってたのよ、あなたが自分の手で私たちを殺すつもりだってことは……だから待ってたって言ったわ」

「黙って殺されてもいいと言うのか」

「あの晩、逃げようと言ったわ。本当にあなたと逃げるつもりだった……どこまでも逃げて、最後に一緒に死ぬつもりだったわ」

「しかし、実際にお前が選んだ相手は、征二だった……」

「そうね、征二にあなたを裏切って逃げようともちかけたのは私だったわ……」

恭子は疲れ果てたように、窓に頭を当てて外を眺めた。港の夜景は、雨に濡れて、海へと滑《すべ》り落ちていた。湾の影は、夜を深く掘って、底に灯が二色にわかれて、広がっていた。街の極彩色と、湾に浮んだ船のただ白い灯だった。この美しい夜は二人に似合わなかった。二人は、裏切った女と裏切られた男のまったく別の立場だったが、実はよく似ていた。二人とも六年前の事件で、全部を喪《うしな》っていた。私は今も恭子を必要としていると口にすることもできたし、それはたぶん本当の気持だったろう。たがいに黙っていると、それがよくわかった。私には拳銃を握りしめ、恭子を殺そうとしている気持の方が嘘《うそ》のように思えた。だが、その嘘に自分が従うことも同じようによくわかっていた。店の中でどっと笑い声がおこった。恭子はそれを真似るように、横顔のままで、笑い声をたてた。自分を蔑《さげす》んで、笑っているような声だった。自分を――私を、征二を、すべてを笑ったのだろう。恭子が私を待っていたのは、本当だろう。目の前の女は、完全に自分を捨てていた。それだけが私と違う点だった。私には、まだ一つだけ、この女と征二にむけて拳銃の引き金をひく瞬間が残っていた。

恭子はもう一度笑った。蠟燭《キャンドル》の火がつきかけていた。炎の影は、恭子の首筋を淡い黒で燃やした。影は私たちの六年間の最後の頁《ページ》を焼こうとしているようだった。私は今夜中に、決着をつけたいと言った。

「今夜は駄目《だめ》だわ。征二は今、他の女と暮しているから……明日五時に第三桟橋《さんばし》へ来て。明日組へ征二を迎えに行って、必ず連れていくわ。征二はまだあなたがこの町へ来てることを知らないでいるから……」

「征二に棄てられたのか」

恭子はどうでもいいことだというように横を向いた。

「そうね……きっと」

他人《ひと》事のように言った。

「棄てられたのね。去年、幹部になるとすぐ他の女を抱いたわ。今は三人目の女……でも今でも私たち時々逢って、あんたを裏切ってるわ……征二も私も、最低だわ……非道《ひど》すぎるわ、私たち」

恭子はもう一度笑った。

「だから、俺に征二を殺《や》れというんだな。なぜ、そんな男を選んだ——六年前、お前はあいつを選んだ」

「ええ……」恭子は肯《うなず》いた。「私には、征二のいる所へ自分を陥《おと》す方が、あなたの世界へ自分をひきあげるより楽だったから。谷沢はあなたを利口ぶってるっていってたわね、あれは本当だったわ」

私は立ちあがった。私は、そんな立派な男ではない、最低なのは征二ではなく、俺だ、自分を裏切った者が許せず殺そうとしているだけだと言った。胸に銃をしまおうとした手を不意に恭子は握った。

「その銃に弾丸は、何発入っているの」

「二発だ――俺が殺したいのは二人だけだ」

「もう一発入れておいて……三発……」

私はしくじる心配はないから二発で充分だと言った。恭子は首をふった。目を隠すように垂れた前髪が揺れた。目は動かなかった。私を見上げていた。この夜、初めて見せた訴えるような目だった。

「誰の分だ」

「――谷沢の分だわ」

「谷沢？」

恭子は黙って肯いた。私にはなんのことかわからなかった。谷沢は六年前、征二の手にかかって死んでいた。私はその冤罪《えんざい》で六年の刑務所暮しを勤めた。真犯人を自分の手で殺す権利を手にいれるために、私は黙って空しい六年の月日を支払ったのだ。私が尋ねようとしたので、恭子は首をふった。

「何も聞かずに約束して、三発用意しておくと……そうすれば私も必ず約束を守るわ……明日の五時、第三桟橋、第三桟橋……」

恭子は、第三桟橋という言葉を、夢の言葉のように二度くり返した。私は、肯いて店を出た。車が停っていたが、私は坂を歩いて下った。恭子との再会は無駄だった。私たちは重要でないことを語り合っただけだった。恭子が私を待っていたことも、すべてを蔑んで笑い声をあげることも私にはわかっていた。私はただ恭子たちを殺すためにだけこの町へ来たのだ。殺そうとしている女に、最後の言葉を語りかけても、何の意味もなかった。

雨はもう小止《こや》みになり、霧と見わけがつかなくなっていた。私はやはり恭子には逢わず黙って今夜中に決着をつけるべきだったと考えた。そして、そうしなかったのは、たぶんこの霧のような雨のせいだろう、と思った。

3

翌日、午後五時少し前に、私はホテルをひき払った。私は宿の主人に、部屋に落ちていた金のネックレスを渡し、一昨日連れこんだ女が訪ねてきたら返しておいてくれと言った。主人はその女のことを憶えていなかった。私も顔を忘れていた。ただ赤い髪の女だとだけ言った。私が、第三桟橋がどこか尋ねると、私の部屋の窓から見えるいちばん遠くの桟橋だと言った。石炭の山で先端しか見えない桟橋らしかった。主人は白髪の下で顔を曇《くも》らせ、

「あのあたりは、暴力団がよく殺し合いをする所だから気をつけた方がいい」

と言った。私は礼を言い、最後の金で部屋代を払った。昨日の黒人船員が、ちょうど口笛を吹きながら階段を下りてきたが、私は何も声をかけずにホテルを出た。

運河を二つ渡り、長い倉庫に沿って歩いた。石炭の山を通りぬけると、港が開けた。ちょうどホテルの窓からとは反対の角度から見る港だった。ここからの方が港も湾も広く見えた。

昨夜小止みになった雨は、結局止みきることなく、静かな雨音で今日も一日町を濡らし続けた。薄い雨雲は、夕暮れらしい光を透かしながら、本土へ渡った風の跡のように、水平線にむけて流れ落ちていた。

恭子は、桟橋に立っていた。ひとりだけで他に人影はなかった。白いレインコートを着て、髪の色に似た茶色のスカーフで頭を包んでいた。背をむけて海を見ていた。声をかけるまで、私が近づいたことに気づかなかった。ふり返ると、雨に濡れた額《ひたい》の髪をかきあげた。口紅をさしていない唇は、灰色がかっていた。

「征二はもうすぐ来るわ——今夜、東京から来る客を接待することになっているから、その前に来るって……そこの倉庫の中で待ってるって言ったわ」

「征二にはどう話した？」

「嘘《うそ》を言ったわ、あなたが昔のことなどもう全部忘れて、ただもう一度だけ私たちに逢いたがって、わざわざ訪ねてきてくれたと」

「そんな嘘をあいつは信じたのか」

「ええ——征二、とても喜んでた、あなたが昔のことは何も恨《うら》みに思っていないと言ったら……あなたも知ってるはずだわ、征二がどんな嘘でも信じてしまう馬鹿な男だってことは……六年前、谷沢の部屋でも、私が本当に好きなのは征二だって言ったら、簡単に信じたわ……」

脚の傷で踵《かかと》の低い靴をはいている恭子は、昔のように、私の肩の高さから、私を見上げていた。雨が光の粒《つぶ》となって顔に弾《はじ》けていた。私は背をむけて、倉庫へと歩いた。

倉庫の戸は少し開いていた。私は、もしかしたら、恭子が嘘をついていて、中に征二が待ち伏せているかもしれないと思ったが、ためらわずに戸を開けた。そこまで恭子が私を裏切るなら、殺されてもいいと思った。

中には誰もいなかった。積荷が散らばって置かれ、闇の匂いがした。雨音が聞こえるだけで静かだった。戸口から灰色の光が、帯となってコンクリートの床に流れこんでいた。私は暗い積荷の陰によりかかって煙草を吸った。聞きなれた足音で、恭子は近づいてくると私と並んで積荷に寄りかかり、私の肩に頭をもたせかけた。

「征二を先に殺《や》って……征二も拳銃をもっているはずだわ、近づいたらすぐに殺って……」

それだけ言うと、眠るように目を閉じた。

私は片腕を恭子の躰にまわした。数分後にはこの手で、この女を殺そうとしているのが自分でも信じられなかった。恭子も、一分先のことすら考えられないほど疲れ果て、せめて最後の安らぎを、束《つか》の間《ま》でいいから、私の肩に求めているように見えた。

十分が過ぎた。その間、二人は何も喋らなかった。たがいのかすかな息遣《いきづか》いだけを聞いていた。

「遅いな——」

私はやっと呟いた。

「でもまちがいなく来るわ」

「一人だけで来るだろうな——」

「ええ……必ず一人で来てくれって念を押したから」

その恭子の言葉が終らぬうちに、外に車の近づく気配がした。私はポケットの中で拳銃を握りしめた。車は倉庫のすぐ近くで停まり、ドアの開く音が聞こえた。足音が水溜《みずたま》りを蹴って近寄ると、人影が現われた。

男の影は、戸口で肩の雨をはらうと、恭子の名を大声で呼んで、中へ入ってきた。征二の声だった。征二は床の光の中に、影を長くのばしてさらに中へと入ってきた。物陰にいる私たちがわからず、何度も恭子の名を呼んだ。

私はやっと光の中に足を踏みいれた。征二は突然現われた私に驚いて、足をとめた。私と征二は数歩離れていた。私の靴先に、征二の頭の影が届いていた。

征二は腕を通さずにコートを羽織《はお》り、下は白い盛装だった。豪華な場所へ出かける途中に、ちょっと立ち寄ったという恰好だった。胸に、本物か造り物かわからないカーネーションを飾っていた。少し太り、肩巾が広くなっていた。私と同じぐらいの年恰好に見えた。髪の長さだけが昔と同じだった。

私の方も変わっていた。征二は、一瞬、私が誰かわからぬように、不思議そうに眺めたが、

「兄貴――」

懐しそうな声で呼びかけ、両手を広げて近寄ろうとした。私は拳銃を出し、銃口をむけた。

征二は、驚いて一歩を踏みだしたまま、棒だちになった。そのとき、恭子が私にすり寄り、私の肩に、さっきと同じように頭をもたせかけた。恭子は唇にかすかな微笑を浮べて征二を見ていた。目は、見知らぬ他人か、遠い昔に忘れてしまった男を見ているようだった。

「射って――」

恭子は、耳もとで囁《ささや》くように言った。

小声だったが、それは、はっきり征二の耳を意識した言葉だった。

征二は顔を歪《ゆが》め、笑おうとした。何かの失敗に気づいて、ごまかそうとするような微笑だった。私は征二の右目の下に黒子《ほくろ》があることを初めて知った。

征二は、口を開きかけ、開いたままでとめた。私と恭子のどちらの名を呼んだらいいかわからないようだった。ほんの一瞬、私と恭子の顔を交互に眺めた。恭子が裏切ったことはすぐわかったのだが、それが信じられずにいた。征二は、なにか弁解するように、片手を私の方にさしだし、歩み寄ろうとした。冗談なんだろうと言いたそうな笑顔だった。結

局、征二はあまり変わっていなかった。昔と同じ笑顔だった。私が昔弟のように可愛がっていた男だった。私も笑って「セイジ」と呼ぼうとしていた。私は引き金をひいた。征二の体は、背後に数歩、退《さが》って、あおむけのまま、床に倒れた。私はゆっくりと征二の目で私を見あげていた。床に倒れた征二の体は、昔のように痩せて、小さく見えた。征二は最後の目で私を見あげていた。苦痛に顔を歪め、それでも笑おうとした。本当に、馬鹿な、どうしようもない馬鹿な奴だった。私の名を呼ぼうとしたが、声にならないうちに頭は床に落ちた。雨の音だけが残った。

弾丸は、征二の心臓に命中していた。血は、胸に飾られた真紅の花から流れ落ちているように見えた。その色だけが、この、やくざに生まれついた男の勲章だった。

私にすり寄って冷やかに、死体を見下ろしていた恭子は、ふと思い出したように、私の手から拳銃をとると、征二の体に一歩近づき、引き金をひいた。弾丸は、死体の上着の裾《すそ》に穴をあけたが、腹部をかすめただけだった。

恭子は横顔を、髪に隠してうなだれていた。

髪のすきまから声がもれた。

「……私は今、谷沢の体を射ったのよ……」

「谷沢？」

「六年前、征二は今の私と同じことをしたの……死んでいる谷沢の体を射ったわ。右腹をかすめるようにして……征二がしたのはそれだけだわ」

私が動こうとしたので、恭子はふり返ると銃口を私にむけた。静かな顔だった。

「黙って聞いて……銃にはもう一発残っているわ。それで私を射てばいいわ、でもその前に、征二のかわりに、私が本当のことを話しておきたいから……」

恭子の静かすぎる顔は、怒りに似ていた。恭子は言った。

「六年前、谷沢を殺したのはあんただったわ。――谷沢は、あんたが射った最初の一発で、死んでいたのよ」

4

六年前のあの晩、谷沢のマンションに駆けつけた恭子は、玄関の陰で所在なさそうに待っている征二を見つけた。恭子は征二に経緯《いきさつ》を話し、征二の後について、谷沢の部屋へ上がった。ドアがわずかに開いていた。二人は音をたてずに部屋に入った。谷沢は居間に、あおむけに倒れていた。心臓部に穴があき、既に死んでいた。私が格闘の際、ひいた引き金は、ただの一発で、谷沢の命をぶち破ったのだった。征二は、傍《そば》に落ちていた拳銃を拾って、長い時間、拳銃と谷沢の顔を交互に見ていた。征二には珍らしい怒ったような顔だった。

恭子が「帰ろう」と言って腕をとると、征二は乱暴な手でふりきった。「このままにしておくわけにはいかない」と言った。そして、もっていた銃で、谷沢の死体を射った。わざと外らして射ち、弾丸は死体の腹部を掠めただけだった。征二は弾丸を射った衝撃で恭子の躰《そ》に崩れかかった。何をしたかわからず、自分でも驚いている顔だった。

「なぜだ……征二はなぜそんなことをした」

「あなたの身代りになるつもりだったのよ。自分が谷沢を殺したことにして、自首するつもりだったわ……」

「俺が聞いたのは、なぜもう一発射ったかだ——身代りに自首するだけなら、銃から俺の指紋をぬぐって、自分の指紋をつけておけばよかっただろう」

　恭子は、私を憐れむように見た。

「そんなことをしても、あなたが承知して？　あなたは黙って征二を身代りに送り出すようなことができた？　……あなたはそんな卑怯《ひきょう》な男じゃないわ。絶対に征二をとめて、自分の過失は自分で償おうとしたはずだわ、あなたがそういう男だということを誰より知ってたのは征二よ……征二は馬鹿な男よ。でもその馬鹿な頭で必死に考えたんだわ、どうすれば、あなたにも警察にも気づかれず、谷沢を殺したのが自分だということにしてしまえるのか……そのためよ、征二が二発目を射ったのは……」

　弾丸が谷沢の心臓部を射った一発だけなら、それは、まちがいなく私が射ったものだとわかってしまう。そこで征二は自分がもう一発射ち、二発の弾丸で射った人物をすり替えようとしたのだ。私が射った弾丸は谷沢の腹部を掠《かす》めただけで、二人が谷沢の部屋に入ったとき谷沢はまだ生きていた、その谷沢を自分が殺した——征二はそう警察で申したてるつもりだったのだ。警察ではなく、誰より私のためだった。私に、当の私に、自分自身が犯した罪を気づかせないために――

その日、征二は偶然右手に包帯を巻いていた。包帯をとり、銃に自分の指紋をつけようとしたのを、恭子が制《と》めた。恭子は、「あんたにそんな真似はさせたくない」と言った。それから、「あの人を裏切って二人で逃げよう」とも――その半年前から二人は、私の目を盗んで関係をもつようになっていたのだ、と恭子は言った。

「征二は拒《こば》んだわ、そこまで兄貴を裏切ることはできないって。征二には、あんたに隠れてこっそり私と寝ていることだけでも恐ろしい裏切りだったのね。いつも、あんたに済まないって顔してたわ。そのために身代りになろうとして……征二は、私に惚れてたけど、同じようにあんたのことも好きだったのよ。いつも言ってたわ、兄貴は立派だって――いつかこの世界で大物になるって」

そんな征二に最終的に決心させたのは、恭子の「私が好きなのはあんたの方よ」という言葉だった。征二は唇を嚙《か》み、泣きだしそうな顔で肯いた。上目づかいで、救いを求めるように恭子を見ていた。

偽証するよう説得したのも恭子だった。征二が、私を救うために射った二発目の弾丸は、逆に私を追いつめる結果になった。二発目の弾丸が射たれたために、私は、谷沢を殺したのが正当防衛だったことを証明できなくなってしまったのである。征二の最初の意図はある意味で果たされていた。私は征二の意図どおり、谷沢の心臓を射ったのは征二だと、六年間考え続けてきたのだ。

「なぜ、それを昨日言わなかった……」

「言っても信じてくれなかったはずだわ、征二を射った後でなければ……あなたに信じてもらうには征二を射たせる他なかったわ」

「それだけのために、征二を射たせたのか」

恭子は首をふった。

「去年、征二は私を裏切ったわ。でもずっと前から、この町に流れてきたときから、私たちはもう終ってたのよ。この町に着いたときから、私はあんたが来る日を待ってたわ」

「どのみち、お前たちは、俺を裏切った」

と私は言った。そして、もしかしたらこれは恭子が言いたかった言葉だったろうと思った――どのみち私たちはあなたを裏切ったのだと。恭子は肯いた。それでもまだ銃口を私にむけていた。淋しそうに――本当に淋しそうに恭子は私を見ていた。銃口がのみこんだ穴より、虚《うつ》ろな目だった。

結局、恭子は私を射たなかった。残された弾丸が、自分のためのものだということを恭子は私よりよく知っていたにちがいない。恭子は引き金をひかなかった。だが、私に銃をむけて、淋しそうに私を見ていた数秒の間に、恭子はまちがいなく、私を射ったのだと思った。恭子は私の生命の最も大事な部分にむけて、たしかに引き金をひいたのだ。その淋しすぎる目で――

恭子の唇から吐息がもれた。それは、何もかもが終った合図だった。

恭子は、スカーフをとって銃をぬぐい、自分でもう一度しっかり握りしめた。それからスカーフに包んで、銃を私の手に握らせた。警察に、この事件が私には無関係で自分が征二を殺したあと、自殺したと思わせるためだった。

恭子は、両腕をまわし、私の首にぶらさがるように抱かれた。私がスカーフの上から握った拳銃の先が、恭子の胸にくいこんだ。恭子はさらに躰を押しつけ、

「射って――」

と私の耳もとで、さっきと同じように囁いた。恭子は私の肩に、私は恭子の髪に、それぞれの顔を埋めていた。恭子の髪は甘く柔らかく、昨夜と同じ、私が遠い昔にかいだ土の匂いがした。私は引き金をひいた。銃声が倉庫の闇に響きわたった。だが私には何も聞こえなかった。

ただ、瞬間、恭子の顔がのけぞったので、私には、まちがいなく引き金をひいたのがわかった。私は反射的に、崩れおちようとする恭子の躰を抱きとめていた。ずり落ちようとする躰を、全身の力でひきあげ、抱きしめていた。恭子の髪に顔を埋め、私は二度その名を大声で呼んだ。私は、やっと――六年ぶりにやっと、恭子を抱いているのだった。

雨の音が、少しずつ私の耳に蘇《よみがえ》ってきた。恭子の躰は、私の体が生命の最後の温かさを全部吸いとったように冷えていた。

私は、恭子の躰を、征二の横に寄り添うように並べた。そんなことをしても何の意味も

なかった。恭子の目は、死んだ後も、征二を、私を——すべてを拒むように、闇にむけてそむけられていた。結局、恭子は二つの夢に失敗したのだった。私と、征二と——六年前、私と征二が別々に射った二発の銃声は、谷沢の体ではなく、恭子の夢を射ち砕いたのだった。

私は恭子の目を閉じさせた。そのとき、恭子のポケットから零《こぼ》れおちているものに気づいた。すでに戸口からさしこむ光は暗く、薄闇に銀の光を放っている。昨夜、恭子がバッグから一度とり出した口紅だった。

蓋をとると、薬くさい綿に包まれて一本の指があった。

昨夜、その口紅を見つめながら、恭子が仁義と呟いたのを、私は思いだした。そしてまた、東京を離れる最後の午後、面会室のガラスに恭子が押しあてていた右手の黒い筋を。あれはやはり血だった。征二の血だった。恭子は、逃げる前に、征二の指をつめさせ、その血を、私への唯一の謝罪にしたのだ。

恭子の口紅のない唇は、蒼ざめていた。私はふと、私と出遭う前の年に、恭子がなぜ死のうとしたのだろうと考えた。「車にとびこんだことがあるわ」と言った恭子に、私は一度だって理由を尋ねたことがなかったのだ。だが考えても意味のないことだった。死んだ恭子の唇に、その理由は永久に閉《とざ》されていた。私にわかるのは、ただ、恭子が私や征二と出遭う前に、すでに何かの夢に失敗していたことだけだった。恭子が許せなかったのは、私や征二ではなく、誰よりそんな自分だったのだろう。

私は口紅を自分のポケットにしまい、征二の片方の手から手袋をはいだ。思ったとおり、小指がなかった。薄い闇に、象牙《ぞうげ》色になった顔は、まだ、私の名を呼ぶように、口を開いていた。馬鹿な、どうしようもない馬鹿な、単純な、やくざに生まれついた男だった。征二と恭子と私――この三人の中で、だがいちばん馬鹿なのは、私だったろう。六年前、谷沢の部屋に響いた二発の銃声のうちでは、死んだ後に射たれた、意味もなく死体の腹を掠めただけの一発の銃声に、私は似ていた。拳銃から恭子の指紋をぬぐいとり、あらたに自分の指紋をつけるために、しっかりと手で握りしめた。

それから外に出た。波止場はもう薄暗く、夜が迫っていた。まだ雨は降り続けていた。今夜も、それは雨というより霧に似ていた。

私は、桟橋の先の方まで歩き、先刻、恭子が待っていた場所で立ちどまった。そこからは何も見えなかった。ただ海面だけが、果てしない空白のように広がっている。その海の色が、夕闇が訪れ、灯《とも》が点る間際の、あの部屋の壁の色に似ていると思った。

灰色の壁が、ふたたび私を待っていた。その壁に鎖《とざ》されて、今度こそ私は、完全に無口な囚人になるだろう。

口紅を海に捨て、私は、巡視船の灯が通りすぎるのを待ちながら、最後の自由な手で煙草を吸った。

ひらかれた闇

1

水木《みずき》麻沙《マサ》が電話を受けとったのは、ちょうど帰り支度《じたく》を済ませ、誰もいない職員室を出ようとしたときだった。

「マザー？　助けて――」

受話器をひき裂くほどのカン高い声は、先月、不品行がもとで退学させられた宮部《みやべ》典子《のりこ》のものである。麻沙は生徒の声質には敏感だった。私立聖英高校、といえば聞こえがいいが、およそ校名とは不釣合な、都でも最低の落ちこぼれ高校の音楽の教師である。

マザーとは、生徒たちが彼女につけてくれた仇名《あだな》である。もっともこれも見当はずれで、麻沙はまだ去年大学を出て勤め始めたばかり、おまけに小柄の童顔だから、女生徒達が私服だと、一番下の妹とまちがえられたりもする。とても母親《マザー》といった柄ではない。

「ノン子？　あなた今、私より一オクターヴ高い音が出てたわよ。ねえ今からでも遅くないわ。音楽大学行って正式に勉強したら？　もと暴走族のカルメンなんて素敵だと思うけど」

「冗談言ってる場合じゃないよ。マザー……大変なことになってんだから」

確かに典子《ノンコ》の声は切羽《せつぱ》つまっている。こんな真剣な声を聞くのは初めてだった。去年、麻沙が教師になってすぐに自殺未遂をおこしたが、見舞にいったときも「どうして助かっちゃったのかなあ」ケロッとした声で言った。

「今どこ？」

「おじさんの別荘よ。奥多摩の――今からすぐに電車に乗って。×駅の改札口で八時に待ってるから」

「なにがあったの――今一人？」

「いつものメンバーと一緒。お願いだから、すぐ来て。誰にも言わないで一人で……」

「殺人事件でも起こったような慌《あわ》て方ね」

「――――」

連発銃の弾丸が突然切れたような沈黙である。まさか……でもあの子達は、いつもまさかと思うことばかりしでかすし……

「わかったわ。すぐ行く。ね、落ち着いて待ってるのよ。授業で教えた〝僕たちにも明日はある〟でも歌って――」

電話を切ると、校門まで駆けだした。校門の陰に立っていた二人の男が、ひそひそ話をやめた。刑事だわ、きっと、一昨日の事件を調べている――麻沙は何事もないように会釈《えしやく》すると、恰度《ちようど》通りかかったタクシーを拾った。乗りこむ間際《まぎわ》、まだ校庭を熱心に走っているサッカー部員の姿が見えた。

同じ走るのでも、自分の足とナナハンのバイクでは到《たど》り着く夢が違うのかしら――そんなことを思いながら、

「池袋駅！」

タクシーの運転手に浴びせた声が、戦闘開始の合図のような勇ましいものになった。事実戦闘開始である。ノン子が、あの連中が大変な事というのである。天変地異とまでは言わなくとも殺人事件の一つや二つは覚悟しなければならない。

とはいえ池袋駅で電車に乗って一時間、目的の駅が近づくにつれ、車窓を塗りつぶす晩秋の冷えた闇が麻沙の胸にも忍びこんできて、不安を募《つの》らせ始めた。

本当にいったい何が起こったのかしら。

退学が決まったときは、「関係ないよねェ」「大丈夫だよ、マザー、それよか自分のこと心配しなよ。職員会議でもPTA会議でも、たった一人俺たちの退学に反対して戦ってくれたんだって。校長に睨《にら》まれるぜ」あっけらかんとむしろ麻沙を慰《なぐさ》めてくれたのだが、やはり退学というのはショックだったのだろうか。

それは、落ちこぼれ中の最たる落ちこぼれ、男三名に女二名の計五名、どうしようもない連中だが、皆、根はいい奴なんだ。麻沙が教師になったときには、もう五人でブラックホークスという暴走族のグループらしきものを結成していて、殊勝《しゅしょう》にも学校は休まずに出ていたが、教室でシンナーを吸ったり、花札を始めたり、他の生徒をナイフで威《おど》したり、新米の麻沙にもことごとく反抗的な態度を見せていた。それが、ある日授業中に、リーダー格の、通称ギアがナイフをつきつけてきた際、あまりに癪《しゃく》にさわったので、「てめえらこの私を何だと思ってるんだ。こう見えてもてめえらの齢にゃ番張って剃刀《かみそり》のおマサと言やあ、ちょいとした顔だったんだぜ。勇気があるなら皆でかかってきな」捨て身に啖呵《たんか》をきった。後で校長に「あれは出鱈目《でたらめ》です」さんざ頭をさげさせられたが、それが意想外に功を奏して、以後連中の麻沙を見る目に尊敬の色さえあらわれだした。「マザー、マザー」なに事につけ頼りにし始め、麻沙が風邪《かぜ》で学校を休んだときは、下宿の窓の下の路地にオートバイの徒党を組んでやってきて、窓から顔を覗《のぞ》かせた麻沙に、リンゴ一つを投げて寄越した。リンゴは青く酸っぱく、「ああ、奴らまだ熟してないんだなあ」私が赤いリンゴに熟《う》れさせてみせる、気負いこんだところへ退学騒ぎとなった。

原因は、グラウンドで他の生徒と大喧嘩《おおげんか》の一幕《ひとまく》を演じたためで、話を聞いてみると連中にも同情する点があり、職員会議では、ジャンヌ・ダルクよろしく全教師を敵にまわし雄々しく演説してみたのだが、無駄に終った。

やはり退学がいけなかったのだろう。リーダー格のギアなどは二年も落第しながら、学校にしがみついていたではないか——ノン子だって根は優しく、脆《もろ》く、傷つきやすい所があるのだ。一度下宿に招《よ》んで、女同士枕を並べて打明け話を聞いたのだが、そもそも不良になったのは、小学校の頃、友達の財布が盗まれ、その嫌疑をかけられたためだという。彼女は犯人が誰か知っていて、その子が貧しい家の子なので黙っていたのだが、先生にしつこく責められるうちにだんだんその気になって、罪を認めてしまったという。

皆、いい連中なのだ。そう思ってみると、子供の純粋な目をしている。純粋なだけに真っ正面から現実を見るのが怖《こわ》くて、ああもはすっかいに視線を歪《ゆが》めてしまうのだ。

それにしても一体なにが起こったのか。

殺人——

そんな物騒《ぶっそう》な言葉が重くのしかかってくるのは、一昨日の事件がまだ生々しく胸にわだかまっているせいなのか。

一昨日の日曜日、麻沙より三年先輩の体育教師、赤沢剛《あかざわたけし》が殺された事件である。家族の者の証言では、夕方五時半に「今生徒から電話がかかってきたから」そう言って赤沢は車で出掛け、それから四時間後、家から一時間近く離れた公園の裏道に駐車されたその車の運転席で、刺殺死体となって発見されたのだった。ナイフで心臓を一突きされていた。

警察では、電話で呼び出した生徒が犯人である可能性が強いとみて、校内に隠密に探りの手が入れられている。学校では普通通りに授業がおこなわれているのだが、一見いつもと変らぬ平静な空気の底に、その殺人事件が暗く澱《よど》んでいる。

ノン子からの電話は、その重苦しい空気を突き破って鳴ったのだった。

連中は退学したのだから、赤沢先生が殺された事件には関係ない筈《はず》だわ。そう思いながら、気になるのは去年の末一度だけ、偶然街の盛り場を赤沢とギアが肩を並べて歩いている所を見ているからだった。日頃教師全員に反抗的な態度を見せるギアが、赤沢だけには妙に親しげに、従順そうに語りかけていた。

ノン子が言った大変なことと、赤沢が殺された一昨日を結びつけて考えてしまうのは、あの時のギアの微笑を思いだすからである。極彩色のネオンに包まれて、ギアの笑顔が妙に赤かったのは、何かに照れていたのか、それとも赤沢とつき合って酒でも飲んでいたのか。

そんなことを考えながら、車窓の闇から車内に目を移すと、正面の女性客の脚がとびこんできた。すんなりした脚は、赤と黒の太縞《ふとじま》の網靴下に包まれている。不吉な配色だった。

赤と黒——赤沢とブラックホークス。

イヤな予感がして逃れるように上を向くと、今度は、週刊誌の車内吊《づ》り広告の〝殺し〟という大きな文字が襲ってきた。

『岡山県の村長殺し（昭和二十三年）、真犯人名乗り出る——三十年間獄中で無実を訴え続けた高橋さんの死後』

運の悪いことに麻沙の不吉な予感はいつも的中してしまう。

×駅で電車を降り、改札口を出ると、間髪《かんはつ》をいれずにノンコが見慣れた真紅のナナハンで近寄ってきた。麻沙の一・五倍はある体軀《たいく》をピンクのジャンプスーツに包みこみ、いつもはリボンで束《たば》ねている長い髪を今夜は肩に揺らしながら、ノン子は不機嫌な顔で、

「乗って。ギアが殺されたんだヨ」

「いつ、どこで、誰が、なぜ、どうやって」

機関銃のように質問を浴びせながら、スカートであることも忘れ、腿《もも》まで露《あら》わに後席にまたがると、

「黙ってなよ。別荘へ着くまで——別荘に着いたら何もかもわかるんだから」

ノン子は長い髪で麻沙の頬《ほお》を切るようにして、体勢をとり、アクセルをいっぱいに回した。七つも年下の娘に命令される必要はなかった。

足の下を濁流のように凄《すさ》まじい勢いで流れる夜の道路、突風のように吹きつけてくる風、脱げかけた靴ごと足を吸いこみそうなタイヤの急回転、耳をつん裂く轟音《ごうおん》。

麻沙自身も、郷里にはシトロエンを持っていてスピード狂を気取ることもあるのだが、それも車体という枠《わく》に守られてのこと。空気に開かれた二輪車はただ恐ろしく、麻沙は、自分が今から向かうのが殺人現場であることも忘れ、ノン子の命令どおり、声一つたてられず黙っているほかなかったのだった。

2

ノン子の言ったとおりであった。

樅《もみ》の木がクリスマスツリーのように低い星を枝につたわせた山奥の、白壁に塗りこめられた別荘に着いて五分後には、麻沙はすべての事情をのみこんでいた。

ブラックホークスの五人組は、退学後も週二度ほど落ち合って暴走を楽しんでいたのだが昨夜も七時に新宿に集合し、一晩中甲州街道に車を流し、今朝六時半にこの別荘に来た。ノン子の叔父《おじ》の製薬会社社長が、夏季だけ利用するこの別荘を、秋ぐちから五人はアジトにしているのだった。

詳《くわ》しくはこうである。

午前七時ごろ、ギアが一度二階に上がり、すぐにテープレコーダーをとりに下へ戻ってきて、今度は、ノン子と一緒に二階に上がった。残りのガチャとヒーロ、お小夜《さよ》の三人は階下でシンナーを始めた。この三人も興奮状態が済むとそのまま深い眠りに落ちたのだが、これが午前八時ごろ。夕方四時にまずガチャが目をさまし、まだ意識のはっきりしないまま階段をあがり、ギアの部屋に入り死体を見つけたのである。

すぐに三人を叩き起こし、四人で雁首《がんくび》をそろえ、戸惑い、悲しみ、対策を練った結果、ともかく警察よりまず、麻沙を呼ぼうということになったのだった。

「それは光栄だわ。警察より信じて貰《もら》えたなんて——」

「警察《マッポ》なんか、信じられるかヨ。俺達、制限速度ちゃんと守ってるのにヨ、棍棒《こんぼう》で殴《なぐ》ってくる連中なんだヨナ」

ガチャが逆三角形の顎《あご》をさらに尖《とが》らせて、唾《つば》を吐き捨てるように言った。五人の中でいちばん体も小さく、何の考えもなくただ他の連中にくっついて見よう見まねで悪ぶっているといったガキ。ヤクザっぽく見せたいのか眉《まゆ》を剃《そ》り落としているが、それが却《かえ》って目を丸く幼く見せている。

「生意気言わないで。警察という漢字も満足に書けないくせして。それに、俺暴走族だぜっていつも威張《いば》ってるの誰？　暴走ってのは制限時速を守らないってことでしょ。——ともかくギアの殺された部屋に案内して」

ヒーロが顎で山小屋風の白樺の手すりがついた階段の方をしゃくり、誰も動こうとしないので、まず自分が先頭になって上りだした。ヒーロは鈴田一洋《すずたカズヒロ》、ガチャの倍もありそうな体格だけ見ていると、こんな黒革のジャンプスーツより、野球のユニホームの方が似合いそうである。中学まではサッカーをやっていたというが、ボールに託《たく》した夢をどうゴールに叩きつけ損ねたのか——名高いレストランの一人息子で、坊ちゃん面だが、目だけは彫刻みたいに灰色で、冷たく、乾いていて、このヒーロが砂煙をあげて走っているところを見ると、暴走族にも美学や哲学があるんだわ、麻沙は感動してしまう。私だってまだうら若き娘なのよ——物憂《ものう》げに揺れるヒーロの腰の線をつい鼻先に、少しどぎまぎしながら上っていくと、二階は廊下の左右に三部屋ずつドアが並んでいる。

右側の奥の部屋のドアだけが開けたままで廊下の闇に灯《ひ》が流れだしている。ヒーロの後から部屋に入った麻沙の目に真っ先に死体がとびこんできた。教室の半分ほどの部屋の一隅にベッドがおかれ、そのベッドから転げ落ちたように、ギアは仰向けで床に横たわっていた。正直言って悲しいというより怖かったが、いざとなると麻沙は腹の座る性格である。まだオートバイの震動にしびれて感覚の鈍《にぶ》っている足を思いきり踏みだし、死体に近づいた。

もともと神経質なまでに色白な子だったが、白というより既に蠟《ろう》で固めたように蒼黒くなっている。よくふり回していたナイフと似た切れ長の鋭い目は、もう闇すらも見られないガラス玉である。見慣れたジーンズに半袖《はんそで》のTシャツを着て、褐色の革ジャンだけがべッドの上に脱ぎ棄《す》ててある。白地のシャツは半分ほど血に塗《まみ》れ、心臓にナイフが突きたてられていた。血はもう黒く乾いていた。

Tシャツにプリントされたアメリカの大統領が顔半分を痣《あざ》にして笑っている。

ギアが死んでいる――どうしてもその実感がわかぬまま、麻沙も妙に乾いた気持である。

胸の中だけで手を合わせ、

「自殺とは考えられない？」

ドア辺にたむろしている四人をふり返った。

「格闘したあとがあるし、それに自殺するような素振りはなかった」

確かに、椅子《いす》やランプが倒れているし、片方の靴がぬげて窓際までとんでいる。靴の傍《そば》に、引き千切れたように、銀の鎖《くさり》が落ちている。こんな恰好《かっこう》で自殺する人間はまずないだろう。

「格闘したというと相手は男のように思えるけど」

「そうとも言えねえヨ」とガチャ。「ギアは俺たちよか二つ年上だから一応リーダーってことになってたけど、五人の中で一番力がなかったんだ。いつかこのお小夜と冗談で取っ組み合ってすぐにねじ伏せられたぐらいだから。自分が弱いこと知ってたから、ギア、いつもすぐにナイフふり回してたんだ」

その小夜がノン子の肩の所から小さな顔を覗《のぞ》かせ、

「それにギアは今朝ここへ来る途中で転倒して、足挫《くじ》いていたから。八時ごろ階段を上っていくのを見たのが最後だけど、そん時も痛そうに片足引きずってたから」

「殺された時刻わからないかしら。もう大分経《た》っているようだけど」

全員首を振ってから、小夜が思いだしたように、

「そういえば、二階に上ってからギアすぐ下《お》りてきて、テープレコーダーもっていったじゃない。十一時のロック番組録音してから寝るって。そん時ノン子一緒に二階へ行っただろ。録音してあるかどうかで大体の時間わかるんじゃないかな」

確かにベッドの枕もとにカセットコーダーがある。ガチャが覗きこんで、

「けどテープが失《な》くなってるぜ。ギアが持ってあがった時は確かに入ってたんだが――誰か知らねえか」

皆が知らないと答えると、今度はヒーロが、「そういや、階下《した》でテープ入れながら、先週ここへ来たとき日記を忘れてったんだが失くなってる、誰か知らねえかってギア言ってたよなあ」

「つまり、テープと日記と、二つの物が失くなってるのね」

事件は思ったより複雑そうである。

「警察を信じていないあなたたちには悪いけど、警察へ連絡するより他ないようね。ギアの死体をこのままにしておくわけにはいかないし……」

「けど、マザー」

皆一斉《いっせい》に不服を唱えた中で、ただ一人ノン子だけが、

「そうだね、そうするよかないヨネ」

吐息をつきながら元気のない声で言った。他の三人は戸惑《とまど》ったようにノン子に目を向け、それきり黙ってしまった。

階下へおりると、ソファの傍にある電話機に麻沙は手を伸ばした。その手を、

「待ってヨ、マザー」

突然、切羽つまった顔で小夜が制《と》めた。

「警察が来たら、ノン子すぐ捕まっちゃうヨ」

「どういうことなの？」

受話器から手を離し、麻沙はソファに座っているノン子をふり返った。

「どうも私《アタシ》が犯人らしいんだヨネ」

ノン子は麻沙から目を外《そ》らし、不貞腐《ふてくさ》れた声で言った。

「らしいってどういうことなの」

「私《アタシ》は絶対に殺しちゃいないヨ。けど、状況から考えたら私しか犯人はいないんだヨ。私には動機があるんだ。マザー、私とギアが出来てたこと知ってるだろ？　けどそれは昨日まで。昨日の晩ね、みんなでドライヴインに入ったとき、ギアが突然、俺には昔から別に好きなのがいるんだ、そろそろお前とも別れたいっていうから大喧嘩になっちゃって……ツマんない痴話喧嘩だけどさ、私、〝アンタなんか殺してやる〟ってコーヒーぶっかけて……店の人はきっとみんな憶《おぼ》えてるヨ」

その場はヒーロ達に宥《なだ》められて、たがいに仲直りしたのだが、今朝八時にギアと一緒に二階へ上がったあとギアの部屋で再び口論になり、ギアは本当に怒り出してノン子を叩《たた》きだした。ノン子は泣きながらベッドに横たわり、そのまま眠ってしまったと言う。

「四時にガチャの声で叩き起こされるまでずっと眠ってたんだけど——つまり私にはアリバイないんだヨネ。それだけじゃないんだ。ギアの胸に刺さってるナイフ私のもんだヨ、今朝寝る前にこのスーツ脱いだ時には確かにポケットに入ってたはずだけど……それからマザーは気づいたかどうかわからないけど、ギアの握りしめた右手から、ピンクのきれが覗いてただろ。あれも今朝まで私が髪につけてたリボンだヨ。それから靴の傍に落ちてたブレスレットも。二つとも眠る前に外《はず》したんだけど……ねえマザー、嘘臭《うそくさ》いだろ、こんな話。警察が信じてくれるはずないよ。自分でも嘘みたいに思えてきて、本当はやっぱ私が殺したんじゃないかって」

「ノン子、あなた今朝寝るとき部屋に鍵をかけた？」

髪を揺らしながら、ノン子は首を振った。

「だったらその間に誰かが忍びこんできて、ナイフとリボンを取ってあなたに濡《ぬ》れ衣着《ぎぬ》せようとしたとも考えられるわね。あなたが本当のことを言ってるとしたら、ギアを殺し、ノン子に嫌疑をかけようとしてるのはこの三人のうちの誰かってことになるわ。外部から誰かがこっそり忍びこんで偶然殺したなんて考えられないわ。犯人はご丁寧《ていねい》に、ノン子に濡れ衣を着せるよういろいろ小細工してるんですもの。ノン子が犯人でなければ、まちがいなくこの三人の中の誰かだわ」

「俺達は、悪いがアリバイがあるぜ」

ガチャが背中からソファに倒れて言った。

「八時には俺達ここでラリっててふらふらになってたよ。そのまま倒れて重なるように寝こんだんだからな。みんな互いにシンナー吸うとこ見てるし」

「三人で一つの袋から吸ったの？」

「別々の袋よ」小夜が答えた。

「それなら誰か一人だけビニール袋にシンナーじゃなく水を入れて、ラリった真似《まね》しただけかもしれないじゃないの」

「今ここは水が一滴も出ないのヨ」

ノン子が眉根《まゆね》に皺《しわ》を寄せて言った。

「九月に初めてここへ来た次の朝に、故障でもしたらしくて」

「水じゃなくても缶に入った飲料に透明なのがあるでしょう？」

麻沙は、テーブルや床に何十個も散らばってる空缶を見回した。この数を見ただけでもいかにしばしば皆がここを訪れているかがわかる。

「それにシンナー吸って変に興奮して意味もなく殺したとも考えられるでしょ。今の所は、アリバイの検討なんて何の意味もないわ。私は検死医じゃないから、正確に何時頃ギアが死んだかはわからないもの」

「でも私の他にはギアを殺す動機がある子、いないヨ」

ノン子が気弱そうな声で呟《つぶや》いた。オートバイでしがみついていたときにはあんなに頼もしそうに思えた長身が、今は小さく萎《しぼ》んだように見える。

「動機なんてなくても人が殺される時代よ。あんた達、そんな現代の先端を突っ走ってカッコイイと自惚《うぬぼ》れてるんじゃないの」

冗談に怒ったふりでノン子の頭をこづき、気落ちしているノン子を勇気づけようと思ったのだが、このとき麻沙はふっと異臭をかいだ。最初はシンナーの匂いが残っているのかと思ったのだが、そうではない。ノン子の襟《えり》もとからたちこめてくる匂いである。革と混って酸っぱいような生臭《なまぐさ》いような匂いは、子供のものではない、女の匂いなのだ。――この子もう大人なんだわ。十七歳だけど私よりずっと男のことも知っている女なんだわ。

麻沙はその匂いにふとノン子の挑戦のようなものを嗅《か》ぎとって、立ちあがると冷やかにノン子を見おろした。

この子、気弱そうな演技をしているだけかもしれない。本当はギアを殺して、自分に嫌疑がかかるふりで……

「でもノン子、私あなたを信じてるわけじゃないのよ。だってそうでしょ。あなたを信じたら他の三人を疑うことになるわ。私は退学した今でも、あなた達の教師よ。四人を平等に扱うのが教師としての最低のルールなの。誰も信じないことにするわ――誰も疑いたくないから」

麻沙は腕を組むと、公約通り四人に平等に視線を配って、

「一時間だけ考えてみましょう。それで何もわからなかったら、警察に電話するわ」

壁にかかった鳩時計が麻沙の宣言を待っていたように、この時九時を告げた。

3

だが三十分経過しても大して得ることはなかった。

高木亜紀夫《たかぎあきお》、通称ギアは、ある自動車会社重役の息子である。三人兄弟の末っ子だった。麻沙が父親から聞いた話では、ギアがグレ始めたのは、中学の頃両親と三人で冬山に登ってからしかった。子供連れだからどのみち大した山には登らなかったのだろうが、途中で猛吹雪に遭《あ》い、危うく三人は遭難しかけ、新聞でも騒がれたという。この時両親は中腹の山小屋に一人ギアを残して下山した。両親にしてみればこのままでは三人揃って凍死するので、二人で決死の覚悟で下山し、すぐに救援隊を頼んで山小屋に残ったギアを救いだしてもらうつもりの親心だったのだし、事実そのお蔭でギアも助け出されたのだが、ギアはそれを両親が自分を見棄てたと考えたのだった。そのうえ、それから間もなく両親は離婚し、父親はギア一人を連れて、都心に近いマンションの最上階に移り住んだのだが、この時、ギアはもう完全に不良の道に染まっていた。

ギアはその十二部屋もあるという豪華なマンションをとびだし、学校近くにアパートを

借りた。多忙な父親は愛情を高校生には多すぎる金で支払い続けていた。道を踏みはずす要素は揃っていたわけである。高校二年三年をそれぞれ落第し、退学時は既に十九歳だった。

「けどな、いい奴だったヨ。そりゃ力もないくせに齢《とし》がいってるというだけで威張ってたけど、いつか俺が車欲しいって言ったらヨ、免許とれる齢になったら自分の車やるって言ってたんだ。親父さんが、暴走族だけはやめてくれって、免許とる前から会社の最高級車を買ってくれたらしいんだけど、あいつどのみち普通車の免許とるつもりはないらしいから……親父憎んで会社の車まで憎んでたから。親父さんとこのマンションの駐車場に置きっ放しにしてあるらしいんだ。ギア、俺は一生暴走族やってるって言ってたなあ……」

ガチャがしみじみと言った。晩秋の夜はシンと冷え渡っている。シャンデリアの光と階段の踊り場の灯が、ソファに座った皆の影を乱雑なテーブルの上に集めていた。腕を組んで黙っているヒーロの影だけがひょろりと長い。

改めて皆の話を聞くと、ギアは、麻沙が想像していたのとはまるで違う、神経質で淋《さび》しがり屋で内気でナイーヴな若者だった。教室や他の者がいる所ではやたらカッコをつけたがるが、五人だけになると無口で、自分のことなどは余り喋りたがらなかったという。ノン子までが「私《アタシ》にもギアのことはよくわからなかった」という。その未知の部分にノン子は惹《ひ》かれていたのだろう。

「ア、そうだ。だから俺無実だよ。あいつが死んだら、車貰えなくなっちゃうもんナ」

「そんな次元の話じゃないヨ」

小夜が横に座っているガチャを強《きつ》い目で睨んだ。ガチャはそんな小夜を宥《なだ》めるように小夜の肩に腕をまわした。小夜の襟すじを撫《な》でるガチャの指がひどく慣れている。

おや、と麻沙は思った。この二人も出来てるんだわ。ノン子とギア、ガチャとお小夜、するとヒーロだけが一人……グループの中でヒーロがいつも一人浮きあがってみえたのは、背が高すぎるためだけじゃないんだわ。女の子ってカッコ良すぎる男の子は敬遠するのかしら。

ヒーロは煙草《タバコ》を吸っている。煙のむこうで目がいつもより静かに冷たく見えた。

「煙草はやめなさい。煙草にシンナー、あなた達もっと自然なものを吸えないの」

怒鳴ってから、

「ねえ、あなた達。昨日の晩七時に会ってから今朝までに、何かギアに変わった所見られなかった？　ノン子と喧嘩したことは別にして」

「そう言えば」小夜が身を乗りだして「みんな憶えていない？　ギアが俺はあの事件で重要なことを知ってるから、警察に言わなくっちゃなって言ってたこと――」

「あの事件って？」

「学校でも騒いでるんじゃないの？　赤ヒゲが殺されたって事件」

「赤ヒゲって赤沢先生のこと？」

赤と黒。やはり一昨日の事件が関係しているのだ。

「みんな赤沢先生が殺された事件知ってたの?」

ヒーロが床に散らばっていた何枚かの新聞を麻沙の方に投げて寄越した。

「ギアが昨日の晩と今朝駅に寄って買った新聞だ。ギアはすごくその事件に興味もってるみたいだった。鼻こすりつけるように読んでたからな。そいで、さっきお小夜が言った言葉を独り言のように呟いたんで、俺が〝何を知ってるんだ〟って聞いたんだ」

「ギアは何て答えたの」

「〝それはまだ言えねえな〟って……」

「知ったふりしてただけじゃないの?」とガチャ。「あいつそういう所《とこ》あったから……」

いや、きっと本当に何かを知っていたのだ。赤と黒には確かに繋《つな》がりがある。

麻沙は、新聞を見た。昨日の朝刊には、浅黒いベースバンの輪郭《りんかく》に口髭《くちひげ》をたくわえた、体育教師というよりは、小粋《こいき》な青年貴族といった顔の写真が出ていたが、昨日の夕刊と今日の朝刊は活字でその後の捜査経過を伝えているだけである。

死亡推定時刻は検死で六時から七時と割りだされたが、六時半までに殺害された可能性があること、五時半に家を出る際、赤沢がノートのようなものを持っていったこと――赤沢の指に犯人のものらしい髪の毛が二本残っていたこと――車の助手席の下にジッポのライターが落ちていたが、赤沢は煙草を吸わないので、それが犯人の物である可能性があること。

麻沙は、まだ煙草を吸っているヒーロの左手を見た。握っているのはマッチである。でもヒーロじゃなかったかしら、確かいつか誰かがジッポを持っていたのを見た気がするけど。尤《もっと》も五人は皆煙草を吸うから、はっきり誰だったかは思いだせない。

新聞には、去年の夏ごろから時々赤沢が深夜遅くに帰宅することがあったと書かれている。しかし家族も誰も赤沢の夜の行動については知らないようである。愛敬《あいきょう》がいい男なのだが不思議に職員の間にも友人がなかった。

「ね、ギアは全ての先生に反抗的だったけど、赤沢先生だけは別だったの」

「いや赤ヒゲのことだって嫌ってたぜ」

ヒーロが乾いた声を煙と共に吐き出した。

「でも私、去年の末、ギアが赤沢先生と仲良さそうに話しているのを見たわ。ギアの笑った顔初めて見たから、よく憶えてるんだけど」

「嘘！」

ノン子が驚いてふり返った。髪の端が、麻沙などよりずっと盛りあがった胸に揺れた。他の三人も信じられないといった顔である。

「俺たちが親しく言葉交わすのマザーだけにするって協定結んでたんだぜ」とガチャ。

「ノン子、あなたはどう？　あなたギアの口から赤沢先生の名、聞いたことない？」

ノン子は反射的に首を振った。心なしか顔が硬《こわ》ばっている。麻沙は皆の顔を見回した。

「あなた達も皆赤沢先生と関係なかったというのは本当なのね」

皆、同じ無表情で肯《うなず》いた。しかし――と麻沙は考えている。誰かひとりだけ、その無表情は心の動揺を隠す仮面なのではないか。

「ともかく一昨日の六時から七時までのアリバイを聞かせてもらうわ。新聞には犯人は男と想われると書いてあるけど、一応全員答えて」

「なぜだよ。俺達がどうして赤沢を」

「ガチャ、黙って答えなさい！」

ガチャは舌打ちするとしばらく不貞腐《ふてくさ》れていたが、

「あの日は七時にヒーロと池袋で会う約束だったから、六時四十分頃家出たんだ。七時十五分まで駅前で待ってたけどヨ、結局、ヒーロに待ち呆けくわされて——」

「俺は六時半まで一人で流してたんだけど、雨が降り始めたから、ガチャとの約束スッポかして、映画館に入ったんだ。あの雨じゃガチャも出てこないと思ったから」

「じゃあ二人ともアリバイはないのね」

「俺は——」

ガチャが不服を唱えたが、麻沙は無視した。

女二人はちょうど六時に新宿で落ち合い、街をぶらぶらしたが、六時半に雨が降り出したので、すぐに別れてしまったという。

「じゃあ四人とも六時から七時までの完全なアリバイはないのね」

「けど」小夜が不満そうに「新聞じゃ赤ヒゲが殺されたのは六時から六時半までだってでてたじゃないの。だったら私達アリバイあるヨ」

「死亡推定時刻は六時から七時までよ。六時半までというのは可能性なの」

麻沙は説明した。

九時半に路上に放置された赤沢の車が発見された際、死体は相当量の雨を浴びていた。運転席も助手席も窓が開かれたままで、雨が流れこんでいたのである。

この雨が、突然降り始めたのが六時半であった。雨が降ってきたら窓を閉めただろうから、降り始めた六時半には既に赤沢は殺害されていた、と警察では考えているのだ。

だが、それはあくまで可能性である。

「マザー」ノン子が心配そうに「なぜマザーは赤ヒゲが殺された事件と、ギアが殺されたことを結びつけて考えてんだヨ？」

麻沙は九時四十五分をさしている鳩時計に目をあげながら、

「それはね、ノン子が犯人じゃないとすれば、ギアが殺されたのは、もしかしたら、〝あの事件で重要なことを知ってる。警察に言ってやらなくちゃな〟といった言葉のせいじゃないかと思うからなの。昨日の晩そう口にして今日殺されたのよ」

言ってから、ゆっくりと四人の顔を見回し、

「つまり、赤沢先生を殺した犯人が、ギアがそのことで何か知っていると思って、口封じのために、ギアを殺したってわけね」

4

ヒーロが、不服そうに口を開いたが、その前に麻沙は、勢いよく立ちあがった。

「実は皆の前では聞けないことがあるの。一人外に出てもらいたいんだけど——そうね、ヒーロがいいわ」

「外へ出なくても風呂場なら話し声は、外に洩《も》れないはずだぜ」

ヒーロは、そう言うとすぐに立ちあがり、奥の方へ歩き出した。皆が座っている広間からも境もなく流れだした廊下のすぐ角が、浴室であった。灰色のドアを開けて中へ入っていくヒーロの背に続きながら、麻沙はちらりと残った三人の方をふり返った。

ガチャと小夜が声を潜《ひそ》めて話しこんでおり、ノン子一人が心配そうに麻沙の方をふり返っている。赤沢の名が出てから、ノン子の様子がどうも変であった。何か新しい心配事が生じたように顔を曇《くも》らせている。

別荘全体の大きさから考えると浴室は狭かった。脱衣所は二人が入ってやっとである。ヒーロの体軀が、麻沙を呑《の》みこむように圧している。ポマードの男臭い匂い。生徒とはいえ男と二人浴室に閉じこもるのは初体験である。胸の動悸《どうき》が乱れかけたが、ヒーロの方は関係ないよといったシラケた顔である。

私では女として意識できないのかしら。

それとも——

「ねヒーロ。女の子のいる前では口にしたくなかったんだけど——赤沢先生とギアって特別な関係にあったんじゃない？」

「特別な関係って？」

「そのう——普通じゃない、つまり、男と女の間で起こる事が男同士でも起こってたんじゃないかって」

「知らんな——そんなこと」

一呼吸返答が早すぎた気がした。

「そう……じゃあんたと赤沢先生は？」

麻沙の声もヒーロを真似て、冷やかになった。

瞬間ヒーロは、斜めにはずしていた焦点を麻沙の顔にぶつけた。麻沙は、殴られる——そう思って肩をスクめかけたが、ヒーロはただ変声期を終えた若者特有の低すぎる声で、

「どうして、そんなことを尋《たず》ねるんだ」

「わからないけど——あんたカッコ良すぎるから女の人だけじゃなく、男の人の目も惹《ひ》きつけるんじゃないかと思って……私、赤沢先生にそういう性癖があることちらりと聞いたことがあるのよ」

麻沙は赤沢とは話したこともないからこれは嘘だった。誘導訊《じん》問《もん》のつもりだったが、ヒーロは何の反応も見せず、

「こんなことじゃ、警察を呼んだ方がいいな。警察じゃそんな馬鹿なこと聞かないぜ」

「そうかしら。警察でもその線は充分考えてるんじゃないかしら。赤沢先生が無抵抗に殺されてたところ見ると、犯人が男だという可能性はあるでしょ。車は公園の裏道に駐車していたというけど、あそこは恋人同士がよく車を停めて楽しんでいることで有名なのよ」

ヒーロはしばらく黙っていた。胸のチャックが開いて若い肌が黒光りしている。銀のペンダントの先端で、十字架が影とともにかすかに揺れている。

「やっぱり警察を呼ぼう」

「そうしたら即ノン子は逮捕ということになるわね。さっきから聞きたかったんだけど、あんた、ノン子を信じてるの」

「信じてるさ、けど……」

「嘘よ。信じてるわけないわ。あんた達、誰も信じられないのよ。グループ組んでたって結局、ばらばらでひとりぼっちじゃないの」

ヒーロの静かだった目に怒りの炎が燃えあがった。十字架が鼓動《こどう》に合せて波うっている。

「あんたが、そんな活々《いきいき》した目見せるの初めてね。じゃあもっと活々させてあげる——ヒーロ、ジッポを落としたのはいつ？　どこで？」

これも鎌《かま》をかけたのだが、

「憶えてない」

今度は簡単に引っかかった。

ヒーロは唇《くちびる》を怒りにふるわせた。

「マザー、俺、あんたが嫌いになったぜ」

「そうね。私もさっきから自分に嫌気《いやけ》がさしてきてるのよ。他の先生みたいに、あんた達なんかポイと見棄ててさっさと警察の手に渡した方がよかったんだわ」

「そうしたかったらしてもいいんだぜ」

「まるで早く警察に連絡したいような口振りね」

ドアを開けようと、プイと向けた背が、ふと停《とま》った。おや、と麻沙は思った。なに気なく口をついた言葉だったけど――今投げたばかりの声が、ヒーロの背の黒革に粘りついたような気がした。

だが、それも一瞬であった。ヒーロは浴室を出ると、何事もなかったように広間に戻り、長い脚を荒っぽく投げだしてソファに座った。

「ノン子は？」

姿が見えないので麻沙は尋ねた。小夜が、

「さあ、今二階へあがってったみたいだけど」

答えると、麻沙は、「そう」呟《つぶや》いて、階段を上りだした。

ノン子の部屋は、ギアの隣である。わずかにドアが開いている。そのすき間から覗くとノン子が洋灯《ランプ》の光の中で、テーブルに屈《かが》みこんで本のようなものを読んでいる。字を拾う目つきが真剣である。

麻沙はノックもせずにドアを開いた。ノン子は、アッと小さく叫んで読んでいたものを反射的に後ろ手に隠した。

「何を読んでたの？　私に見せなさい」

ノン子は烈《はげ》しく首をふった。力では、女子プロレスラーほど大きな軀《からだ》をしたノン子に叶《かな》わないことを承知で、麻沙はノン子にとびかかり、その腕を全身の力で摑《つか》んだ。ノン子も抵抗して麻沙を突き離そうとしたが、その拍子に、それはドサリと床に落ちた。麻沙の方が一瞬早く、それを拾った。

ノン子は観念したのか、

「ギアの日記よ」

ため息をついて、壁にもたれかかった。

麻沙は黒い革表紙のそれを開いた。最初の頁《ページ》は十二月六日の日付である。おそらく去年の末だろう。この最初の頁から、もうAという字が出てくる。麻沙は頁を繰《く》った。頁を繰るごとにAという字がふえていく。

〝俺はAを愛している〟〝Aのことを考えると胸をナイフで撫でられたような気分になる〟

〝俺にはAしかいない〟

今年の七月の記述からは、Aだけでなく Hという字も頻繁《ひんぱん》に出てくる。

〝Hはまだ俺とAのことは何も感づいていない〟〝本当はAはHの方が好きなのだ。口には出さないがHを見る目でわかる。昔俺を見ていたのと同じ目だ〟

最後の頁は、二週間前の日付である。記述は一行だけだった。

〝とうとうHに知られてしまった〟

麻沙はバタンと音をたてて日記を閉じた。

「ノン子、あなたさっき赤沢って名を聞いたとき、もしかしてこのAが赤沢のことじゃないかと考えたんでしょう。それで心配になって確かめに来たのね」

ノン子は、顔をそむけた。

「ギアがまさか——赤ヒゲなんかと……」

「あなただったのね。ギアがこの前忘れていったという日記を盗んだのは……」

「違うヨ。今夜七時すぎにマザーを迎えにいこうと思ってこの部屋に入ったとき、枕の下につっこんであったんだ。私じゃないヨ」

「じゃあなぜそれをすぐに言わなかったの」

「言っても信じてもらえないと思ったんだ。ますます私に疑いがかかるだけだって——この日記にはノン子なんて邪魔なだけだ。俺が本当に愛してるのはAだけだって書いてあるんだ」

「テープは？　あなたテープの行方《ゆくえ》は知らない？」

ノン子は首をふった。

「私、現場の——ギアの部屋のものには何一つ触れていないヨ」

「本当ね？」

肯《うなず》きかけて、

「窓は触《さわ》ったけど……冷たい風が吹きこんでて、ギア、死んでても寒いだろうと思ったから閉めたけど」

「ちょっと待って。じゃあ四時に死体が見つかったとき部屋の窓は開いてたのね。朝八時に喧嘩したときはどうだった？」

「開いてたヨ。私が寒いから閉めようといったんだけど、ギアその時にはもう完全に私に腹を立ててすぐに追い出されたわ。ねえ、なぜそんな事聞くの」

「もう一つ聞きたいことがあるわ。水が出ないって言ってたけど、初めてここへ来たときからそうだったの？　だったら持主のおじさんが冬場は使わないから元栓《もとせん》を締《し》めて東京へ戻ったとも考えられるけど」

「最初の晩は出たヨ。でも次の朝になったら突然——」

「じゃあ夜中に誰かがこっそり元栓を締めたとも考えられるわね。水道管がどっかで壊れてるなら、何カ月も放っておけるはずないわ」

「誰がそんなことするのヨ。なぜ——」

「黙ってなさい」

思わず、麻沙は教壇での口調になった。

「やっとわかってきたの」

そう言うと、腕を組んで部屋の中を歩き始めた。床から階下の深い静寂《せいじゃく》が伝わってくる。

その静寂を踏みつけて、コツコツと麻沙の足音が響く。

「やめてよ、マザー」

ノン子が怯《おび》えた声を出した。足音が壁を通りぬけて隣室にまで響き渡り、ギアの死体を蘇《よみがえ》らせるような気がしたのだ。

だが麻沙は、その声も聞こえないように、目を半《なか》ば閉じて考えこんでいる。

「――でもそんな理由で人を殺すなんて」

やがてそう独り言を呟くと、我に返ったように足をとめた。

「下へおりましょう。みんなが待ってるわ」


ノン子を従えて階段を下りかけた時、ちょうど鳩時計が十時を告げた。鳩の鳴き声にあわせてゆっくりと階段をおりた麻沙は、黙りこくって緊張した目を向けている三人に近よった。

「十時だわ。警察に連絡しましょう」

受話器をとったが、すぐにそれをもとに戻すと、麻沙は皆をふり返った。

「いいえ、その前にやっておきたいことがあるわ。あと十分だけ――」

「なんなの」

小夜が四人を代表する形で聞いた。

「ギアの葬式――警察が来る前に私たちだけでとむらっておきたいわ。警察が来たら、ギアはただの死体になってしまうもの」

「そうだぜ。警察《マッポ》の連中なんてヨ――」

言いかけてガチャは、皆のマジメな顔に気づいて、声をのみこんだ。

「どうやってやるんだ」

ヒーロの質問に、麻沙はちょっと微笑を返した。

「電気を消して、闇の中で二人ずつ組んで踊るの。ぶつかったらパートナーを変えて」

「なぜ、そんなこと――」

「それがギアの一番のとむらいだからよ。お経《きょう》も讃美歌《さんびか》も得意じゃないから、そうね、ホタルの光がいいわ。ギアに一番ピッタシの唄だし――ギアの葬式だけじゃなく、あなた達の卒業式、いいえ退学式もまだだったでしょ。それからブラックホークスの解散式。いい？ 今度電気がついたら、みんなもう暴走族じゃなくなってるの。ただの友達としてつながるの」

「二人ずつ組んだら、一人余るじゃないか」

「ギアがいるじゃないの。一人はずれたら、その時だけギアと踊るつもりになるのよ――ノン子、電気を消して」

壁よりに立っていたノン子が、言われたとおり、スイッチを切った。広間は闇に包まれ、みな、おぼろげな影になった。

「コワイ……」小夜らしい声が響いた。麻沙は勇気づけるように大きな声で、

「ホタールの光《ひか》あり、窓のゆーきい……」

唄い始めた。

始めはとまどっていた連中も、やがて誰からともなく麻沙の後についた。麻沙は手探りで歩きだし、ぶつかった相手を抱きよせて、踊り始めた。踊るといってもただ抱きあって足を動かすだけである。

最初はぎこちなかったが、やがて闇の中に波のようなものがうまれて、皆つぎつぎにパートナーを変えて踊り続ける。

「ルルールル、ルルールル、ルールルルルル――」

皆、歌詞をおぼえていないらしく、途中からスキャットになった。だが合唱は闇にだんだん大きくふくらんでいく。足音が床に乱れ、ノン子か、お小夜か、女の声にすすり泣きが混った。麻沙だけが歌詞を唄いながら、皆の声をリードしていった。こんな一つにまとまった合唱は、学校の音楽室では聞いたことがない。声だけでも皆が真剣になっているのがわかった。

やがて、一人になってギアの面影と踊っていた麻沙の肩が、一つの影とぶつかった。声と感触ですぐに誰かわかった。麻沙は、その影を思いきり強く自分に引きよせた。影は、少し遠慮したように、その手を麻沙の腰にまわした。この手だった、ギアを殺したのはこの手なのだ――

「いつしか年もすぎの戸を開《あ》けてぞ今朝は別れゆく……」

一番に戻って唄っていた麻沙は、そのフレーズで声をあげた。「すぎの戸を開けてぞ今朝は」――その言葉だった、死んだギアに聞かせてやりたかったのは。ギアを送るのにこんなにもふさわしい言葉はないのだ。誰かの声がとぎれ、しゃくり泣きになった。麻沙も涙がこぼれそうになった。パートナーの影も、声を乱し、ふるわせている。

「逃げればいい――」

影の耳に唇を寄せ、麻沙は囁《ささや》くように言った。

瞬間、影は動きをとめ、麻沙から手を離そうとした。

「黙って、踊り続けて」

影の手をつかむと、麻沙はその硬ばった体をリードした。

「……逃げなさい。あんたたちってメチャクチャだから、私も今だけ、メチャクチャになってあげる……自分の好きなところへ逃げればいい。逃げられるところまで逃げればいい……オートバイで好きなところへ行きなさい。今なら誰にもわからないわ」

「……どうして……」

「一日だけでも自由な日をあげたいのよ、警察に逮《つか》まる前に――本気よ、先生」

口ではそう言いながら、麻沙はその影をしっかりと抱きしめていた。影もまた麻沙にまわした手に思いきり力をこめた。その手は麻沙にすがり、麻沙の助けを求めている。まだ子供なんだわ……人を殺すっていうことが何なのかもわかっていない……

「本気よ、私――」

影は、麻沙の肩に顔を埋め、烈《はげ》しく首を振った。麻沙は、その頭をかばうように抱きながら、黙って踊り続けた。

「ルルールル、ルルールル……」

誰かにぶつかり、麻沙はパートナーを変えた。

次にパートナーを変えることになったとき、麻沙は両手を叩いた。

「これで、お終《しま》い」

麻沙は、手探りで、壁のスイッチを入れた。

シャンデリアの灯の下に、四人がばらばらになっていた。誰も逃げてはいない。四人は皆目を赤く腫《は》らしている。

ヒーロは電話機のすぐそばに立っていた。麻沙が電話機に視線を投げると、ヒーロは受話器をとりあげ、麻沙にむけてさしだした。

「ヒーロ、あなたが電話しなさい。俺たちは暴走族ですがアジトに使っている別荘で殺人事件が起こりました。犯人はどうも仲間うちの宮部典子らしいって」

ワッとノン子が声をあげ、ソファに泣き伏した。小夜がとびかかるようにしてその肩を抱いた。

「マザー」ガチャが緊迫した声で立ちあがった。だが麻沙はそんな騒ぎを無視して、ただじっとヒーロを見ていた。ヒーロも、受話器をさしだしたまま、遠すぎるものを見るように目を細め、麻沙の視線を自分の視線に結びつけている。

「だってそうでしょう、ヒーロ。あなた、死体が見つかった時からずっと警察に連絡したがっていたんでしょう？」

「たしかにそうだが……警察にはマザーに電話してもらいたいんだ」

そしてヒーロはゆっくりと答えた。

「こう言ってほしい――俺が、鈴田一洋がギアを殺したって」

5

麻沙が待っていたのは、その言葉だった。ヒーロから受けとった受話器を静かに電話機に戻すと、麻沙は、呆然《ぼうぜん》と声も出せずにいる三人をふり返った。

ヒーロは、さっき麻沙と踊っていたときに気持を決めたのか、袋小路を背にしてわずかもとり乱さず、いつもと変りない顔である。こんなカッコいい子がなぜあんな馬鹿げた犯罪を――

ヒーロはソファに座り、煙草に火を点《つ》けた。麻沙は咎《とが》めなかった。こんな時だもの、煙草ぐらい許してあげなければ――

「マザーは全部わかってるようだが――赤ヒゲと俺とのことは俺の口から皆に話しておく」

「何も言わなくてもいいわ。ただあることであなたにもギアにも赤沢先生を殺すだけの動機があった、それさえわかればいいのよ」

三角関係。たぶんGがAを愛し、AがHを愛していたのだろう。だがそれは普通でいう愛とか欲望とかいった生々しいものではなかったに違いない。赤沢は二人に優しさという餌《えさ》を与え、飢えきった二人がそれにとびついただけだろう。ただギアはその関係にも暴走してしまったのだ。嫉妬《しっと》、というより独占欲からギアは赤沢もヒーロも憎んだ。ヒーロの方では赤沢がギアとも関係があると知ったときから赤沢と別れたがっていた。それで一昨日赤沢に電話を入れて呼び出したのだ。

「ヒーロ、あなたが赤沢先生の車を降りたのは何時だったの」

「六時半だ。その時、恰度《ちょうど》雨が降りだした」

「つまり」麻沙は言った。「赤沢先生を刺したナイフも遺留品の髪の毛もライターもみんなヒーロのものだったのよ。車中にたぶんヒーロの指紋が残っているでしょう」

「ヒーロは赤ヒゲも殺したのね」

ノン子がまだ涙に濡《ぬ》れている声で呟いた。

「なぜ？　ノン子、なぜあなたがそう考えるの。あなただけは現場にすべてヒーロの痕跡《こんせき》が残っていたとしても犯人はヒーロじゃないと考えなければならない立場にいるのよ。そうでしょ。ギアの殺された現場の遺留品は全部あなたの物だったわ。それなのにあなたは殺していないじゃないの」

「じゃあ、ヒーロは赤ヒゲを殺していないってこと？」

小夜が聞いた。

「そうなの。犯人は二人の乗った車をずっと追いかけていて、ヒーロが降りてからその車に乗りこみ、赤沢先生を殺したのよ。私の考えでは赤沢先生が殺されたのは、雨が降りだした後だわ。六時半以後——すると一つ矛盾点《むじゅん》がでてくるわね。雨が降っていたのになぜ窓が開いていたか。それで私こう考えたのよ。犯人はもしかしたら閉所恐怖症じゃないかと」

「閉《とざ》された狭い場所が怖いという？」

「ええ。私がそう考えたのはあなた達の中に一人そうとしか思えない人がいたからよ。この寒いのに部屋の窓を開けておいたり——」

「ギア……」ノン子が呟く。

「そうよ、ノン子。ギアが隠していたので、あなただけじゃなく誰も気づいていないと思うけど、あなたが今朝ギアに部屋を追い出されたのは、喧嘩のためより、あなたが窓を閉めようとしたからだわ。他にもあるの。ギアがマンションに移り住んですぐ家をとびだしたのは、最上階まで毎日何度もエレベーターで昇降しなければならなかったからよ。この別荘へ来た最初の晩に水道の元栓を締めたのはギアだけれど、それも浴室やトイレを使えないようにしたかったからだわ。ドアを開けたままでないとそういう所へ入れないことを誰にも知られたくなかったのね。それからもう一つあるわ——ギアが暴走族になった理由」

「どういうこと？」

「ギアは父親が憎かったから、会社の車まで憎んだとガチャが言ったけど、本当は反対で車が憎かったから父親まで憎んだのね。スピード狂の彼が十九になっていても免許をとらなかったり、日本一の高級車をガチャにやると言ったのは、車という密室に堪《た》えられなかったからよ。その症状に苦しむようになったのは、中学のとき吹雪に閉された山小屋に閉じこめられてからだと思うけど、弱い所を他人に見せたくないという性質で家族にもあなた達にも打ち明けず一人苦しんでいたのね。ギアが一生暴走族をやってると言ってたと思うと私、悲しくなるわ。父親はオートバイは危険だからと言って車を買い与えたそうだけど、本当は、閉ざす壁も枠も何もないオートバイの上だけが、ギアの唯一安心できる場所だったのだもの。その症状から逃げだすためには、オートバイで暴走するしかなかったのよ……」

麻沙は深いため息をついた。「いつしか年もすぎの戸を開けてぞ今朝は別れゆく」——ギアもまた人生という狭い部屋のドアを開けて旅だつことができたのだろうか。

「犯人が閉所恐怖症だと思った時から、ヒーロが殺していないことはわかったわ。私が話があると言った時、ヒーロは自分からあの狭い浴室に閉じこもろうと言いだしたのだもの。——ともかくその症状やいろいろな意味でギアは赤沢先生を殺そうとまで思いつめるほど追いこまれてしまったのね。ただここで重要な問題は、殺した後、その罪をヒーロに着せようとしたことなの。ヒーロのナイフを使ったり、ヒーロの髪の毛を死体に握らせたり、こっそり盗んでおいたヒーロのライターを落としたり——そのために今度は自分がヒーロに殺されることになってしまったのだから」

「ヒーロはギアが自分を裏ぎったのが許せなかったんだな」

ガチャが言った。

「仕返し？　そうそれもあるわね。でもヒーロがギアを殺した目的はもっと別にあったわ」

麻沙はヒーロをふり返った。ヒーロは傍に誰もいないように、いつもの灰色の目で煙草の煙を追っている。

「さっき私は、赤沢先生を殺した犯人が、その秘密を知られてギアをも殺したと言ったわね。つまり犯人は赤沢先生を殺したからギアも殺したと言いたかったのだけど、あれは全く逆だったの。ヒーロは赤沢先生を殺さなかったから、ギアを殺さなければならなくなったの」

6

「ヒーロの目的は」麻沙は何もわからないといった顔の三人に身をのりだして続けた。「ギアを殺すことよりノン子に嫌疑をかけることにあったの」

「なぜなの」小夜がポニーテールを揺らして尋ねた。「ヒーロはノン子を恨んでたの」

「いいえ。本当はノン子じゃなくても良かったのよ。お小夜を殺してガチャに嫌疑をかけても、ノン子を殺してお小夜を犯人に仕立てあげても――ヒーロはただ誰でもいいから殺人事件の容疑者を創《つく》りだしたかっただけなの。容疑者を創るためには事件を起こさなければならない。それがヒーロがギアを殺した動機だったんだわ。ただ最終的にヒーロがギアとノン子を選んだのには二つの理由があったわ。昨日の晩二人が偶然喧嘩を始めたので、ノン子を容疑者に仕立てやすくなったためと、もう一つ今ガチャが言ったギアへの仕返しのためと――」

麻沙はノン子に目を向けた。

「でもノン子、ヒーロを恨んじゃ駄目《だめ》よ。ヒーロは卑怯《ひきよう》な男じゃないわ。ただ一時的にあなたを容疑者に仕立てあげるだけのつもりだったの。あなたが警察に逮捕されたら、すぐに本当の犯人は自分だと名乗り出るつもりだったのよ。現場から消えたテープね、あれにはヒーロがギアを殺害する前後の状況が全部録音されていたと思うの。もちろんヒーロが自分で録音したのよ。自分が犯人だという証拠として警察に提出するためにね」

「なぜ、そんな馬鹿なことを」

ガチャが呟いた。

「自分が赤沢先生を殺していないことを証明するためによ。そう、本当に馬鹿なことね。ヒーロは自分が赤沢先生を殺していない、そのことを証明するために、ギアを殺したんですもの。無実を証明するために人を殺すなんて」

ヒーロは黙っている。だがその沈黙は、はっきりと麻沙の推理を肯定《こうてい》していた。

「いい？　最初に私がおかしいと思ったのは二つの事件の犯人の遺留品が似ていることなの。共に凶器はナイフ。ライターとブレスレット。髪の毛とリボン。それで考えたのよ。

赤沢先生の事件で警察が追っている容疑者も、ノン子のようにただ濡れ衣を着せられているだけではないのかって。ノン子、あなたなら、赤沢先生殺しの犯人として自分が追及されていると知った時のヒーロの追いつめられた気持がわかってあげられるわね。自分には赤沢先生を殺す絶対的な動機がある。状況も証拠も自分を犯人と告げている。アリバイもない。おまけに自分は暴走族だ。いくら真実を主張しても警察が信じてくれるはずがない」

「――わかるわ」

ノン子がヒーロを見て言った。

「なんとか無実を証明する方法はないか――悩みぬいた末ヒーロは思いきった手を打つことにしたの。裁判に判例というのがあるわ。よく似た事件には同じ判決が下る可能性が強いの――ヒーロがやろうとしたことはそれに似てるわ。赤沢先生との関係は極秘だったから、自分の名が捜査線上に浮ぶまでには多少の時間的猶予《ゆうよ》があるだろう。その前に、警察がまちがって容疑者を逮捕することもあるという先例をつくっておこう。自分でも馬鹿馬鹿しいとはわかっていたのだけれど、そこへ絶好の機会が来たわ。ノン子がギアと喧嘩して殺す殺さないのと騒ぎだしたの。その喧嘩が、恰度《ちょうど》ヒーロの計略のエンジンを噴かしてしまったのね。後は暴走する他なくなったの。――ノン子が逮捕されたら、赤沢殺しで自分に手が回るのを待って警察に真実を話すつもりだったのね。〝ノン子は無実だ。だから俺も無実なんだ〟と。――そうなのよ。ヒーロはその一言を刑事の前で言いたいために、人一人を殺してしまったんだわ……」

「ヒーロお前、なぜ」ガチャが顔を歪《ゆが》めた。「どうしてお前、警察《マッポ》に精いっぱい無実を主張すれば、警察だって少しは信用してくれると考えなかったんだ。こんな馬鹿な真似《まね》するより……」

「何言ってるのガチャ。あなたでしょ、警察なんか信用できるか。制限速度守っててても棍棒で殴ってくる奴なんか、と言ってたのは。——そう、あの時すぐに気づくべきだったわ。今度の事件の一番大きな発端は、ヒーロが警察を信用していないことにあったって。仕方ないわね。今、日本中で、三十年間獄中で無実を主張し続けた人が、死後やっとその無実を証明されたという事件が騒がれているんだし……でもね」

麻沙は、教師の顔に戻った。

「あなた達が信用していないのは、警察でも大人達でもなく、あなた達自身よ。自分さえ信じていれば、こんな事件……」

教師というより母親《マザー》の顔である。皆も暴走族でも生徒でもない、子供の顔でシュンとしている。

やがてノン子が涙を浮べた目をあげた。

「まだ一つだけわからないことがあるヨ。ヒーロはなぜギアの日記を私の部屋に隠したの。あれもヒーロの仕業《しわざ》だろ？」

「俺が」ヒーロが答えた。「車を降りるとき、赤ヒゲが自分の日記を読んでくれと言って無理にノートを俺の手に握らせた。ノートは今俺の家に隠してあるんだが、そのノートが見つかったら俺は、ますます窮地《きゅうち》に追いこまれる——それでノン子にも同じことをしたんだ」

煙草の最後の煙を吐き出すと、ヒーロは、

「ノン子、許せよな。俺はただお前に何日間か辛抱《しんぼう》してもらうだけのつもりだったんだ」

ノン子が肯くと、ヒーロはその目を天井《てんじょう》にむけた。恰度、ギアの部屋の真下あたりだろうか、その静かな目は「許せよ」同じ言葉を闇の上に眠っている死体にむけて呟いている ように見えた。

「マザー」

ヒーロが立ちあがった。

「警察へ電話してくれ。警察が来たら俺は何もかも隠さずに話す」

「ええ。大丈夫よ、ヒーロ。私は退学の件では職員会議で敗れたけど、今度こそ日本中を相手にしても戦いぬくわ。あなたにこんな馬鹿げた犯罪をおかさせた本当の責任は誰にあるのか——」

ヒーロは礼を言うように、ちょっと頭を垂《さ》げ、背を向けて玄関の方へ歩きだした。

「どこへ行くの?」

ヒーロはふり返るとおどけた顔で、チャックをズボンの下まで引きおろす真似をして、

「ここのトイレは使えないから、皆、外でやってるんだ」

そう言って玄関から出ていった。

麻沙が受話器をとろうとした時、突然庭でエンジンが噴かされる音が聞こえた。

「ヒーロ、逃げるつもりだ」

そのガチャの声を制して、

「いいえ、ヒーロはそんな卑怯な男じゃないわ。――ヒーロ死ぬつもりなのよ」

麻沙は呟いてから、受話器を叩きつけるように置くと、

「みんな、なに愚図《ぐず》愚図してるのよ！　早くヒーロを追いかけて。みんなの手で必ずヒーロの命を助けて、ここへ連れ戻すのよ！」

思わず大声で叫んだ。二十四年の生涯で麻沙が出した最も大きな声であった。

【初出一覧】

「二つの顔」　「週刊小説」一九八一年七月三日号
「過去からの声」　「週刊小説」一九八一年十月九日号
「化石の鍵」　「週刊小説」一九八二年一月二十九日号
「奇妙な依頼」　「週刊小説」一九八二年六月四日号
「夜よ鼠たちのために」　「週刊小説」一九八二年十月二十二日号
「二重生活」　「週刊小説」一九八三年二月二十五日号
「代役」　「小説推理」一九八一年六月号
「ベイ・シティに死す」　「小説現代」一九八一年十一月号
「ひらかれた闇」　「ルパン」一九八一年秋季号

本作品は新潮文庫版『夜よ鼠たちのために』（一九八六年刊）と講談社文庫版『密やかな喪服』（一九八五年刊）を底本として、一九九八年にハルキ文庫より刊行された『夜よ鼠たちのために連城三紀彦傑作推理コレクション』を再編集して刊行しました。

この作品はフィクションです。もし同一の名称があった場合も、実在する人物、団体等とは一切関係ありません。

宝島社文庫

夜よ鼠たちのために
（よるよねずみたちのために）

2014年9月18日　第1刷発行
2022年9月13日　第9刷発行

著　者　連城三紀彦
発行人　蓮見清一
発行所　株式会社 宝島社
〒102-8388　東京都千代田区一番町25番地
電話：営業 03(3234)4621／編集 03(3239)0599
https://tkj.jp
印刷・製本　株式会社広済堂ネクスト

First published 1998 by Kadokawa Haruki corporation
ISBN 978-4-8002-3173-4